移动开发经典丛书

iOS Auto Layout 开发秘籍

(第 2 版)

[美] Erica Sadun 著

孟立标 译

清华大学出版社

北 京

北京市版权局著作权合同登记号　图字：01-2014-7590

图书在版编目(CIP)数据

iOS Auto Layout 开发秘籍(第 2 版)/(美) 撒敦(Sadun, E.) 著；孟立标 译. —北京：清华大学出版社，2015
(2015.5 重印)
(移动开发经典丛书)
书名原文：iOS Auto Layout Demystified, Second Edition
ISBN 978-7-302-38306-2

Ⅰ. ①i…　Ⅱ. ①撒…　②孟…　Ⅲ. ①移动终端—应用程序—程序设计　Ⅳ. ①TN929.53

中国版本图书馆 CIP 数据核字(2014)第 241433 号

责任编辑：王　军　于　平
装帧设计：孔祥峰
责任校对：曹　阳
责任印制：宋　林

出版发行：清华大学出版社
网　　址：http://www.tup.com.cn，http://www.wqbook.com
地　　址：北京清华大学学研大厦 A 座　　邮　　编：100084
社 总 机：010-62770175　　邮　　购：010-62786544
投稿与读者服务：010-62776969，c-service@tup.tsinghua.edu.cn
质 量 反 馈：010-62772015，zhiliang@tup.tsinghua.edu.cn
印 刷 者：北京鑫丰华彩印有限公司
装 订 者：三河市溧源装订厂
经　　销：全国新华书店
开　　本：185mm×260mm　　印　张：15　　字　　数：365 千字
版　　次：2015 年 1 月第 1 版　　印　　次：2015 年 5 月第 2 次印刷
印　　数：3001～5000
定　　价：49.80 元

产品编号：059185-01

译 者 序

iOS 已陪伴我们走过了7年，搭载着 iOS 系统的设备，例如 iPhone、iPod touch、iPad，以其丰富的功能和出色的用户体验，改变了人们日常的生活、工作和娱乐方式。iOS 7的发布，表明 iOS 进入了新的纪元，它呈现给用户一个扁平、简约而又明朗的界面。

如同一对初次邂逅的男女，往往第一眼便决定了是否会一见钟情。推而广之，开发者往往会花费大量时间去雕琢出一张充满魅力的“脸”，让它无论在浅浅微笑时，还是在扮鬼脸时都富有吸引力。但这确实不是一件容易的事情。在 iOS 界面方面，Apple 做了许多卓有成效的努力。无论是从 OS X 平台引入了 Autosizing 技术，还是到 iOS 6 的时候，引入了自动布局(Auto Layout)技术。自动布局可以实现早前布局技术所无法实现的布局要求。

但是相对而言，自动布局还是一种较新的技术，目前市面上的书籍，也没有对该部分内容进行比较细致的讲解，让一些初次接触自动布局的开发者感觉无从下手。《iOS Auto Layout 开发秘籍(第 2 版)》可以说是弥补了这个空白，难能可贵的是，这本书不仅涵盖了 iOS 和 OS X 平台，而且几乎深入阐述了自动布局技术的方方面面，既有深度又有广度。

该译本出版的时候，可能 iOS 8 已经发布正式版。在 iOS 8 中，自动布局也会有显著的改变。不过，本书仍是学习自动布局的不二选择。一方面，因为它是比较基础而又系统的，可以帮助读者掌握自动布局的一些基本原理和实现；另一方面，了解一种技术最初的形态，可以帮助改善应用的兼容性。最后，诚如作者所言，“我的意图是使你在放下这本书之后，便能拥有 Auto Layout 方面的坚实基础”。

本书由孟立标翻译，参与翻译活动的还有孔祥亮、陈跃华、杜思明、熊晓磊、曹汉鸣、陶晓云、王通、方峻、李小凤、曹晓松。限于时间、精力以及本人的专业水平能力，书中难免会有疏漏错误之处，敬请读者批评指正。

译 者

作 者 简 介

Erica Sadun 是数十本畅销书的作者、合著者和供稿者，这些书涉及编程、数字视频、数字摄影和 Web 设计，包括广受欢迎的 *The Core iOS 6 Developer's Cookbook* 的第 4 版。她最近在 TUAW.com 上发表博文，过去在 O'Reilly 的 Mac Devcenter、Lifehacke 和 ArsTechnica 上发表博文。除了是数十款 iOS 原生应用的作者外，Sadun 拥有佐治亚理工学院图形可视化和可用性研究中心计算机科学专业的博士学位。她是一名极客、一名程序员和一名著作者。写作之余，她和她的极客丈夫共同养育三个“尚在训练中”的小极客。

致　谢

单凭一己之力是无法完成一本书的。在此，我想要感谢我的团队，是他们使本书得以顺利出版。可爱的 Trina MacDonald 为本书的书名开了绿灯，因此最终提供给你一个读到本书的机会。Chris Zahn 是我出色的开发编辑，还有 Olivia Basegio 使任何事情得以顺利进行，即使当事情变得一团糟时也是如此。

我向全体 Addison-Wesley/Pearson 产品团队表示感谢，特别是 Kristy Hart、Betsy Gratner、Kitty Wilson、Nonie Ratcliff 和 Chuti Prasertsith。

同样要感谢 Neil Salkind，我这么多年的代理人；Stacey Czarnowski，我的新 Neil。感谢 Rich Wardwell，本书第 1 版的技术编辑；Mike Shields 和 Ashley Ward，本书的技术编辑。还要感谢在 TUAW 和其他我工作过的博客的现在和以前的同事。

我深深受惠于广大的 iOS 开发者社区，他们在 IRC 上支持我，帮助我阅读本书的草稿，提供反馈。在此，特别感谢 Oliver Drobnik、Aaron Basil (of Ethervision)、 Harsh Trivedi、Alfonso Urdaneta、Michael Prenez-Isbell、Alex Hertzog、Neil Taylor、Maurice Sharp、Mike Greiner、Rod Strougo、Chris Samuels、Hamish Allan、Jeremy Tregunna、Lutz Bendlin、DiederikHoogenboom、Matt Yohe、MahipalRaythattha、Neil Ticktin、Robert Jen、 Greg Hartstein、Jonathan Thompson、Ajay Gautam，Shane Zatezalo、Wil Macaulay、Douglas Drumond、Bill DeMuro、Evan Stone、Alex Mault、David Smith、Duncan Champney、Jeremy Sinclair、August Joki、Mike Vosseller、Remy “psy” Demarest、Joshua Weinburg、EmanueleVulcano 和 Charles Choi。他们的技术、建议和反馈使得本书的顺利付梓成为可能。如果我遗漏了任何帮助过我的人，请原谅我的疏忽。

特别感谢我的丈夫和孩子，你们太好了！

前　言

Auto Layout 重新构思了开发者创建界面的方式。它创建了一个灵活、强大的系统，来描述视图和它们的内容是如何相互关联的，它们和它们占据的窗口和父视图是如何关联的。与旧的设计方法相比，这种技术为布局提供了难以置信的控制，比 frame、spring、strut 所允许的范围更广阔。也有被一些激怒的开发者中伤的，使得 Auto Layout 获得了难以使用、令人沮丧的名声，特别是通过 Interface Builder(IB)使用时。

这就是本书存在的原因。你将通过一些包含大量解释和提示的示例来揭示 Auto Layout 的优势。本书并不过多介绍类文档，而是通过简单的步骤来学习该系统的工作原理，以及它为什么比你初次所想的更强大。你将看到一些常见的设计场景，并发现使用 Auto Layout 是一种乐趣，是最佳实践，而不是一项累人的工作。

你也会探索很多 Auto Layout 的优点。它是一项非常有用的技术：

- **Auto Layout 是声明性的**。表达界面时不必担心这些规则是如何实现的。只要描述这个布局即可，可以让 Auto Layout 计算 frame。
- **Auto Layout 是描述性的和相关性的**。你需要描述项在屏幕上是如何相互关联的。可以忘掉尺寸和位置。重要的只是关系。
- **Auto Layout 是集中的**。无论在 IB 还是在你自己代码里的布局区域，Auto Layout 规则倾向于迁移到一个简单的关系，使它更易于检查和调试。
- **Auto Layout 是动态的**。你的界面会在需要响应用户和源自应用的改变时而更新。
- **Auto Layout 是可本地化的**。使用 Auto Layout 可以征服世界。它在维护界面完整性时，适应不同的单词和词组长度。
- **Auto Layout 是表达性的**。你可以描述比能在旧的 spring-strut 系统中更多的关系。不只是“吸附这条边”或者“沿着这个坐标轴改变尺寸大小”，它可以表示一个视图关联到另一个视图的方式，而不仅仅是它的父视图。
- **Auto Layout 是增量式的**。可以根据你自己的时间表使用它。可以添加它，将它作为应用和界面的一部分，或者将其作为一个完整的 Auto Layout 经历。Auto Layout 提供向后兼容，使你可以使用所有 spring 和 strut、所有约束或者两者的混合，来创建自己的界面。

本书旨在为你提供灵感。我试着去演示使用 Auto Layout 来创建可交互元素、动画和其他超越你可能在 IB 中遇到的特性的示例。这些章节为 Auto Layout 工作提供了一个启动平板，引入了一些可以拓展设计可能性的不常见特性。

正如书名所提示的，本书基本的目标读者是 iOS 开发者。我在可能覆盖的地方引入了 OS X。因此，如果你是一个 OS X 开发者，不会被冷落。本书的内容主要还是针对 iOS。当你阅读时请记住这一点。

Auto Layout 已经对我的日常开发产生了深远的影响。我撰写本书，希望 Auto Layout 也能对你的开发工作带来深远影响。我的意图是使你在放下这本书之后，便能拥有 Auto Layout 方面的坚实基础。如果我幸运的话，这本书会给你“我找到了！”的惊喜一刻，本书将引导你前进。

——Erica Sadun

这本书的内容安排

这本书提供了实际的 Auto Layout 教程。以下是本书内容介绍。

- 第 1 章，“Auto Layout 介绍”——准备好了吗？本章解释 Auto Layout 背后的基本概念。你将学习为什么应当在应用里使用 Auto Layout，以及为什么它必须是一个满足约束的系统。
- 第 2 章，“约束”——在 Auto Layout 中，通过声明关于视图的规则来创建界面。你添加的每个布局规则创建一个关于界面的某部分如何布局的要求。这些规则根据你提供给系统的一个数值优先级来排定等级，相应地，Auto Layout 创建你的界面的可视化表现。本章介绍约束以及布局规则，并且解释了为什么你的规则必须是无歧义的、可满足的。
- 第 3 章，“Interface Builder 布局”——在 Interface Builder 中使用基于约束的设计有时对于 Auto Layout 开发新手来说，可能是一个令人沮丧的经历。iOS 7 和 Xcode 5 完全更新后，本章教你一些你需要的窍门，使 IB 精确地创建你想要的界面。
- 第 4 章，“可视化格式”——本章探索可视化约束看起来如何，你如何创建它们，以及如何在项目中使用它们。你将学到度量字典和约束选项是如何拓展可视化格式来获取更多的灵活性。本章介绍了大量示例，用于演示这些格式以及探索它们产生的结果。
- 第 5 章，“调试约束”——约束有时比较晦涩。你创建约束时使用的代码和界面文件并不易于细读。它只提供一些“有用的”Xcode 日志消息，这让一些开发者十分纠结。本章专注并聚焦于底层约束并帮助调试你的工作。
- 第 6 章，“使用 Auto Layout 创建”——对 Auto Layout 的设计改变了你创建界面的方式。它是一个描述性的系统，远离了准确的度量，例如 frame 和 center，差别比较大。你将注意力放在视图间的关系上，它描述了屏幕上的某项是如何跟随另一项的。通过基于约束的规则，在设计中揭示了这种自然关系，并详细描述了它们。本章介绍 Auto Layout 设计的表达，聚焦于它的基本原则，并提供了一些展示其特性的示例。
- 第 7 章，“布局解决方案”——本书前面章节关注于基础知识和原理。本章介绍解决方案。你已经学习了各种现实世界的挑战，以及 Auto Layout 是如何为日常开发工作提供切实可行的答案。这些主题就像一个摸彩袋，展示开发者通常会提出的请求。
- 附录 A，“练习参考答案”——该附录提供了所有章节后的练习题的答案。

关于示例代码

本书沿用了 *iOS Developer's Cookbook* 系列的风格。书中的 iOS 示例代码总是以单个 main.m 文件开始，你会在其中发现支撑该示例的应用的核心部分。人们一般在开发 iOS 或者 Cocoa 应用时不采用这种方式，但是它提供了一种展现单一想法的绝佳方式。当读者需要在许多文件中搜寻，并试图找出哪些文件是相关的，哪些是无关的时候，要讲清楚这一过程就很难了。提供单个启动点浓缩了这个过程，使得在单个代码块中便能获悉整个想法。

本书所提供的代码并非遵循标准的日常最佳实践方式。书中提供了精确的解决方案，你可以根据需要将它们纳入到你的工作中。书中的示例大都使用一个应用标识：com.sadun.helloworld。这使你的 iOS 设备避免同时被许多示例阻塞。每个示例替换前面一个，确保你的主屏幕保持相对整洁。如果想要同时安装若干示例程序，只需要编辑标识，添加一个独一无二的前缀即可，例如 com.sadun.helloworld.table-edits。

你也可以编辑自定义的显示名称，使应用在视觉上看起来截然不同。你的 iOS Team Provisioning Profile 匹配任何应用标识，包括 com.sadun.helloworld。这允许将编译后的代码安装到设备上，而无须更改该标识，只需要确保在每个项目的构建设置(build settings)中更新你的签名标识(signing identifier)。

本书中还有一些浅显易懂的 OS X 代码。这不是一本以 OS X 为中心的书籍(你可以从书名中猜到这一点)，但是在必要的地方，覆盖到了 OS X 主题。本书的篇幅主要花费在 iOS 上，因此请原谅任何在 OS X 方面的失误，请务必写邮件帮助纠正任何错误。

获得示例代码

你可以在开放源码托管站点 GitHub 上的 http://github.com/erica/Auto-Layout-Demystified 页面上，找到本书的示例代码。其中可以找到按章节划分的源码，这些源码提供了本书涉及的示例文件。

正如后面解释的，你可以通过直接使用 git 或者单击 GitHub 的下载按钮来获取示例代码。在我撰写本书时，它位于页面的右边。它使你能够以一个 zip 或者 tarball(.tar)压缩文件的形式获取整个代码库。

获取 Git

可以通过使用 git 版本控制系统来下载本书的源码。git 的一个 OS X 实现可以通过 http://code.google.com/p/git-osx-installer 获取。OS X git 实现包括了命令行和 GUI 解决方案，这样，你可以去寻找一个最适合自己开发需求的版本。

获取 Github

Github(http://github.com)是最大的 git 托管的站点，拥有超过 150 000 个公共代码库。它既为公有项目提供了免费的托管，也为私有项目提供了付费选项。Github 拥有一个定制的 Web 界面，包括了 wiki 托管、问题跟踪以及对项目开发者社交网络的强调，使得它成为找寻新代码或者在现有库上展开合作的绝佳地方。可以在 Github 网站上注册一个免费账户，这使得你可以复制并修改这个代码库，或者创建自己的 iOS 开发源码项目与他人分享。

贡献！

示例代码永远不会是最终版本。它会随着 Apple 更新它的 SDK 和 Cocoa Touch 库而持续演进。加入我们吧！你可以通过建议需要修复的 bug、提出修复 bug 的方式以及扩展提供的代码参与进来。Github 允许你创建代码库的分支，使用你自己的微调和特性来扩展它们，然后将它们分享回主代码库。如果你提出一个新的想法或者方法，请告诉我。我的团队和我非常乐于将好的建议纳入到代码库和本书的下一个版本中。

联系作者

如果你有关于本书的任何评论或者疑问，请给我发送邮件(erica@ericasadun.com)或者访问 Github 库并联系我。

编者按：我们想要听到你的声音！

作为本书的读者，你是我们最重要的评论家和评论员。我们非常重视你的观点，并希望知道什么是我们做得好的，什么是我们可以做得更好的，什么领域的书籍是你希望我们出版的，以及任何其他你愿意传达给我们的想法。

你可以发送 Email 或者直接给我写信让我知道你喜欢还是不喜欢本书——以及我们该做些什么来使我们的书更具价值。

但请注意，我无法给予你任何与本书主题相关的技术问题的帮助，由于我收到的邮件数量较多，因此可能无法回复每一封邮件。

当你来信时，请确保包含本书的书名、作者以及你的名字和电话号码或者邮件地址。我会仔细地阅读你的评论，并将它分享给本书的作者和编辑人员。

E-mail: trina.macdonald@pearson.com

Mail: Trina MacDonald

Senior Acquisitions Editor

Addison-Wesley/Pearson Education, Inc. 75 Arlington St., Ste. 300

Boston, MA 02116

目　录

第 1 章　Auto Layout 介绍……1
1.1　Auto Layout 的由来……1
1.2　使用 Auto Layout 的好处……2
1.2.1　几何关系……3
1.2.2　内容驱动的布局……5
1.2.3　优先级规则……5
1.2.4　检查和模块化……5
1.2.5　与 Autosizing 兼容……6
1.3　约束……6
1.3.1　可满足性……7
1.3.2　充分性……8
1.4　约束属性……10
1.5　关于那些丢失的视图……11
1.5.1　欠约束导致丢失视图……11
1.5.2　规则不一致导致丢失视图……12
1.5.3　追踪丢失的视图……13
1.6　有歧义的布局……13
1.6.1　纠正有歧义的布局……14
1.6.2　可视化约束……15
1.7　内在内容大小……16
1.8　压缩阻力和内容吸附……17
1.9　图像装饰元素……20
1.9.1　对齐矩形……20
1.9.2　可视化对齐矩形……20
1.9.3　对齐 inset……21
1.9.4　声明对齐矩形……23
1.9.5　实现对齐矩形……24
1.10　练习……26
1.11　小结……27
第 2 章　约束……29
2.1　约束类型……29
2.2　优先级……31
2.2.1　冲突的优先级……31
2.2.2　枚举型优先级……32
2.3　内容大小约束……33
2.3.1　内在内容大小……33
2.3.2　内容吸附……34
2.3.3　压缩阻力……35
2.3.4　通过代码设置内容大小约束……36
2.3.5　在IB中设置内容大小约束……37
2.4　构建布局约束……38
2.5　布局约束类……39
2.5.1　约束数学……39
2.5.2　第一项和第二项……40
2.6　创建布局约束……41
2.6.1　构建 NSLayoutConstraint 实例……41
2.6.2　一元约束……42
2.6.3　不含视图项的约束是不合法的……43
2.7　视图项……43
2.8　约束、层次结构与边界系统……44
2.9　安装约束……46
2.10　比较约束……50
2.11　布局约束法则……52
2.12　练习……54
2.13　小结……55
第 3 章　Interface Builder 布局……57
3.1　在 IB 中设计……57
3.2　禁用 Auto Layout……58
3.2.1　在代码中退出Auto Layout……59

3.2.2 结合 Autosizing 和 Auto Layout········60
3.3 基本布局以及自动生成的约束········60
3.3.1 推测的约束········61
3.3.2 歧义消除约束········62
3.3.3 尺寸约束········63
3.4 IB 元素指南········64
3.4.1 约束列表········69
3.4.2 Xcode 标签········70
3.4.3 添加 Xcode 标识········71
3.5 添加约束········72
3.5.1 拖曳········73
3.5.2 钉固和对齐········75
3.6 预览布局········76
3.7 检查约束········79
3.8 视图的 Size Inspector········80
3.8.1 框架矩形和布局矩形········80
3.8.2 其他 Size Inspector 项········81
3.9 处理菜单········82
3.9.1 更新框架和约束········82
3.9.2 添加和重置约束········82
3.9.3 清理约束········82
3.10 约束/尺寸调整弹出菜单········83
3.10.1 Descendants 选项········83
3.10.2 Siblings and Ancestors 选项········84
3.11 视图丢失问题········84
3.12 平衡请求········86
3.13 混合布局········88
3.13.1 创建一个用于测试的 nib 文件········88
3.13.2 在代码中加入 nib 文件········89
3.13.3 混合布局的优点········91
3.14 移除 IB 生成的约束········92
3.15 练习········92
3.16 小结········95
第 4 章 可视化格式········97
4.1 可视化格式约束介绍········97
4.2 选项········99
4.2.1 对齐········100
4.2.2 省略选项········100
4.3 变量绑定········100
4.3.1 间接的问题········101
4.3.2 间接的替代方案········101
4.4 度量········102
4.5 格式字符串结构········103
4.6 方向········104
4.7 视图名称········104
4.8 连接········105
4.8.1 空连接········105
4.8.2 标准间隔········106
4.8.3 数字间隔········107
4.8.4 引用父视图········107
4.8.5 与父视图的间隔········107
4.8.6 灵活间隔········108
4.8.7 圆括号········109
4.8.8 负数········109
4.8.9 优先级········110
4.8.10 多视图········110
4.9 视图尺寸········111
4.10 格式字符串部件········113
4.11 出错········115
4.12 NSLog 和可视化格式········115
4.13 约束到父视图········116
4.14 视图拉伸········117
4.15 约束尺寸········118
4.16 创建列或者行········119
4.17 匹配尺寸········120
4.18 为何不能分布视图········121
4.18.1 伪分布视图(第 1 部分：等中心)········121

4.18.2 伪分布视图(第 2 部分：间隔视图)······124
4.19 练习······126
4.20 小结······127

第 5 章 调试约束······129
5.1 Xcode 反馈······129
5.1.1 开发反馈······129
5.1.2 编译器反馈······130
5.1.3 运行时······130
5.2 阅读控制台日志······131
5.2.1 示例：自动尺寸调整问题······131
5.2.2 解决方案：关闭自动尺寸调整转换······132
5.2.3 示例：Auto Layout 冲突······133
5.2.4 解决方案：调整优先级······134
5.2.5 原子法······134
5.2.6 平衡法······134
5.2.7 追踪歧义······135
5.3 检查约束日志······135
5.3.1 示例：对齐约束······136
5.3.2 示例：标准间隔······136
5.3.3 示例：基于等式的约束······136
5.3.4 示例：复杂等式······137
5.3.5 示例：乘数和常数······138
5.4 布局数学中的一个注意点······138
5.5 约束等式字符串······139
5.6 添加名称······142
5.6.1 使用名称标签······142
5.6.2 命名视图······143
5.7 描述视图······144
5.8 示例：意外的填充······146
5.9 示例：图像吸附······147
5.10 示例：视图居中······148
5.11 向下遍历报告······151
5.12 示例：歧义······152
5.13 示例：控制台输出的扩展······153
5.14 可视化约束······155
5.15 启动参数······156
5.16 国际化······158
5.16.1 加倍的字符串(iOS/OS X)······158
5.16.2 翻转界面(OS X)······159
5.16.3 翻转界面(iOS)······160
5.17 概要分析 Cocoa 布局······162
5.18 调试中的 Auto Layout 规则······163
5.19 练习······163
5.20 小结······164

第 6 章 使用 Auto Layout 创建······165
6.1 Auto Layout 的基本原则······165
6.2 布局库······166
6.3 界面设计······170
6.4 模块化创建······171
6.5 更新约束······173
6.5.1 调用更新并以动画形式显示变化······174
6.5.2 以动画形式显示 OS X 上的约束变化······175
6.5.3 渐褪变化······175
6.6 边缘条件设计······176
6.7 创建一个视图抽屉······179
6.7.1 创建抽屉布局······181
6.7.2 管理被拖曳视图的布局······184
6.7.3 被拖曳的视图······184
6.8 窗口边界······186
6.9 练习······188
6.10 小结······188

第 7 章 布局解决方案······191
7.1 表单元格······191
7.2 保存图像纵横比······195

7.3 等宽尺寸 ······ 197
7.4 滚动视图 ······ 198
7.4.1 滚动视图和纯 Auto Layout ······ 199
7.4.2 混合解决方案 ······ 199
7.4.3 创建一个分页式图片滚动视图 ······ 200
7.5 居中视图组 ······ 203
7.6 自定义乘数和随机位置 ······ 204
7.7 创建栅格 ······ 207
7.8 为键盘留出空间 ······ 209
7.9 在运行时插入视图 ······ 211
7.10 运动效果、动态文本和容器 ······ 213
7.11 练习 ······ 214
7.12 小结 ······ 214
附录 A 练习参考答案 ······ 215

第1章 Auto Layout介绍

Auto Layout(自动布局)颠覆了开发人员创建用户界面的方式。它提供了一种灵活而强大的系统，该系统可以描述视图与其内容相互之间的关系，也可以描述视图及其内容与父视图之间的关系。与原来的设计方法相比，这一技术具有令人难以置信的布局控制能力，其自定义范围比采用 frame、spring 和 strut 所能获得的范围更广。

Auto Layout 既有忠实的用户群，也有激烈的反对者。有人说它不好用、挫败感强，尤其是通过 Interface Builder(IB)使用时更是如此。这种说法有时候并不是空穴来风。虽然 Xcode 5 大大改善了这种情况(去掉了一些让人一头雾水、晕头转向的功能)，但这一技术仍然有待不断发展，直至完全成熟。

Auto Layout 是一种神奇的工具，它做到了使用先前技术的人做梦都想不到的事情。从处理边界情况(edge case)到创建视图之间的相互关系，Auto Layout 无所不能。此外，Auto Layout 与苹果公司的许多优秀的应用编程接口(API)兼容，包括动画(animation)、动画效果(motion effect)和精灵(sprite)。

基于此，本书应运而生。本书将通过示例来介绍 Auto Layout 的使用技巧，这些示例中会包含大量解释和提示。你不必再让类文档折磨得死去活来。相反，本书只用了几个简单的步骤，就讲明白了这一系统的工作原理、如何对它进行调整使其发挥更大的作用，以及为什么 Auto Layout 的功能强大得超乎想象。本书将提供一些常用的设计方案和最佳实践经验，使 Auto Layout 的使用成为一种享受，而不是苦差事。

1.1 Auto Layout 的由来

2012 年，Auto Layout 作为 iOS 6 版本的一部分，首次在 iOS 中露面。大约一年前的 OS X 10.7 Lion 中也有它的身影。Auto Layout 旨在取代原来基于 spring 和 strut 的 Autosizing 系统，它是一种全新的系统，用来构建视图之间的关系，指定视图与其父视图之间以及视图与视图之间的关系。

Auto Layout 的前身是 Cassowary 约束解析工具包。Cassowary 是华盛顿大学的 Greg J. Badros 和 Alan Borning 为解决用户界面布局问题而开发的。Cassowary SourceForge 项目的网页(http://sourceforge.net/p/cassowary/wiki/Home/)上对它的解释如下：

> Cassowary是一种递增式约束解析工具包，它能有效地解析线性等式系统和线性不等式系统。约束可能是需求，也可能是偏好。该工具包能快速地重新解析系统，并且支持UI应用程序。

Cassowary 是围绕这样一个重要的界面现象开发的：用户界面中生来就会出现不等关系和相等关系。Cassowary 开发了一种基于规则的系统，使开发人员能够描述视图之间的关系。这些关系是通过约束来描述的。约束是指一些规则，这些规则指出了一个视图相对于另一个视图的位置。例如，有些约束要求一个视图仅占据屏幕的左半边，也有些约束要求两个视图的底部始终对齐。

Cassowary提供了一种自动解析工具，将基于其约束系统的布局规则(对于数学达人来说，这些规则本质上就是一个联立线性方程组)转换成表达那些规则的视图几何特征。Cassowary 的约束系统功能强大而微妙。自从它首次亮相以来，已经移植到了JavaScript、.NET/Java、Python、Smalltalk和C++中，并且通过Auto Layout移植到了Cocoa和Cocoa Touch中。

在 iOS 和 OS X 中，带约束功能的 Auto Layout 能够将视图在界面中进行有效的摆放。无论是通过 IB 还是通过代码提供规则，Auto Layout 系统都会将这些规则转换成视图框架。

1.2 使用 Auto Layout 的好处

有些开发人员不愿意使用 Auto Layout，原因有很多。有人觉得它太新奇、太古怪，有人觉得用它更新界面还需要做一些额外的工作，嫌麻烦。但是我认为这个工具值得使用。Auto Layout 在视图布局方面取得了重大突破，该系统有一些奇妙、新鲜和新颖之处。苹果公司的布局功能会使你的生活更轻松，界面更统一。此外，苹果公司还在 Auto Layout 中免费添加了与分辨率无关的布局。不管设备的几何形状、方向以及窗口大小如何，都能实现这一切布局功能。

Auto Layout 的工作原理是通过创建屏幕上的对象之间的关系来实现布局。它指定运行系统如何自动摆放视图，其结果是产生一组适合屏幕和窗口几何形状的健壮规则。使用 Auto Layout，可以描述一些约束，用来指定视图之间的关系；也可以设置一些视图属性，用来描述视图与其内容之间的关系。通过 Auto Layout 可以进行类似如下的请求：

- 将一个视图的尺寸与另一个视图的尺寸匹配，使两个视图始终保持相同的宽度。
- 无论父视图的形状如何改变，都将一个视图(或者一组视图)相对于父视图居中。
- 摆放一行视图时将几个视图的底部对齐。

- 将两个视图偏移一定的距离(例如，在两个视图之间添加标准的 8 点补白空间)。
- 将一个视图的底部与另一个视图的顶部绑定，使得移动一个视图时，两个视图一起移动。
- 防止图像视图在按自然大小看不到完整内容时收缩成一个点(即不压缩或剪切视图的内容)。
- 显示按钮时文本四周不要有太多的补白。

上述列表中的前 5 项描述了定义视图几何特征与布局的约束，建立了视图之间的可视化关系。后两项建立了视图与其呈现的内容之间的关系。使用 Auto Layout 时，这两种情况都会涉及。

下面是使用 Auto Layout 进行开发的一些优势。

1.2.1 几何关系

建立关系是 Auto Layout 的强项。图 1-1 显示了一个完全用 Auto Layout 构建的自定义 iOS 控件。用户可以用这个选择器选择颜色。每支画笔由一个尺寸固定的笔尖视图直接放在一个可伸缩的笔杆底视图上方构成。当用户进行选择时，两个视图一起上下移动来指示其当前选择。Auto Layout 约束确保每个笔尖恰好位于其笔杆的上方，每支画笔与其他画笔大小一致，并且每一对笔尖视图和笔杆底视图组成的画笔排成一行，底部对齐。

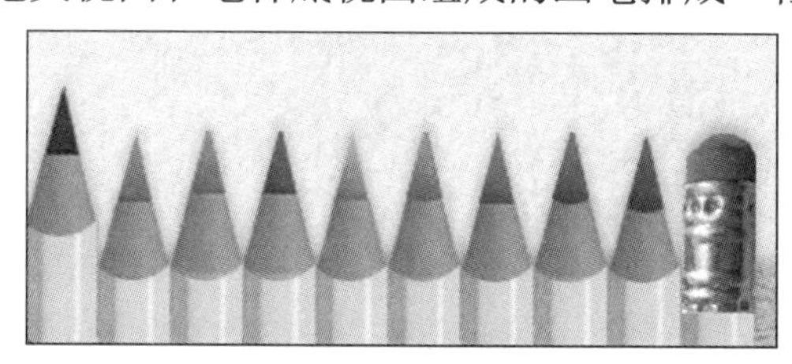

图 1-1 此画笔选择器自定义控件完全是用 Auto Layout 构建的

这里的画笔选择器是通过代码构建的。也就是说，有一个数据源提供了画笔的支数和每个笔尖的艺术特征。Auto Layout 通过描述画笔之间的关系，简化了扩展该控件的过程。你只需要指出“将每支新画笔放在右边，宽度与现有画笔一样，底部对齐”，即可将此选择器由 10 支画笔增加到 11 支、12 支，或者更多支。最重要的是，约束的变化可以制作成动画。当改变约束偏移量，使笔杆的长度发生变化时，笔尖会随之上下活动。

下面的代码说明了我在自己的项目中摆放这些画笔的方式：

```
// This sample extensively uses custom macros to minimize the
// repetition and wordiness of this code, while giving a sense of the
// design choices and layout vocabulary offered by Auto Layout.
// Read more about similar custom macros in Chapter 6.

- (void) layoutPicker
{
    for (int i = 0; i < segmentCount; i++)
    {
        // Add base
```

```
        UIImageView *base = [[UIImageView alloc] initWithImage:baseArt];
        base.tag = i + 1;
        [self addSubview:base];
        PREPCONSTRAINTS(base);

        // Load tip
        UIImageView *tip = [[UIImageView alloc] initWithImage:
                                             segmentArt[@(i)]];
        tip.tag = i + 1001;
        [self addSubview:tip];
        PREPCONSTRAINTS(tip);

        // Constrain tips on top of base
        CONSTRAIN_VIEWS(@"V:[tip][base]|", tip, base);

        // Left align tip and base
        ALIGN_LEFT(tip, base);

        // Tips and base have same width so
        // match the tip width to the base width
        MATCH_WIDTH(tip, base);
    }

    // Set up leftmost base
    UIView *view1 = [self viewWithTag:1];
    ALIGN_LEFT(view1, 0);

    // Line up the bases
    for (int i = 2; i <= segmentCount; i++)
    {
        // Each base to the right of the previous one
        UIView *view1 = [self viewWithTag:i-1];
        UIView *view2 = [self viewWithTag:i];
        CONSTRAIN_VIEWS(@"H:[view1][view2]", view1, view2);
    }

    for (int i = 1; i <= segmentCount; i++)
    {
        // Create base height constraint so the
        // base's height (the pencil without the tip) is
        // fixed to the value of baseHeight
        UIImageView *base = (UIImageView *)[self viewWithTag:i];
        baseHeight = base.image.size.height;
        CONSTRAIN_HEIGHT(base, baseHeight);

        // Create tip size constraints fixing the
        // tip's width and height to these values
        UIImageView *tip = (UIImageView *)[self viewWithTag:i + 1000];
        CONSTRAIN_WIDTH(tip, targetWidth);
        CONSTRAIN_HEIGHT(tip, targetHeight);
    }
}
```

1.2.2　内容驱动的布局

Auto Layout 是内容驱动的。也就是说，它在布局时会考虑视图的内容。例如，设有一个大小可调整的内容视图，它有几个子视图，如图 1-2 所示。假设你希望能够调整这个视图的大小，但是调整大小时不要剪切子视图中的任何内容。Auto Layout 将帮助你实现这些愿望，它会将视图摆放得能确保调整大小时系统不会剪切任何内容。

图 1-2 显示了一个小的 OS X 应用程序，主窗口会保护它的两个子视图的内容不被剪切(本书会尽量在适当的地方添加几个 OS X 示例。Auto Layout 在 iOS 和 OS X 中的表现基本相同)。这两个子视图包括：一个内容为字符串 Label 的标签，以及一个内容为字符串 Button 的按钮，按钮的大小可以调整。图 1-2(a)显示了应用程序启动时的原始内容视图；图 1-2(b)显示了将窗口尺寸调整到最小程度之后的视图。

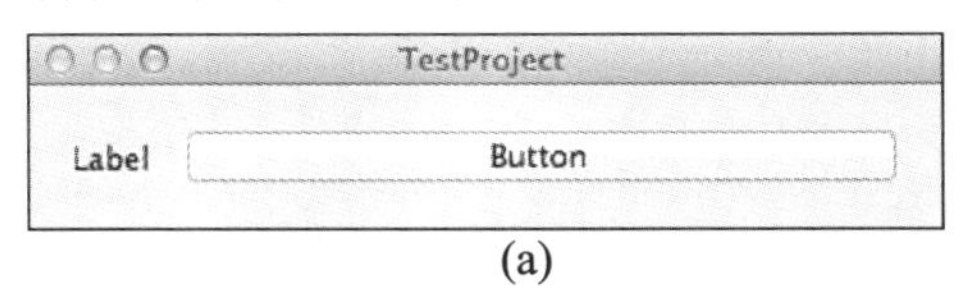

(a)

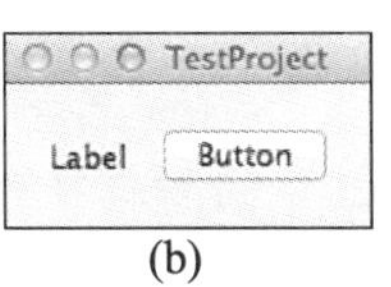

(b)

图 1-2　Auto Layout 可以确保原始视图(a)中的可伸缩按钮在调整大小时不会剪切内容。窗口不能调整得比这个小视图(b)更小，因为那样会导致标签或按钮被剪切

图 1-2(b)是这个视图的最小版本。因为它的 Auto Layout 规则不允许剪切(这些规则称为压缩阻力)，所以窗口不能调得比(b)图更小。要能够收缩得比这个尺寸还要小，唯一的办法是将两个“不要剪切子视图”的规则中的一个或两个降低优先级，或者干脆删除。还有一种类似的规则，称为内容吸附，它使视图拒绝补白和伸展，保持每个视图的框架接近它所呈现内容的自然大小。

头脑中要时时有内容这根弦，当视图使它们呈现的内容发生改变时，就要修改规则。例如，当从一种语言切换到另一种语言时，可能需要修改各标签和按钮的宽度，以适应不同的单词长度。例如，将英语文本翻译成西班牙语或葡萄牙语可能会使单词长度拉长 20%~25%。将英语翻译成希伯来语或阿拉伯语会使单词长度缩短 1/3。

1.2.3　优先级规则

Auto Layout 通过优先级规则权衡各布局选项的重要性，并对优先级作适当调整，使之适合有挑战性的边界条件和特殊情况。规则权衡是用 Auto Layout 进行设计工作的一个重要部分。设计时不仅要指定各个视图的布局质量，而且要排出它们的优先级顺序。当规则发生冲突时(这种情况经常发生)，系统根据优先级排序选择最重要的布局质量来保护。

在图 1-2 的示例中，标签和按钮内容完整性的优先级高于所有要求使窗口更小的请求。这样可以强制性地确定一个自然的最小窗口尺寸，防止窗口进一步缩小。

1.2.4　检查和模块化

Auto Layout 最出色的功能之一是它可以有效地进行集中处理和检查。然而，只有当使用代码创建布局时才能利用这一优势。虽然在 IB 中可以浏览约束，甚至可以用适当的工具使约束可视化，但是很难复原每个布局选择的意图。

使用代码创建布局，可以将规则划分为一些通用方法(如loadView和updateViewConstraints)并自由地对这些方法进行注释。只是使用代码创建布局时无法进行可视化查看。你可以轻松地检查你的布局，确保正确地表达了你的逻辑。然而，除非通过运行应用程序，否则无法预览那些规则产生的效果。

将约束进行模块化是一件很简单的事。当构建了将一个视图相对于其父视图居中的例程后，就可以无限地重用该例程。可以构建一个常用约束请求库(例如“将该视图与底部对齐”或者“创建一行这些视图，在垂直方向居中对齐”)，这样可以使布局代码在实际可读性和整体可靠性方面都越来越完美。在与图 1-1 配套的示例代码中可以看到这种模块化过程。

1.2.5 与 Autosizing 兼容

Auto Layout 是向后兼容的。用原来的 Autosizing 技术构建的界面和 nib 文件在 Auto Layout 中仍然有效。自动尺寸调整视图与基于约束的布局完全可以组合搭配使用。例如，可以加载一个子视图用 strut 和 spring 布局的 nib 文件，然后可以将该视图作为 Auto Layout 中的一级成员来使用，关键是要封装好。

只要规则不直接冲突(例如，不能在一个视图中同时要求“使用 Autosizing 伸展”和“使用 Auto Layout 伸展”)，就可以重用项目中已经建立的复杂视图。例如，可以加载一些用 Autosizing 技术构建的 nib 文件，并将这些文件无缝地整合到 Auto Layout 场景中。

1.3 约束

上一节讨论了使用 Auto Layout 的好处，本节将介绍什么是 Auto Layout。我们首先来看一下开始讨论这一技术需要了解的一些基本术语。

前文已经提到过，约束是指用来描述视图布局的规则。约束限定了事物彼此关联的方式，并指出如何对它们进行布局。通过约束可以要求“这些对象总是水平地排成一行”或者“这个对象自身可调整大小以匹配那个对象的高度”。约束提供了一种布局语言，可以添加到视图中来描述几何关系。

你使用的约束属于 NSLayoutConstraint 类。这个 Objective-C 类指定了视图属性(如高、宽、位置和中心点)之间的关系。此外，约束并不局限于相等关系。它们可以使用大于等于和小于等于关系来描述视图。因此，可以这样描述：一个视图必须至少与另一个视图一样大；也可以这样描述：一个视图不大于另一个视图。用 Auto Layout 进行布局是以某种充分定义界面的方式，围绕这些关系规则的创建和调整来构建视图布局。

总而言之，界面的约束描述了视图的布局方式，使之能够动态地适配任何屏幕或者窗口几何形状。在 Cocoa 和 Cocoa Touch 中，明确定义的界面布局由具备可满足性和充分性的约束组成。

注意：

每个约束涉及一两个视图。约束将一个视图的属性与自身关联或者与另一个视图关联。

1.3.1　可满足性

Cocoa/Cocoa Touch 通过其约束满足系统来满足布局要求。你建立的规则必须在单独使用和作为整体使用时都有意义。也就是说，不但要用有效的方式创建规则，而且要让创建的规则在更大的整体中发挥作用。在逻辑系统中，这一特性称为可满足性，也称为有效性。一个视图不能同时位于另一个视图的左边和右边。因此，使用约束时的主要挑战在于确保规则严格一致。

用 IB 布局的任何视图都可以保证具备可满足性，因为 IB 提供了一种随时检查和验证布局有效性的系统。该系统甚至可以修复有冲突的约束。用代码布局就不能保证具备可满足性。通过代码你可以轻松地构建这样的视图：要求它们同时既是 360 点宽又是 140 点宽。如果这样做是为了尽量把事情做失败，那还算有趣；但如果是为了尽量把事情做成功，那就非常麻烦。当然，大多数开发人员都将时间花在把事情做成功上。

当规则失败时，会引起一连串的反应。在编译时，Xcode 会发出警告，指出有冲突的 IB 约束以及其他基于 IB 的布局问题。在运行时，每当解析程序遇到冲突时，Xcode 控制台都会提供详细的更新。输出的信息会解释出错的可能原因，并提供调试援助。

在有些情况下，代码会抛出异常。如果没有执行处理程序，应用程序会终止运行。在其他情况下(如后面示例中的情况)，Auto Layout 会删除有冲突的约束规则，使应用程序继续运行。不过这样可能会产生意想不到的界面。

不管是什么情况，你都需要开始调试代码和IB布局，查找出现问题的原因以及冲突规则的来源。这种事情毫无乐趣可言。

下面是一个控制台输出示例，它有关于前面提到的企图同时既是 360 点宽又是 140 点宽的视图。

注意：

这段代码中的粗体字是笔者标出来的，用来突出显示每个约束的尺寸以及出现错误的原因。在本例中，两个规则具有相同的优先级，而且两者不一致。

```
2013-01-14 09:02:48.590 HelloWorld[69291:c07]
    Unable to simultaneously satisfy constraints.
Probably at least one of the constraints in the following list is one you
don't want. Try this: (1) look at each constraint and try to figure out which
you don't expect; (2) find the code that added the unwanted constraint or
constraints and fix it.
(Note: If you're seeing NSAutoresizingMaskLayoutConstraints that you don't
understand, refer to the documentation for the UIView property
translatesAutoresizingMaskIntoConstraints)
(
    "<NSLayoutConstraint:0x7147d40 H:[TestView:0x7147c50(360)]>",
    "<NSLayoutConstraint:0x7147e70 H:[TestView:0x7147c50(140)]>"
```

```
)

Will attempt to recover by breaking constraint
    <NSLayoutConstraint:0x7147d40 H:[TestView:0x7147c50(360)]>

Break on objc_exception_throw to catch this in the debugger.
The methods in the UIConstraintBasedLayoutDebugging category on
    UIView listed in <UIKit/UIView.h> may also be helpful.
```

除非由 Auto Layout 系统打破一个约束，否则这种不可满足的矛盾是无法解决的。Auto Layout 任意丢弃两个尺寸请求中的一个(在本例中丢弃的是 360 点那个尺寸)，并记录结果。

1.3.2 充分性

另一个重大挑战是要确保规则特别充分。当面临多种可能的布局解决方案时，欠约束的界面(不充分或有歧义的界面)会产生随机结果，参见图 1-3(a)。你可能会请求一个视图位于另一个视图的右边，但是除非你向系统指出其他方面的约束，否则最终可能发现左边的视图在屏幕上方，右边的视图在屏幕下方，因为这个规则没有指出在垂直方向的任何要求。

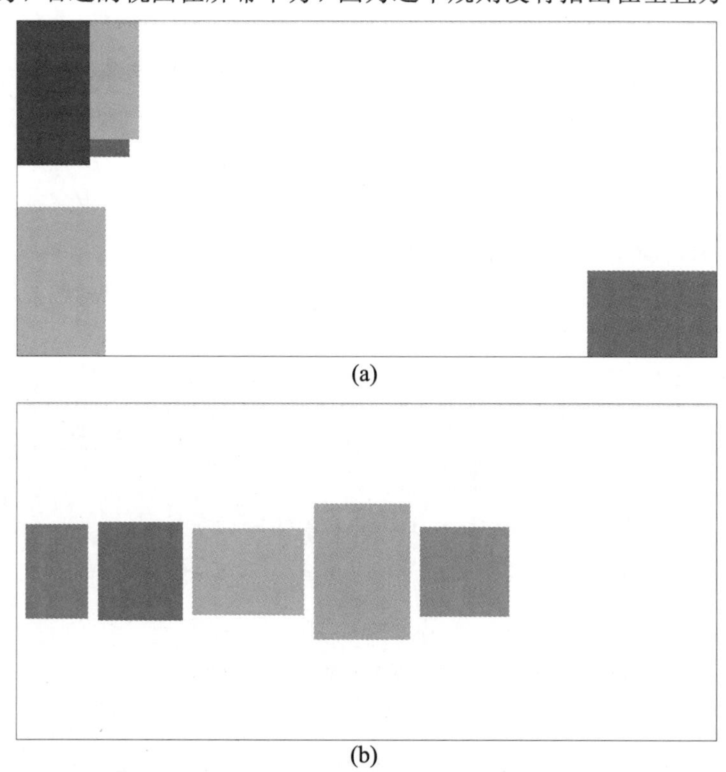

图1-3 奇怪的布局位置(a)是欠约束布局的标志。虽然这些视图被约束为显示在屏幕上，但是它们几乎随机的布局表明描述其位置的规则不充分。默认情况下，视图可能根本不会显示在屏幕上，尤其是当欠约束时。第4章中将介绍的备用规则可确保视图既是可见大小又显示在屏幕上。充分的布局(b)为每个视图都提供了布局规则

一组充分的约束能充分表达视图的布局，如图1-3(b)所示。在这种情况下，每个视图都有明确定义的大小和位置。

充分性并不意味着“硬编码”。在图 1-3(b)所示的布局中，这些位置没有一个是精确指定的。Auto Layout 规则指出将这些视图在水平方向排成一行，互相垂直居中对齐。第一个视图固定在父视图的左边居中位置。这些约束之所以是充分的，是因为可以根据每个视图与其他视图的关系来确定视图的位置。

一个充分的(即无歧义的)布局在每个坐标轴上至少有两个几何规则，即总共至少有 4 个规则。例如，与使用框架时一样，可以用一个原点和一个尺寸来指定视图的位置和大小。但是使用 Auto Layout 还有其他表达视图位置和大小的方式。下面这个规则充分的示例定义了视图的位置及其在一个坐标轴上的范围，如图 1-4 所示。

- 将视图的水平边(A)固定在其父视图中的精确位置(本例中定义的两个属性是该视图的最小 X 值和最大 X 值)。
- 将视图的宽度与另一个子视图的宽度(B)相匹配，然后使该视图相对于其父视图水平居中(宽度和中心点的 X 坐标值)。
- 声明视图的宽度与其内在内容相匹配，例如与视图上文本的长度(C)相匹配，然后将该视图的右(后)边拼接到另一个视图的左(前)边(宽度和最大 X 值)。
- 将视图的顶部和底部固定到父视图的顶部和底部(D)，使该视图垂直伸展到与父视图垂直方向的坐标一致(最小 Y 值和最大 Y 值)。
- 指定视图的垂直中心点位置及其最大范围(E)，Auto Layout 会根据偏移量计算视图的高度(中心点的 Y 坐标值和最大 Y 值)。
- 指定视图的高度和它距离视图顶部的偏移量(F)，然后将该视图悬挂在父视图的上方(最小 Y 值和高度)。

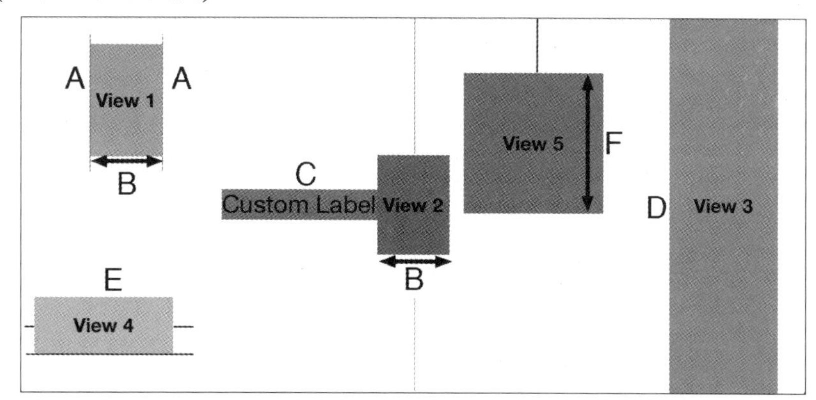

图 1-4　充分的布局在每个坐标轴上至少需要两个规则

上面这些规则中，每一个规则都提供了沿一个坐标轴的足够信息，避免了歧义性，因为每个规则都代表了关于视图如何适配整个布局的一个特定声明。

当规则无效时，视图就缺乏这种明确性。例如，如果仅提供了宽度，那么在 X 轴方向上系统应该将视图放在何处？左边？右边？中间的某个地方？还是完全超出屏幕的尺寸？又如，如果仅指定了一个 Y 位置，那么这个视图的高度应该为多少？50 点？50 000 点？还是 0 点？信息缺失会导致有歧义的布局。

当使用不等关系时，经常会遇到歧义性，如图 1-3(a)所示。这些视图的规则表示视图应当位于父视图的边界之内，但是没有指明在边界内的什么位置。如果它们的最小 X 值大于等于其父视图的最小 X 值，那么这个 X 值应该是多少？这样的规则不充分，因此布局是有歧义的。

1.4 约束属性

约束使用了有限的几个几何术语。属性是约束系统中的“名词”，它用来描述视图对齐矩形内的位置。关系是“动词”，指出如何将不同的属性进行相互比较。

属性名词(见图 1-5)表达的是物理几何特性。约束提供了下列关于视图属性的术语：

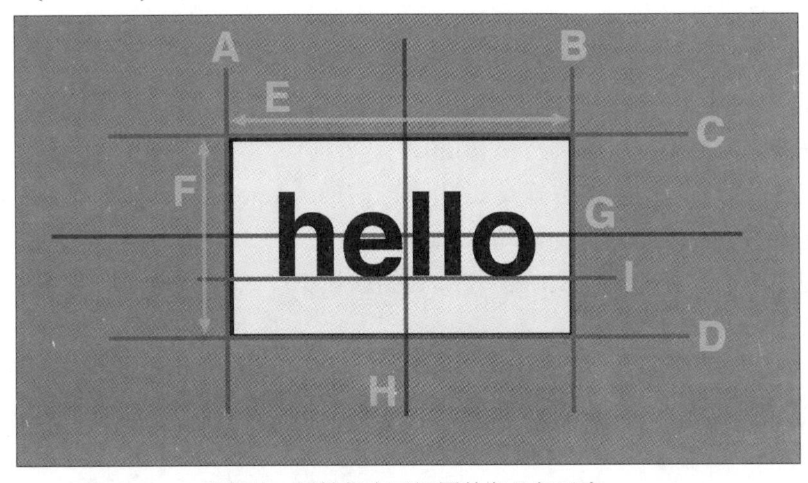

图 1-5 属性指定了视图的各几何元素

- 左边、右边、顶边和底边——视图的对齐矩形在视图的左(图 1-5 中的 A)、右(B)、上(C)和下(D)方的边。它们分别对应于视图的最小 X 值、最大 X 值、最小 Y 值和最大 Y 值(UIKit 和 Auto Layout 使用的坐标系的原点位于左上角)。
- 前边和后边——视图对齐矩形的前、后边。在从左到右的(类似英语的)系统中，它们对应于“左边”(前边，A)和“右边”(后边，B)。在从右到左的语言环境中，如在阿拉伯语或希伯来语中，这些角色对调；右边是指前边(B)，左边是指后边(A)。

提示：

在国际化应用程序时，尽量多用前和后，少用左和右。这样，当使用从右到左的语言(如使用阿拉伯语和希伯来语)时，界面就可以正确地翻转过来。

- 宽和高——视图对齐矩形的宽度(E)和高度(F)。
- 中心点 X 坐标(CenterX)和中心点 Y 坐标(CenterY)——视图对齐矩形的中心点在 X 轴(H)和 Y 轴(G)方向的坐标。
- 基线——对齐矩形的基线(I)，通常在其底边属性上方的一个固定偏移位置。

关系是将属性值进行比较。约束数学仅限于 3 种关系：设置相等关系，或者设置更低和更高的边界用于比较。可以使用下列布局关系：

- NSLayoutRelationLessThanOrEqual——适用于小于等于不等关系
- NSLayoutRelationEqual——适用于相等关系
- NSLayoutRelationGreaterThanOrEqual——适用于大于等于不等关系

你可能觉得处理这 3 种关系不会有太大的工作量。但是，这 3 种关系涵盖了用户界面布局需要的所有方面。它们提供了设置具体值和运用最大和最小限制值的方法。

1.5　关于那些丢失的视图

对于刚开始使用 Auto Layout 的开发人员来说，“丢失”视图是常有的事。他们发现他们添加的视图要么最终超出了屏幕的尺寸，要么由于约束的原因，视图的大小为 0(顺便提一句，Auto Layout 使用的视图的尺寸值是正数，其大小为 0 或者大于 0。创建视图时使用的宽度或高度值不能为负数)。丢失视图的问题让很多开发人员抓狂。欠约束的视图和规则不一致的视图都会出现这种问题。

即使你之前可能没有读过关于约束类和实例工作原理的详细内容，在本节中还是会看到少许约束代码。请允许我这样做。我将帮助解释有歧义和欠约束情况的代码作了突出显示，以示强调。如果你使用 Auto Layout，那么在开始使用这一技术之前，应该了解这些情况。

1.5.1　欠约束导致丢失视图

欠约束的视图没有为 Auto Layout 提供构建视图所需的足够信息，因此它通常默认大小为 0。我们来看下面的示例。该代码新建一个视图，以备在 Auto Layout 中使用，然后添加两组约束，我已在代码中以粗体突出显示：

```
// Create a new view and add it into the Auto Layout system
// This view goes missing despite the initWithFrame: size
UIView *view = [[UIView alloc]
    initWithFrame:CGRectMake(0.0f, 0.0f, 30.0f, 30.0f)];
[self.view addSubview:view];
view.translatesAutoresizingMaskIntoConstraints = NO;

// Add two sets of rules, pinning the view and setting height
[self.view addConstraints:[NSLayoutConstraint
    constraintsWithVisualFormat:@"V:|[view(==80)]" // 80 height
    options:0 metrics:nil
```

```
    views:NSDictionaryOfVariableBindings(view)]];
[self.view addConstraints:[NSLayoutConstraint
    constraintsWithVisualFormat:@"H:|[view]"
    options:0 metrics:nil
    views:NSDictionaryOfVariableBindings(view)]];
```

第一组约束将视图固定到它的父视图的顶部，高度设置为80点。第二组约束将视图固定在父视图的前边(在美国使用从左到右的英语书写系统，因此前边是指左边)。我有意没有指定宽度。因此，这个视图的大小是欠约束的。

你可能以为 Auto Layout 会默认为初始框架的大小，即 30×30 点。但事实并非如此。当这个代码片段将 translatesAutoresizingMaskIntoConstraints 设置为 NO 时，该默认的初始值实质上已被弃用。当视图出现在屏幕上时，传递给 Auto Layout 的规则有歧义，因而导致宽度降为 0，创建了一个非可视化的视图：

```
2013-01-14 10:47:40.460 HelloWorld[73891:c07]
    <UIView: 0x884dfc0; frame = (0 0; 0 80); layer = <CALayer: 0x884e020>>
```

注意：

在运行时添加和删除约束与顺序是有关系的。Auto Layout 在每一步都会验证其规则的有效性。当更新约束时(例如当设备改变方向时)，先删除无效的约束，然后才添加新规则，避免抛出异常。

1.5.2 规则不一致导致丢失视图

在实践中，规则不一致也可能导致丢失视图。例如，假设有一对规则，分别要求“视图 A 的宽度是视图 B 的 3 倍”和“视图 B 的宽度是视图 A 的两倍”。下面的代码片段实现了这些规则。我将实现规则的代码部分加粗显示了：

```
NSLayoutConstraint *constraint;
constraint = [NSLayoutConstraint
    constraintWithItem:viewA
    attribute:NSLayoutAttributeWidth
    relatedBy:NSLayoutRelationEqual
    toItem:viewB
    attribute:NSLayoutAttributeWidth
    multiplier:3.0f constant:0.0f];
[self.view addConstraint:constraint];

constraint = [NSLayoutConstraint
    constraintWithItem:viewA
    attribute:NSLayoutAttributeWidth
    relatedBy:NSLayoutRelationEqual
    toItem:viewB
    attribute:NSLayoutAttributeWidth
    multiplier:2.0f constant:0.0f];
[self.view addConstraint:constraint];
```

尽管根据常识我们认为这两个规则不可能实现，但出乎意料的是，这两个规则既可以实现，也无歧义。那是因为当视图 A 和视图 B 的宽度均为 0 时，这两个规则都能满足。当宽度均为 0 时，视图 A 的宽度可以是视图 B 的宽度的 3 倍，视图 B 的宽度可以是视图 A 的宽度的两倍：

```
0 = 0 * 3和0 = 0 * 2
```

当运行此代码并应用这些规则时，视图会呈现出预期的宽度为 0 的框架：

```
2013-01-14 11:02:38.005 HelloWorld[74460:c07]
  <TestView: 0x8b30910; frame = (320 454; 0 50); layer = <CALayer: 0x8b309d0>>
2013-01-14 11:02:38.006 HelloWorld[74460:c07]
  <TestView: 0x8b32570; frame = (320 436; 0 68); layer = <CALayer: 0x8b32450>>
```

1.5.3　追踪丢失的视图

使用调试器可以追踪“丢失”的视图，其方法是在预期它们出现之后检查它们的几何形状(例如使用 viewDidAppear:和 awakeFromNib)。可以添加 NSAssert 语句来描述它们的预期大小和位置。正如前面所讨论的，有些视图的大小会是 0。

例如，下面的视图的框架大小为 0，因为它在 Auto Layout 系统中是欠约束的：

```
2013-01-09 14:31:41.869 HelloWorld[29921:c07] View: <UIView: 0x71bb390;
frame = (30 430; 0 0); layer = <CALayer: 0x71bb3f0>>
```

其他视图也许不在屏幕上，因为你没有要求 Auto Layout 必须让这些视图出现在屏幕上。例如，该视图的尺寸为正值(20×20点)，但是其框架的原点坐标为(-20,-20)，位于其视图控制器的呈现范围之外：

```
2013-01-09 14:33:37.546 HelloWorld[29975:c07] View: <UIView: 0x7125f70;
frame = (-20 -20; 20 20); layer = <CALayer: 0x7125fd0>>
```

还可能有这样的情况：你从一个故事板或 nib 文件中加载了一个视图，可是在屏幕上只能看到它的一部分，或者它可能一下子占去了整个屏幕。这些情况都标志着存在潜在的 Auto Layout 问题。

1.6　有歧义的布局

在开发过程中，可以调用 hasAmbiguousLayout 来测试视图的约束是否充分。如果某个视图可能显示另一种不同的框架，则返回 YES；如果某个视图的约束已充分指定，则返回 NO。

这些结果是每个视图所特有的。例如，假设有一个充分约束的视图，其子视图是欠约束的。尽管这个视图的子视图包括有歧义的布局，但其本身并没有有歧义的布局。你可以而且应该为你的视图层次结构中的每个视图单独地测试布局，具体如下：

```
@implementation VIEW_CLASS (AmbiguityTests)
// Debug only. Do not ship with this code
- (void) testAmbiguity
{
    NSLog(@"<%@:0x%0x>: %@",
        self.class.description, (int)self,
        self.hasAmbiguousLayout ? @"Ambiguous" : @"Unambiguous");

    for (VIEW_CLASS *view in self.subviews)
        [view testAmbiguity];
}
@end
```

注意：

本代码片段以及全书中的 VIEW_CLASS 被定义为 UIView 或者 NSView，这取决于具体的开发系统。

这段代码按照视图的层次结构从上到下列出了每一层的结果。下面是一个包含两个子视图的简单布局，其中的这两个子视图是图 1-3(a)最初显示的欠约束布局代码返回的结果：

```
HelloWorld[76351:c07] <UIView:0x715a9a0>: Unambiguous
HelloWorld[76351:c07] <TestView:0x715add0>: Ambiguous
HelloWorld[76351:c07] <TestView:0x715c9e0>: Ambiguous
```

父视图没有表示包含有歧义的布局，但是它的子视图有。

如果愿意，在 loadView 中或者你建立新视图并添加约束的地方可以随时测试是否存在有歧义的布局。每当向系统中添加新视图时，这种做法通常也是良好的开始，可以确保约束确实如预期的那样得到充分指定。

仅在开发过程中进行这些测试，千万不要在 App Store 代码中发布这些测试代码。在你逐步建立界面时，这些测试有助于你检查布局。

1.6.1 纠正有歧义的布局

苹果公司以 exerciseAmbiguityInLayout 视图方法的形式提供了一个有趣的工具。此方法会对一些布局有歧义的视图框架进行自动调整。这是一种视图方法(UIView 和 NSView)，它能够检查有歧义的布局并尝试随机改变某个视图的框架。

图 1-6 显示了这种调用的实际运用。图中有一个 OS X 窗口，其中有 3 个欠约束的子视图。它们的位置不是通过代码设置的，因此它们最终的位置由 Auto Layout 来决定。在本示例中，纠正了有歧义的布局后，见图 1-6(b)，原来位于右下角的浅色视图移到了左下角。

这说明了两点：①该视图是受影响的欠约束视图之一；②由于缺少位置约束，因此只能看到可能适合该视图的部分范围。

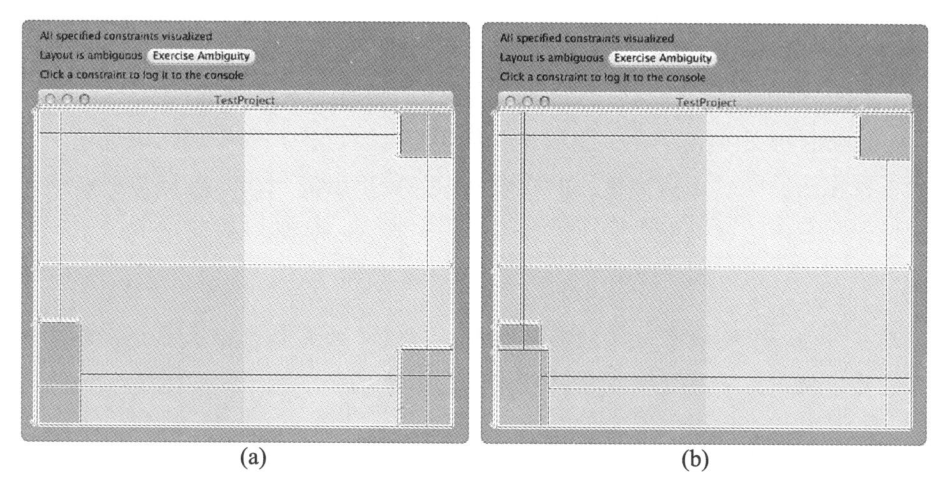

(a)　(b)

图 1-6　纠正有歧义的布局后，可以将视图框架改变成当前这组 Auto Layout 约束下允许的其他合法值

纠正有歧义的布局这一操作比较呆板，而且有局限性。在本例中，有些视图尽管也包含有歧义的布局，但是它们却没有得以纠正。尽管纠正有歧义布局的工具对有些人来说可能很有用，但别指望它能找出项目中的所有问题。纠正有歧义布局的工具虽然不能解决一切问题，但是它确实曾经帮助笔者解决过一两个不同寻常的问题。

1.6.2　可视化约束

图1-6中窗口四周的紫色轮廓是OS X独有的特征。在OS X中，可以通过在任何NSWindow实例上调用visualizeConstraints:方法来可视化约束。调用时将一个要查看的约束实例数组传递给该方法。

可以使用简单的类扩展，找出一个视图及其所有子视图中的约束，这种简单方法如下所示：

```
@implementation VIEW_CLASS (GeneralConstraintSupport)
// Return all constraints from self and subviews
- (NSArray *) allConstraints
{
    NSMutableArray *array = [NSMutableArray array];
    [array addObjectsFromArray:self.constraints];
    for (VIEW_CLASS *view in self.subviews)
        [array addObjectsFromArray:[view allConstraints]];
    return array;
}
@end
```

注意：

苹果公司能够并且已经对类进行了定期的扩展。当为生产代码创建类别时，不要使用可能与苹果公司自身的开发相冲突的显式名称(如 allConstraints)。最好在名称前面添加自定义前缀，通常是公司或个人的首字母缩写，这样可以防止你的代码与苹果公司将来可能的更新相冲突。本书为了使代码更具可读性，所以没有遵循这一原则。

出现的紫色背景可以告知你窗口的布局是否有歧义。它沿着其视图层次结构向下对窗口中的各视图进行测试，一直测试到其子视图。如果它发现任何有歧义的布局，都会使 Exercise Ambiguity 按钮变得可用，也就是说你不必从自己的代码中调用该选项。

这个可视化选项同时还将你传递的约束显示为可单击的蓝线，这有助于你在实际应用程序中定位那些约束。可以单击任何条目将其记录到 Xcode 调试控制台中。

提示：

所有这些方法——测试有歧义的布局、纠正有歧义的布局，以及可视化约束——仅适合在开发构建中使用。不要发布调用这些方法的生产代码。

1.7 内在内容大小

使用 Auto Layout 时，视图的内容在其布局中的重要性与约束不相上下。视图内容的大小通过每个视图的 intrinsicContentSize 属性表达，它描述了在数据未经压缩或裁剪的情况下表达视图全部内容所需的最小空间。该属性源于每个视图所呈现内容的自然属性。

例如，对于图像视图，内在内容大小与其呈现的图像大小相符。图像越大，需要的内在内容大小也越大。下面的代码片段将一个 iOS 7 标准 Icon.png 图像加载到一个图像视图中，并报告该视图的内在内容大小。不出所料，其大小是 60×60 点，这正是提供给该视图的图像的尺寸，参见图 1-7(a)：

```
UIImageView *iv = [[UIImageView alloc]
    initWithImage:[UIImage imageNamed:@"Icon-60.png"]];
NSLog(@"%@", NSStringFromCGSize(iv.intrinsicContentSize));
```

按钮的内在内容大小随着按钮名称的变化而变化(参见图1-7中的按钮图像)。当按钮的名称扩大或缩小时，按钮的内在内容大小会作相应的调整，以便和名称大小相匹配。下面这段代码创建一个按钮并赋予它两个名称，并且在每次赋值之后报告内在内容大小：

```
UIButton *button =
    [UIButton buttonWithType:UIButtonTypeSystem];

// Longer title, Figure 1-7, middle image
[button setTitle:@"Hello World" forState:UIControlStateNormal];
NSLog(@"%@: %@", [button titleForState:UIControlStateNormal],
    NSStringFromCGSize(button.intrinsicContentSize));

// Shorter title, Figure 1-7, bottom image
[button setTitle:@"On" forState:UIControlStateNormal];
NSLog(@"%@: %@", [button titleForState:UIControlStateNormal],
    NSStringFromCGSize(button.intrinsicContentSize));
```

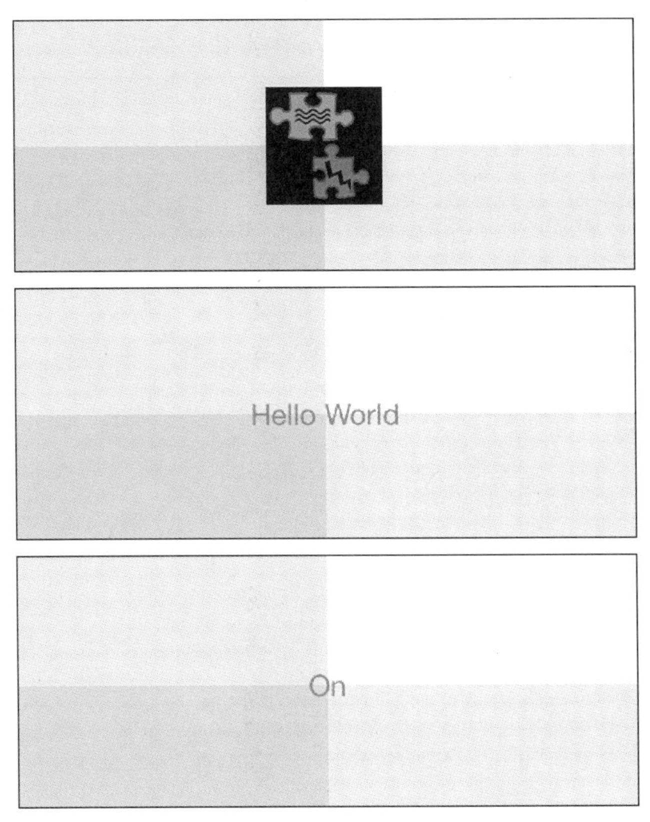

图 1-7　视图的内在内容大小是其内容所占据的自然大小

运行时，这段代码输出如下大小：

```
2013-07-02 12:16:46.576 HelloWorld[69749:a0b] Hello World: {78, 30}
2013-07-02 12:16:46.577 HelloWorld[69749:a0b] On: {30, 30}
```

Hello World 按钮比 On 按钮拥有更宽的内在内容大小，但两个按钮的高度却是相同的。尺寸的大小可以在你定制字体、字号以及按钮名称时作进一步的更改。

通过视图的内在内容大小，Auto Layout 将视图的框架尽可能地与其自然内容相匹配。前文曾经指出，无歧义的布局通常需要给每个坐标轴设置两个属性。当视图有一个内在内容大小时，则只需要设置两个属性中的一个。例如，可以把基于文本的控件或者图像视图放在其父视图的中心，它的布局将是无歧义的布局。内在内容大小和视图位置共同构成了充分指定的布局。

当改变了视图的内在内容时，需要调用invalidateIntrinsicContentSize方法，让Auto Layout知道在下次布局时重新计算。

1.8　压缩阻力和内容吸附

顾名思义，压缩阻力是指视图保护其内容的方式。压缩阻力高的视图能够抵抗收缩，不允许内容被剪切。我们来看图 1-8 中工具栏上的按钮。按钮上的约束是将该按钮的宽度

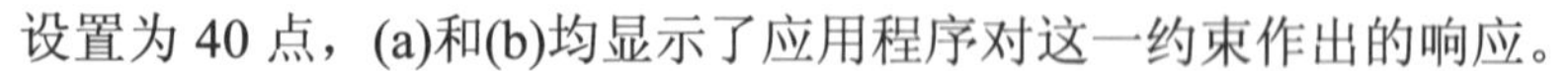
设置为 40 点，(a)和(b)均显示了应用程序对这一约束作出的响应。

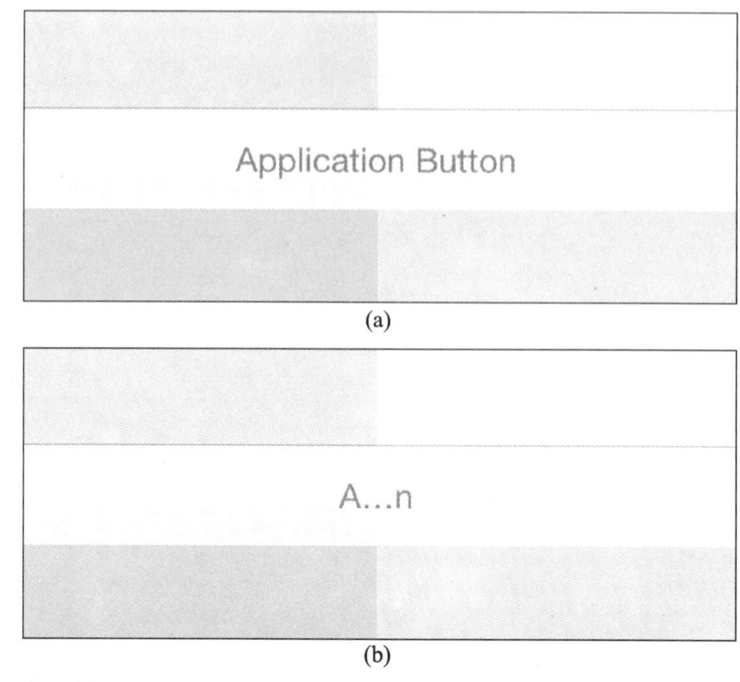

图 1-8　压缩阻力描述了视图如何尽量维持其最小内在内容大小。(a)中的按钮压缩阻力较高

图1-8(a)中的按钮使用了高压缩阻力优先级，图1-8(b)的按钮使用了低压缩阻力优先级。从中可以看出，(a)中的按钮由于优先级较高，因而成功地保持了其内在内容。而(b)中的按钮因为压缩阻力优先级太低，大小发生了改变，按钮被压缩，剪切了文本。

虽然(b)中的那个按钮的“不要剪切”请求(即压缩阻力优先级)仍然存在，但是它的重要性不足，无法阻止“请将宽度设置为 40”这一约束，该约束将视图的大小调整到了破坏按钮内容的程度。Auto Layout 经常遇到两个互相矛盾的请求，但只有一个请求会起作用，它只会满足那个优先级更高的请求。

视图的压缩阻力可以通过 IB 的 Size Inspector 指定，如图 1-9 所示，其中 Size Inspector 通过选择 View | Utilities | Show Size Inspector | View | Content Compression Resistance Priority 来打开。也可以通过在代码中设置一个值来指定视图的压缩阻力。水平轴和垂直轴的值需要分别设置。设置的值可以在 1(最低优先级)到 1 000(必需的优先级)之间，默认值为 750：

```
[button setContentCompressionResistancePriority:500
    forAxis:UILayoutConstraintAxisHorizontal];
```

在IB中也可以设置视图的内容吸附优先级，它是防止在视图与其核心内容间作填充(如图 1-10 所示)或直接伸展其核心内容(如使用内容缩放模式的图像视图)。图 1-10 中的按钮被要求伸展。(a)中的那个按钮的内容吸附优先级高，因此它抵抗伸展，吸附住了内容(在本例中是单词Application Button)。(b)中的那个按钮的内容吸附优先级低，因此伸展请求得到满足。该按钮的内容被添加了补白，产生了图 1-10(b)所示的宽度结果。

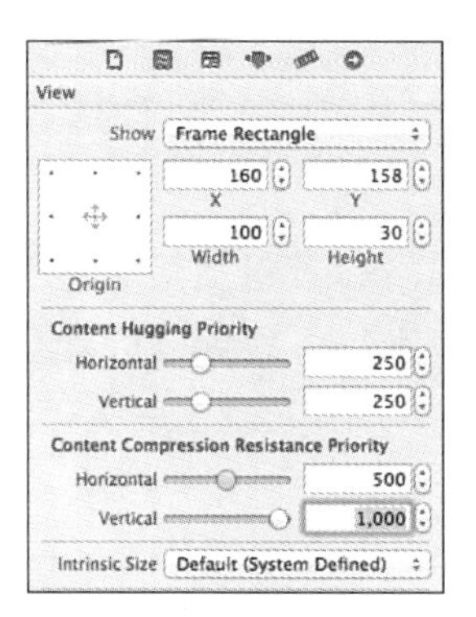

图 1-9 在 IB 的 Size Inspector 中或者通过代码调整视图的 Content Compression Resistance Priority 和 Content Hugging Priority 设定值。尽管这些数字在 IB 中都是由在一定区间内的正整数所表示的，它们实际上的类型都是浮点型：typedef float UILayoutPriority(iOS)和 NSLayoutPriority (OS X)。新增的 Intrinsic Size 弹出式菜单可用来重写占位符条目的大小，这样可以用改变后的配置值测试布局。压缩阻力优先级的默认值为 750

与压缩阻力一样，视图的吸附优先级可以在 IB 的 Size Inspector 中设置(参见图 1-9)，也可以用代码设置，如下所示：

```
[button setContentHuggingPriority:501
  forAxis:UILayoutConstraintAxisHorizontal]
```

内容吸附优先级的默认值为 250。

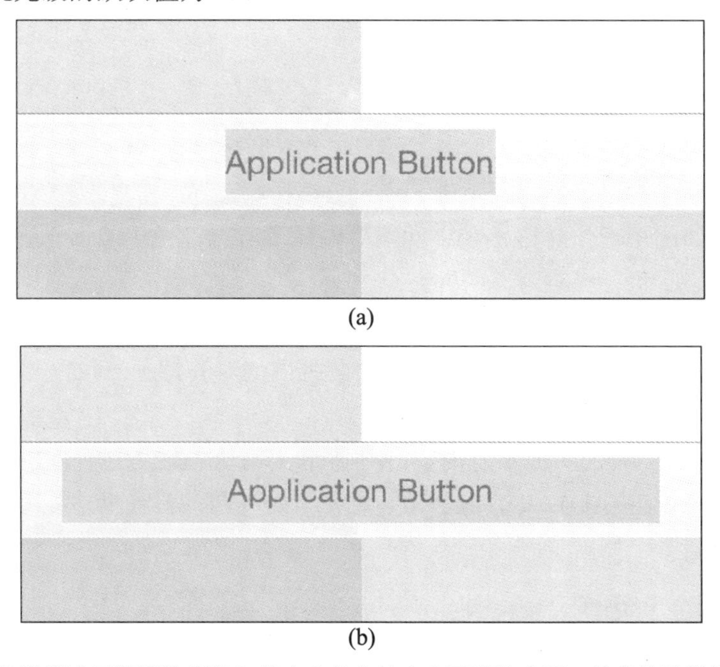

图 1-10 内容吸附描述了视图将框架与其内容的自然大小匹配的意愿。较高的吸附优先级可以防止视图比它呈现的内容扩大太多。较低的优先级可能允许视图伸展，使得内容被孤立在视图内的大片空白中。由于 iOS 7 中按钮采用无边界设计，因此这里笔者为按钮添加了浅色背景，以突出显示其范围

1.9 图像装饰元素

当图片中包括阴影、光晕、徽章，以及包括其他超出图像核心内容范围的装饰元素时，图像的自然大小可能不再反映你希望 Auto Layout 处理布局的方式。在 Auto Layout 中，约束使用名为“对齐矩形”的几何元素来确定视图的大小和位置。调用 UIKit API 可帮助控制其位置。

1.9.1 对齐矩形

开发人员创建复杂视图时，可能会采用各种视觉装饰元素，例如阴影、表面高光、反射和雕刻线。当他们这样做时，这些装饰元素通常是绘制到图片上的，而不是通过图层或子视图添加的。与框架不同的是，视图的对齐矩形应该被限制在核心视觉元素上，它的尺寸不会因为图像上添加了新元素而变化。我们来看图 1-11(a)，它显示了一个带阴影和徽章的视图。当布局这个视图时，你肯定希望 Auto Layout 仅关注于对齐核心元素，也就是图中的蓝色矩形，而不是那些装饰元素。

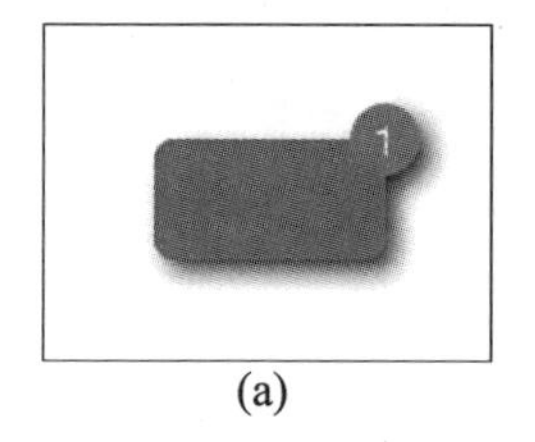
(a)

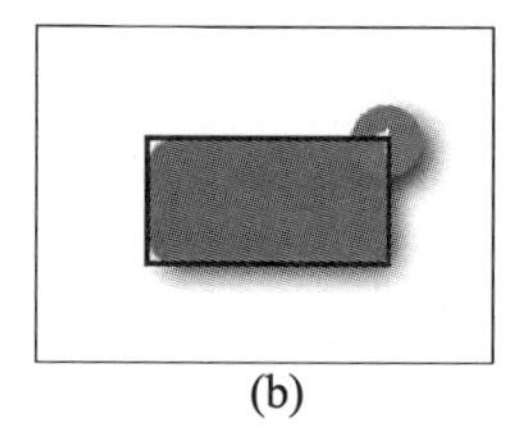
(b)

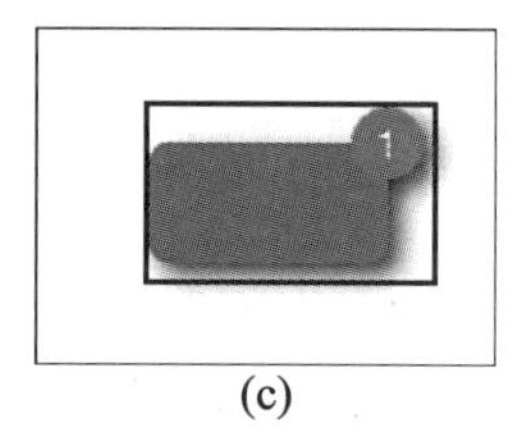
(c)

图 1-11 视图的对齐矩形(b)严格对齐核心可视化元素，不包含装饰元素

图1-11(b)突出显示了该视图的对齐矩形。这个矩形把所有装饰元素(如下拉阴影和徽章)都排除在外。矩形框住的是你希望 Auto Layout 布局时考虑的视图部分。我们再将图1-11(c)所示的矩形与中间的矩形作对比。(b)中的矩形包括了所有可视化装饰元素，扩大了视图的框架，该框架超出了对齐应该考虑的区域。

图 1-11(c)中的矩形把视图的所有可视化元素都框进去了，它框进了阴影和徽章。要是在布局时考虑这些装饰元素，装饰元素可能会使视图的对齐特征(例如，视图的中心、底边和右边)发生偏移。

Auto Layout 用对齐矩形(而不是框架)来确保布局时恰当地考虑视图的关键信息，如边和中心等关键信息。在图 1-12 中，这个含装饰元素的视图与背景栅格完美对齐，布局时没有考虑其徽章和阴影。

1.9.2 可视化对齐矩形

iOS 和 OS X 都允许在运行应用程序时用对齐矩形覆盖在视图上，只需要在应用的架构(scheme)中设置一个简单的启动参数即可：在 iOS 中是 UIViewShowAlignmentRects，在 OS X 中是 NSViewShowAlignmentRects。将该参数值设置为 YES，并且要用一根短划线作前缀，如图 1-13 所示。

图 1-12　当将此视图相对于其父视图居中摆放时，Auto Layout 仅考虑其对齐矩形，阴影和徽章不影响视图的布局

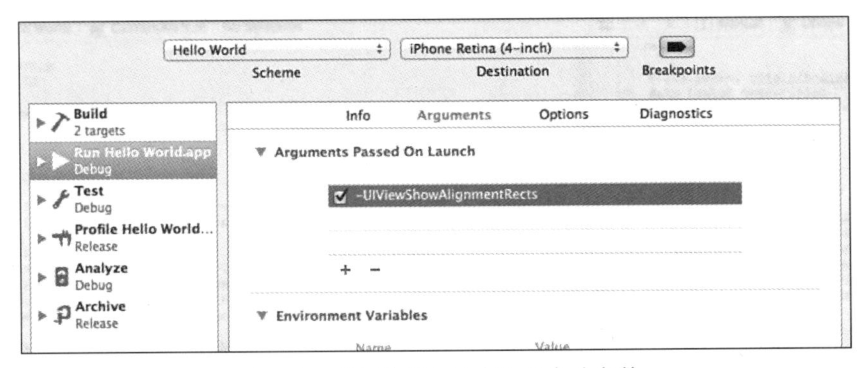

图 1-13　在架构编辑器中设置启动参数

当应用程序运行时，矩形会显示在各个视图上。结果产生的矩形颜色较浅，有时需要凑近仔细看才能看清楚。

1.9.3　对齐 inset

开发人员在绘图时经常会包含一些硬编码的装饰元素，例如高光、阴影等。这些元素占用的内存很少，运行效率却很高。由于开销较低，因此许多开发人员会预先将效果绘制成图像。图 1-14 演示了在 Auto Layout 中使用基于图像的装饰时会遇到的一个典型问题。(a)图显示了一个基础图像视图，其艺术效果是笔者用 Photoshop 创建的。我使用了一种标准下拉阴影效果。当我将该效果添加到这个图像视图中时，我为阴影留出的 20×20 点的区域使对齐矩形发生了偏移，导致其位置稍稍偏高和偏左。

在默认实现中，图像视图完全不知道该图像包含装饰元素。你必须指出如何调整图像视图的内在内容，使得对齐矩形仅考虑其核心内容。

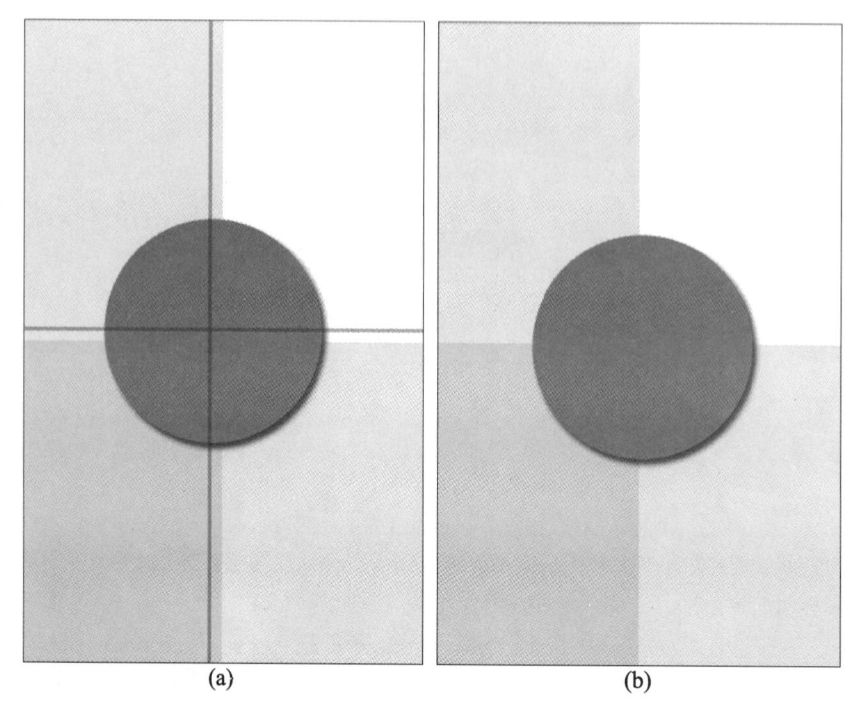

图 1-14 调整图像，以便在使用 Auto Layout 时准确地对齐。(a)中的图像视图是用未调整的图像创建的。该视图显示时稍稍偏左和偏上，只要观察圆与背景栅格的交叉点即可看出这一点。我在(a)图上添加了直线，以突出中心应该出现的位置。(b)图显示了调整后的图像视图，该视图准确地相对于其父视图居中

要加上阴影效果，须先加载阴影，然后重构图像。这一过程分为两步：第一步，正常加载图像(例如，使用 imageNamed:)。第二步，在该图像上调用 imageWithAlignmentRectInsets:来生成支持指定 inset 的新版本。下面的代码片段在对齐矩形的下方和右边添加补白，以便容纳一个 20 点的阴影：

```
UIImage *image = [[UIImage imageNamed:@"Shadowed.png"]
    imageWithAlignmentRectInsets:UIEdgeInsetsMake(0, 0, 20, 20)];
UIImageView *imageView = [[UIImageView alloc] initWithImage:image];
```

inset 定义了距离矩形的顶边、左边、底边和右边的间隙，用来描述从矩形的边移进(使用正值)或移出(使用负值)多远。即使图像内放置了绘制好的装饰效果，这些 inset 也能确保对齐矩形的正确性。这些字段定义如下：

```
typedef struct {
   CGFloat top, left, bottom, right;
} UIEdgeInsets;
```

当指定了对齐矩形的 inset 后，更新后的版本现在能准确地对齐，如图 1-14(b)所示。我记录了有关细节，这样你可以将这两个视图的细节进行比较。下面是视图框架的位置和大小(该视图框架显示了 200×200 点的完整图像尺寸)，内在内容大小是根据图像的对齐

inset(180×180 点)构建的，产生的对齐矩形用来使图像视图的框架居中：

```
HelloWorld[53122:c07] Frame: {{70, 162}, {200, 200}}
HelloWorld[53122:c07] Intrinsic Content Size: {180, 180}
HelloWorld[53122:c07] Alignment Rect: {{70, 162}, {180, 180}}
```

手动构造这些 inset 有点麻烦，尤其是如果以后可能要更新图形的话。取而代之的是，如果知道对齐矩形和整个图像的边界，那么可以自动计算需要传递给该方法的边缘 inset。代码清单 1-1 定义了一个简单的 inset 构建器。它确定了对齐矩形分别距父矩形的每条边多远。它返回一个表现那些值的 UIEdgeInset 结构。使用该函数可以根据核心可视化元素的内在几何形状来构建 inset。

代码清单 1-1　根据对齐矩形构建边缘 inset

```
UIEdgeInsets BuildInsets(
   CGRect alignmentRect, CGRect imageBounds)
{
   // Ensure alignment rect is fully within source
   CGRect targetRect =
      CGRectIntersection(alignmentRect, imageBounds);

   // Calculate insets
   UIEdgeInsets insets;
   insets.left = CGRectGetMinX(targetRect) -
      CGRectGetMinX(imageBounds);
   insets.right = CGRectGetMaxX(imageBounds) -
      CGRectGetMaxX(targetRect);
   insets.top = CGRectGetMinY(targetRect) -
      CGRectGetMinY(imageBounds);
   insets.bottom = CGRectGetMaxY(imageBounds) -
      CGRectGetMaxY(targetRect);

   return insets;
}
```

1.9.4　声明对齐矩形

Cocoa 和 Cocoa Touch 还有其他几种表现对齐几何图形的方式。可以使用 alignmentRectForFrame:、frameForAlignmentRect:、baselineOffsetFromBottom 和 alignmentRectInsets方法。使用这些方法可以让视图通过代码来声明和转换对齐矩形。

所幸在大多数情况下可以忽略对齐矩形和 inset。多数时候这样做是没有问题的。边界情况通常发生于 Auto Layout 在转换过程中遇到冲突的时候(以及实际框架与可视化框架不匹配的其他情况，如前文介绍的按钮中的情况)。

关于这几个方法，有以下几点要注意：

- alignmentRectForFrame:和 frameForAlignmentRect:必须总是在数学上互逆。
- 大多数自定义视图只需要重写 alignmentRectInsets 以报告内容在其框架内的位置。
- baselineOffsetFromBottom 仅适用于 NSView，它是指视图对齐矩形的底边与视图的内容基线(如用于摆放文本的基线)之间的距离。当想要将视图与文本基线对齐，而不是与印刷字体下伸部分(如 j 和 q)的最低点对齐时，这一点尤其重要。

下面是关于 UIView.h 文档中的 alignmentRectForFrame:和 frameForAlignmentRect:的一些信息。

> 这两个方法应该是互逆的。UIKit 将调用这两个方法作为布局计算的一部分。尽管这两个方法一定是互逆的，但是可以重写这两个方法，以便在框架和对齐矩形之间任意转换。然而，默认的实现使用 alignmentRectInsets，因此如果不合适，只需要重写这个方法即可，很简单。
>
> 带装饰效果的图像视图通常会重写这些方法，因为图像的装饰部分会随着框架的尺寸缩放。将 NSUserDefault UIViewShowAlignmentRects 设置为 YES 即可看到绘制的对齐矩形。

OS X 上的 NSLayoutConstraint.h 添加了如下注释：

> 如果重写这些方法，一定要让框架的顶边要么是 minY，要么是 maxY，这取决于父视图有没有翻转。

在下一节的代码清单 1-2 中可以看到进行翻转后所作的调整。

1.9.5 实现对齐矩形

代码清单 1-2 提供了一个基于代码的对齐框架的简单示例。这个 OS X 应用构建了一个大小固定的视图，并在上面绘制了一个带阴影的圆角矩形。当将 USE_ALIGNMENT_RECTS 设置为 1 时，alignmentRectForFrame:和 frameForAlignmentRect:方法分别在框架和对齐矩形之间转换。如图 1-15 所示，上述方法使视图显示时能够正确地对齐。

代码清单 1-2 使用基于代码的对齐框架

```
@interface CustomView : NSView
@end

@implementation CustomView
- (void) drawRect:(NSRect)dirtyRect
{
    NSBezierPath *path;

    // Calculate offset from frame for 170x170 art
    CGFloat dx = (self.frame.size.width - 170) / 2.0f;
    CGFloat dy = (self.frame.size.height - 170);
```

```
    // Draw a shadow
    NSRect rect = NSMakeRect(8 + dx, -8 + dy, 160, 160);
    path = [NSBezierPath
       bezierPathWithRoundedRect:rect xRadius:32 yRadius:32];
    [[[NSColor blackColor] colorWithAlphaComponent:0.3f] set];
    [path fill];

    // Draw fixed-size shape with outline
    rect.origin = CGPointMake(dx, dy);
    path = [NSBezierPath
       bezierPathWithRoundedRect:rect xRadius:32 yRadius:32];
    [[NSColor blackColor] set];
    path.lineWidth = 6;
    [path stroke];
    [ORANGE_COLOR set];
    [path fill];
}

- (NSSize)intrinsicContentSize
{
    // Fixed content size - base + frame
    return NSMakeSize(170, 170);
}

#define USE_ALIGNMENT_RECTS 1
#if USE_ALIGNMENT_RECTS
- (NSRect)frameForAlignmentRect:(NSRect)alignmentRect
{
    // 1 + 10 / 160 = 1.0625
    NSRect rect = (NSRect){.origin = alignmentRect.origin};
    rect.size.width = alignmentRect.size.width * 1.06250;
    rect.size.height = alignmentRect.size.height * 1.06250;
    return rect;
}

- (NSRect)alignmentRectForFrame:(NSRect)frame
{
    // Account for vertical flippage
    CGFloat dy = (frame.size.height - 170.0) / 2.0;
    rect.origin = CGPointMake(frame.origin.x, frame.origin.y + dy);

    rect.size.width = frame.size.width * (160.0 / 170.0);
    rect.size.height = frame.size.height * (160.0 / 170.0);
    return rect;
}
#endif
@end
```

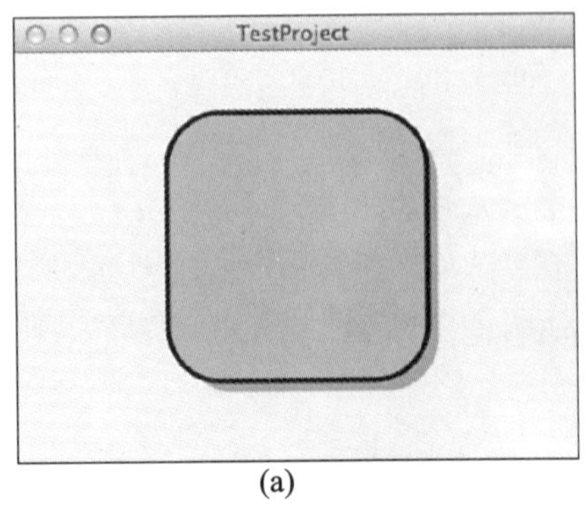

(a)

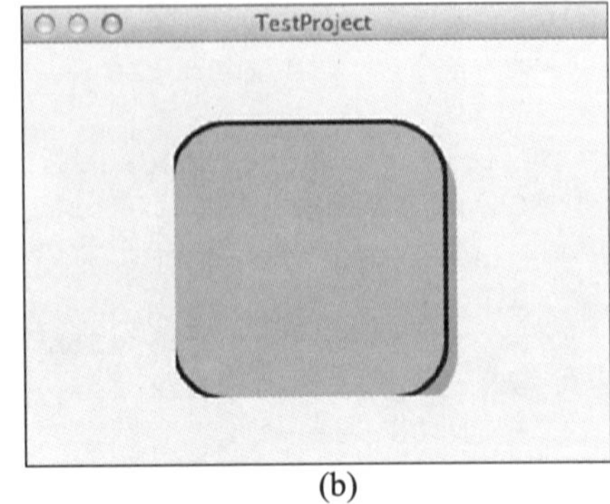

(b)

图 1-15 采用内在内容大小和框架/对齐矩形转换的方法，可以确保视图正确地对齐和显示(a)，而不会对不齐或者被剪切(b)

1.10 练习

阅读完本章后，通过下面的练习可以测试知识的掌握程度：

1. 设有一个标签，其约束是距离其父视图的前、后边各 8 点，高度为 22 点。该标签的布局是否无歧义？如果有歧义，如何消除这种歧义性？

2. 创建一个与系统风格一致的按钮，为其赋予名称 Continue。该按钮的中心被约束为距离其父视图的顶部和前边处的一点(150,150)。这个视图的布局是否无歧义？如果有歧义，如何消除这种歧义性？

3. 在 viewWillAppear:中，新建一个测试视图，并将该视图添加到视图控制器中：

```
UIView *testView = [[UIView alloc]
    initWithFrame:CGRectMake(50, 50, 100, 30)];
testView.backgroundColor = [UIColor blueColor];
[self.view addSubview: testView];
testView.translatesAutoresizingMaskIntoConstraints = NO;
```

在这几行代码之后，添加约束，使这个测试视图相对于其父视图居中。当应用运行时，该视图的尺寸将是多少？为什么？

4. 一个 54×54 点的图像由一个 50×50 点的正方形加上一个下拉阴影组成，阴影偏移量为向右 4 点和向下 4 点。①写出将对齐 inset 赋予该图像的代码。②当将该图像添加到一个图像视图中，并且在两个坐标轴上均相对于其父视图居中时，这个图像中的哪个几何点位于父视图的中心？

5. 向视图中添加一个按钮，并将该按钮约束为从一边伸展到另一边，优先级为 500。这个按钮会伸展吗？为什么？

1.11 小结

本章介绍了支撑 Auto Layout 的核心概念，即 Cocoa 的基于声明式约束的描述性布局系统。指出了 Auto Layout 的着重点在于视图之间以及视图及其内容之间的关系，而不是在于视图的框架。Auto Layout 是用基于逻辑优先级的架构驱动的。本章指出了视图的约束规则必须是可满足的、一致的和充分的。下面是本章的一些核心思想：

- 约束既有趣又有用，为常见的布局情况提供了优雅的解决方案。
- 不要害怕组合搭配 Auto Layout 和 Autosizing。只要规则不冲突，就可以将现有的布局导出到新的 Auto Layout 环境下。
- Auto Layout 的优势不仅仅在于约束。其内容保护功能提供了一种关键组件，该组件不但有助于指定在何处显示，而且有助于指定显示内容。例如，当国际化时，压缩阻力和内容吸附会调整图形用户界面(GUI)，这样当语言改变时，就可以轻松地调整标签的大小。
- Auto Layout 本质上是一个线性方程解析器，该解析器试图找到一种可满足其规则的几何表达方式。当其方程的解太多时，最终会得到欠约束的有歧义的布局。当方程无解时，则表示约束有冲突。

第 2 章 约　束

Auto Layout 是一种约束满足系统。所谓约束，其本质是“限制”的意思。你创建的每个规则都给出了一个要求，这个要求规定了界面的一个部分与另一个部分的关系。这些规则可以用数字标识的优先级进行排序，Auto Layout 根据你制定的规则和优先级序号确定界面的可视化呈现方式。本章将对约束进行深入介绍，不但会指出什么是约束，而且会介绍如何指定约束。此外，本章还将介绍可以在 Auto Layout 中使用的约束的种类、将约束安装到该系统中的方式，以及不同的优先级对结果产生的影响。

2.1 约束类型

Auto Layout 有以下几个核心约束类：

- 布局约束(NSLayoutConstraint类，公有)——布局约束规则用来指定视图的几何特征。这些规则要么通过将视图与其他视图关联来确定视图的位置和尺寸，要么直接将视图的位置和尺寸指定为常数值。
- 内容大小约束(NSContentSizeLayoutConstraint 类，私有)——内容大小规则指定视图的尺寸与其内容的关系。例如，内容吸附规则尽量避免添加补白，而内容压缩规则防止内容被剪切。
- 自动尺寸调整约束(NSAutoresizingMaskLayoutConstrain 类，私有)——自动尺寸调整约束将原来的自动尺寸调整掩码转换成 Auto Layout 系统中的对应约束。
- 布局支持约束(_UILayoutSupportConstraint 类，私有)——布局支持约束是 iOS 7 中新增的约束，它用来建立视图控制器实例顶部和底部的实际边界。布局支持约束防止视图的内容与状态栏之类的障碍物重叠。
- 原型约束(NSIBPrototypingLayoutConstraint 类，私有)——原型约束也是 iOS 7 中新增的约束，它是 Interface Builder(IB)为你添加的约束。使用原型约束在递增式地构建界面的同时，仍然保留着一个用于测试的工作界面。在发布应用时，不要在代码中使用、引用或者用其他方法引入原型约束。

在上述这些类中，虽然除第一个类外其余的都是私有类，但是所有这些类都可以而且须通过公共应用编程接口(API)和 IB 创建。在一般的应用程序开发和调试会话期间，在 Xcode 输出日志中可以看到前面提到的各个类的实例，例如：

```
2013-07-17 09:56:26.788 HelloWorld[14733:c07]
    <NSAutoresizingMaskLayoutConstraint:0x767ae50
    h=&-& v=&-& H:[UIView:0x7668030(30)]>
2013-07-17 09:56:26.789 HelloWorld[14733:c07]
    <NSLayoutConstraint:0x766bfc0
    H:[UIImageView:0x766aac0(>=0)]>
2013-07-17 09:56:26.790 HelloWorld[14733:c07]
    <NSContentSizeLayoutConstraint:0x7674b00
    H:[UIImageView:0x766aac0(512)] Hug:250 CompressionResistance:1>
2013-07-17 09:56:26.792 HelloWorld[14733:c07]
    <_UILayoutSupportConstraint:0x8e14e80
    V:[_UILayoutGuide:0x8e1f260(0)]>
2013-07-17 09:56:26.793 HelloWorld[14733:c07]
    <NSIBPrototypingLayoutConstraint:0x895e390
    'IB auto generated at build time for view with ambiguity'
    H:|-(137@251)-[UIButton:0x895b750](LTR) priority:251
    (Names: '|':UIView:0x895b570 )>
```

虽然到目前为止，开发人员创建的 NSLayoutConstraint 类是最常用的类，但有时也会遇到其他类。特定的约束环境会使 Auto Layout 生成特定的类：

- 自动尺寸调整约束(NSAutoresizingMaskLayoutConstraint)会在将老式布局与 Auto Layout 视图混合使用时弹出。Auto Layout 系统将掩码转换成对应的约束，这样可以允许 struts 和 spring 风格的布局与 Auto Layout 规则并存。
- 内容大小约束(NSContentSizeLayoutConstraint)最常出现的时机是使用标签、图像视图和控件时，构建这些元素时大多含有嵌入式图像视图。内容大小约束被绑定到文本和图像本身表达的内在内容大小的特征上。在其他任何可表达自然大小的自定义视图类中，都会有内容大小约束。
- 在 IB 中创建布局支持约束(_UILayoutSupportConstraint)的方法是将视图约束到顶部或底部布局向导代理。使用代码创建该约束可能需要引用视图控制器的 topLayoutGuide 或 bottomLayoutGuide 属性。这两个属性存储了对_UILayoutGuide 对象的引用，这些对象是在布局期间使用的(不可见)布局视图。

  下面是顶部和底部布局向导在 iOS 7 中的用法示例：

  ```
  UIView *topLayoutGuide = (UIView *) self.topLayoutGuide;
  CONSTRAIN(@"V:[topLayoutGuide][textView]|", topLayoutGuide, textView);
  ```

  在上例中，文本视图在父视图的顶部布局向导(它定义了应用程序内容空间的顶部)和底部布局向导之间伸展。

- 当使用欠约束的故事板和xib文件时，IB会为你添加原型约束(NSIBPrototypingLayoutConstraint)。使用原型约束意味着允许采用递增的方式进行开发，为IB提供了一种将视图框架搬到临时约束中的方式。

不管是什么类，所有约束类型均有以下两个共同特征：①都表达了视图在屏幕上的布局方式；②都有一个内在优先级，它指定了每个请求在Auto Layout系统中的强烈程度。

注意：

事实上，还有一些其他内部约束类，不过通常在使用UIKit时才会遇到。在日常工作中一般不会遇到窗口锚定约束、窗口自动尺寸调整约束的实例，也不会遇到滚动视图自动调整内容大小约束的实例，这些约束对你使用Auto Layout构建视图的方式没有影响。

2.2 优先级

约束优先级是表示Auto Layout考虑各个布局请求的强烈程度的数字。Auto Layout使用优先级来解决约束冲突，并决定优先处理哪个规则。

在实际应用中，约束优先级是可读的(有时是可设置的)属性。优先级范围从1(最低优先级)到1 000(必需的优先级)。严格来讲，优先级是浮点数：

```
typedef float UILayoutPriority;
typedef float NSLayoutPriority;
```

人们很容易以为优先级是无符号整数，并将它们作为无符号整数来对待，因为优先级在IB中看起来确实像无符号整数。请参考苹果公司的IB示例。我想象不出你需要或想要使用分数优先级的任何理由。

2.2.1 冲突的优先级

优先级为501的规则肯定比优先级为500的规则优先处理。如果你要求一个视图同时既是30点又是40点高，但是赋予后者较高的优先级，那么以40点高为准。下面的示例用这些优先级实现这两个规则：

```
NSLayoutConstraint *heightConstraint = [NSLayoutConstraint
    constraintWithItem:view
    attribute:NSLayoutAttributeHeight
    relatedBy:NSLayoutRelationEqual
    toItem:nil
    attribute:NSLayoutAttributeHeight
    multiplier:1.0 constant:30];
    heightConstraint.priority = 500;
[view addConstraint:heightConstraint];

heightConstraint = [NSLayoutConstraint
    constraintWithItem:view
    attribute:NSLayoutAttributeHeight
```

```
    relatedBy:NSLayoutRelationEqual
    toItem:nil
    attribute:NSLayoutAttributeHeight
    multiplier:1.0 constant:40];
    heightConstraint.priority = 501;
[view addConstraint:heightConstraint];
```

不出所料，运行这段代码时，结果得到 40 点高的视图。优先级为 501 的规则驳回了优先级为 500 的请求。尽管这些约束试图控制同一个值，但是因为它们的优先级不同，所以并不冲突。它们不会在控制台中产生警告消息：

```
2013-01-16 10:05:53.638 HelloWorld[97799:c07]
   <TestView: 0xfe38a80; frame = (254 464; 66 40);
   layer = <CALayer: 0xfe38af0>>
```

2.2.2 枚举型优先级

苹果公司提供了不同的平台特有的优先级枚举值，如表 2-1 所示。UIKit 和 AppKit 中的优先级枚举值大致相同，不过 AppKit 包括了窗口特有的几个优先级，其值在 500 左右。

表 2-1 UIKit 和 AppKit 的优先级枚举值

UIKit 中的 UIView 优先级

```
enum {
   UILayoutPriorityRequired = 1000, // Required
   UILayoutPriorityDefaultHigh = 750, // Compression resistance default
   UILayoutPriorityDefaultLow = 250, // Compression hugging default
   UILayoutPriorityFittingSizeLevel = 50, // System layout fitting size
};
typedef float UILayoutPriority;
```

AppKit 中的 NSView 优先级

```
enum {
   NSLayoutPriorityRequired = 1000, // Required
   NSLayoutPriorityDefaultHigh = 750, // Compression resistance default
   NSLayoutPriorityDragThatCanResizeWindow = 510, // Window can resize
   NSLayoutPriorityWindowSizeStayPut = 500, // Window keeps size
   NSLayoutPriorityDragThatCannotResizeWindow = 490, // SplitView divider
   NSLayoutPriorityDefaultLow = 250, // Compression hugging default
   NSLayoutPriorityFittingSizeCompression = 50, // Fitting size
};
typedef float NSLayoutPriority;
```

那几个只有 AppKit 才有的优先级可以用来对与用户调整窗口大小的方式相关的约束进行排序。当你的约束优先级序号高于窗口大小调整优先级的默认值时，可以防止用户将窗口缩小或放大得超出一定的点数。

虽然优先级数字在 OS X 和 iOS 上的含义基本相同，但是不同的平台各自的优先级枚举值会影响所有跨平台的代码。由于这一原因，笔者在跨平台开发时会构建自定义优先级枚举值，并在开发过程中略微进行一些调整。

例如，我自己的优先级枚举值中包括一个 mild suggestion 优先级，其序号为 1。它用来指定优先级序号远远低于常用呈现规则的备用布局。这个最常用的用例可以确保在需要时，视图既能呈现在屏幕上又是可视化视图。这样我就可以递增式地开发视图内容，而不至于出现大小为 0 的丢失视图问题。

苹果公司建议你灵活一些，不要使用固定的优先级水平，例如可以说“采用窗口大小”或者“采用合适的大小”。在使用视图布局系统时，应该将优先级调整得略高或略低，以表示优先级与固定系统值相比的相对次序。

这不是说不能将按钮的压缩阻力优先级设置为默认值 750，而是指当创建涉及该按钮的约束时，如果将优先级设置为 751，意思就是“比默认压缩阻力更重要”；如果优先级设置为 749，则表示“不如默认压缩阻力重要”。

注意：

在运行时更新约束优先级要非常小心，尤其是当优先级的值从必需值变成非必需值时；反之亦然。当一个更新的优先级的角色改变一个安装的约束的效果时，它可能会在运行时抛出异常，如下所示：

```
2013-01-17 10:31:50.820 HelloWorld[16232:c07] *** Assertion
    failure in -[NSLayoutConstraint setPriority:],
    /SourceCache/Foundation_Sim/Foundation-992/
    Layout.subproj/NSLayoutConstraint.m:155
2013-01-17 10:31:50.821 HelloWorld[16232:c07] *** Terminating app due
    to uncaught exception 'NSInternalInconsistencyException',
    reason: 'Mutating a priority from required to not on an
    installed constraint (or vice-versa) is not supported.
    You passed priority 1000 and the existing priority was 502.'
```

2.3 内容大小约束

每个视图的框架由一个原点(视图所在位置)和一个尺寸(视图在其父视图中的宽度和高度)组成。虽然可以用明确的规则指出位置和大小，但有时候会希望 Auto Layout 根据视图的内容来确定大小。与内容大小相关的约束有两种：内容吸附和压缩阻力。这两种约束规则指出了 Auto Layout 根据内在内容大小伸展、挤压或填充视图的难易程度。

2.3.1 内在内容大小

我们在第 1 章中讲过，标签、图像视图和控件的大小通常取决于它们呈现的内容。例如，名为 Go!的按钮可能比名为 Share Link 或 Send Feedback 的按钮要短。图像的大小由图像的内在艺术特征和屏幕本身的尺寸共同决定。每当视图的边界发生变化时，内容大小都会使 Auto Layout 能够自动让内容符合其规则。

不包含自然内容的视图的内在内容大小为(-1,-1)。UIKit 将这种“无内容”的尺寸声明为 UIViewNoIntrinsicMetric。OS X 上的 AppKit 没有提供对应的声明。苹果公司的文档指出：

注意，并非所有视图都有 intrinsicContentSize。UIView 的默认实现是返回(UIViewNoIntrinsicMetric，UIViewNoIntrinsicMetric)。内在内容大小仅考虑视图自身中的数据，而不考虑其他视图中的数据。记住，也可以针对任何视图设置固定的宽度或高度约束，如果不希望这些尺寸随着视图内容的改变而改变，则不需要重写instrinsicContentSize。

2.3.2 内容吸附

内容吸附约束限制视图允许自身伸展和填充视图的程度。如果内容吸附优先级较高，则将视图的框架与内在内容大小相匹配。如果内容大小比较小，则希望框架也比较小。拉力线向内拉向视图的自然边缘以抵抗填充(参见图 2-1)。

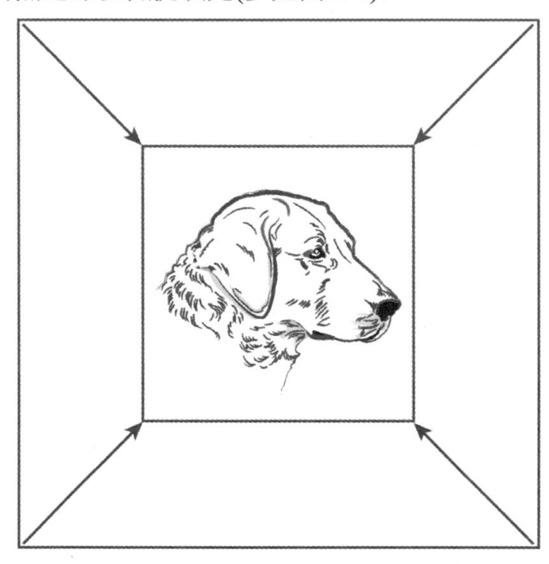

图 2-1 内容吸附向内挤压视图，尽量靠近视图的内容以匹配该内容的自然大小，并且避免填充或伸展

图 2-2 中的图像视图显示一个应用程序按钮。布局约束要求该视图自身居中，并且向外伸展，以尽可能多地填充屏幕。

图 2-2(a)用极高的(必需的)内容吸附优先级显示了这个视图。该视图的边界收缩到基本大小，产生了一个很小的居中视图。图 2-2(b)和图 2-2(c)使用了较低的内容吸附优先级，因此视图填充的屏幕部分要大得多。

(b)和(c)图的内容模式之间呈现了另外一种区别。在 iOS 中，内容模式定义内容如何根据视图的框架来改变形状。

图 2-2(b)使用了UIViewContentModeScaleAspectFill。图像放大到充满整个视图。图 2-2(c)使用了UIViewContentModeCenter，因此其图像居中显示，并且没有放大。图像背后的有色背景显示了视图的全部范围，与(b)图的大小相同。

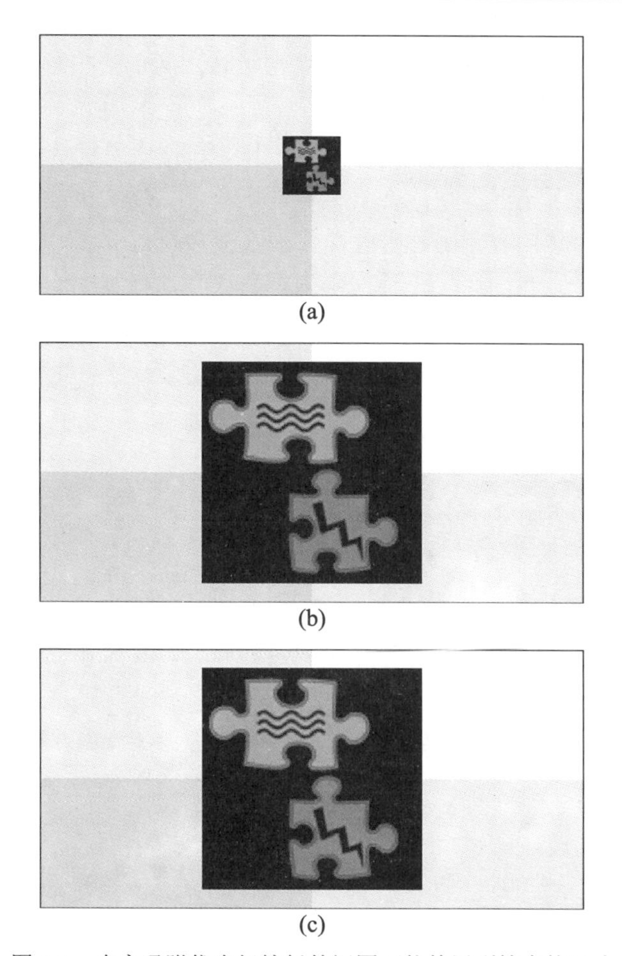

图 2-2　内容吸附优先级较低的视图可能伸展到较大的尺寸

2.3.3　压缩阻力

压缩阻力约束防止视图剪切其内容。高压缩阻力优先级可确保显示出视图的完整内在内容。使用压缩阻力，拉力线从内容内部开始向外推，以确保整个内在内容都呈现出来(参见图 2-3)。

图 2-3　压缩阻力将视图的大小与其内在内容相匹配，以防止视图剪切其内容

从图 2-4 中可以看出，当使用中等(500)优先级时，两个图的宽度都被约束为它们的自然大小的一半(是 256 点，而不是 512 点)。

图2-4(a)使用了必需的(1 000)阻力优先级；图2-4(b)使用了极低的(1)优先级。在第一种情况下，压缩阻力战胜了宽度约束。在第二种情况下，宽度约束战胜了压缩阻力。视图大小调整到小于视图的自然内容范围，因此图像被裁剪掉一部分。

为了创建这些图像，我使用了一种居中内容模式，这样视图将显示为其自然大小。同时我启用了 clipsToBounds，以确保视图的图像不会扩展到超出视图的边界。

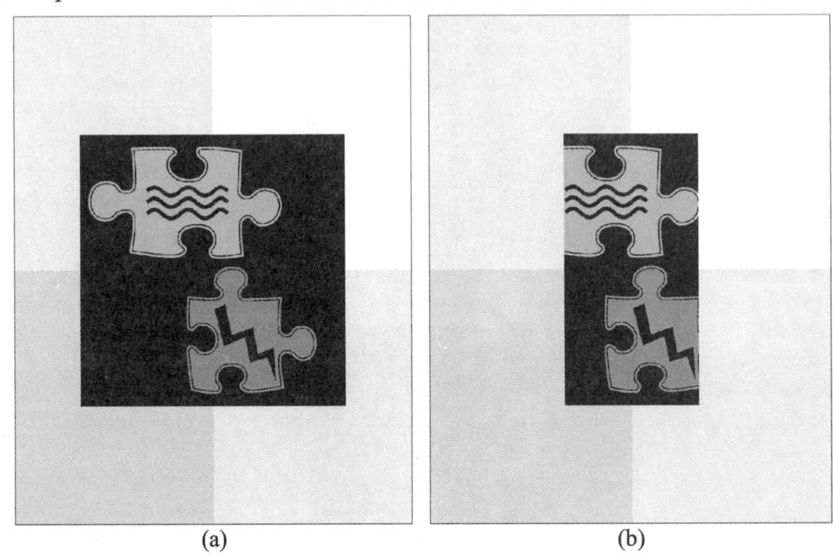

(a) (b)

图 2-4　当视图的压缩阻力优先级较低时，视图最终可能会裁剪其内容。这些视图使用了使内容居中的模式

2.3.4　通过代码设置内容大小约束

可以通过代码为每个视图指定内容吸附和压缩阻力优先级。内容吸附优先级默认值为 250，压缩阻力优先级默认值为 750。表 2-2 显示了 UIKit 和 AppKit 的 API。从表中可见，对于不同的平台，这些 API 略有区别。主要区别在于术语。UIKit 涉及的是轴，而 AppKit 讨论的是方向。除此之外，它们在功能上是对等的。轴和方向都是枚举值。每个枚举值都将水平定义为 0，将垂直定义为 1。

赋予这些方法的优先级是等价的，赋予的值在1(最低优先级)到1 000(必需的优先级)之间。这些优先级值产生的结果依次显示在图2-1~图2-4中。

表 2-2　UIKit 和 AppKit 的内容大小 API

UIKit
- (void)setContentHuggingPriority:(UILayoutPriority)priority forAxis:(UILayoutConstraintAxis)axis
- (UILayoutPriority)contentHuggingPriorityForAxis:(UILayoutConstraintAxis)axis
- (void)setContentCompressionResistancePriority:(UILayoutPriority)priority

(续表)

```
    forAxis:(UILayoutConstraintAxis)axis
- (UILayoutPriority)contentCompressionResistancePriorityForAxis:
    (UILayoutConstraintAxis)axis

enum {
  UILayoutConstraintAxisHorizontal = 0,
  UILayoutConstraintAxisVertical = 1
};
typedef NSInteger UILayoutConstraintAxis;
```

AppKit

```
- (void)setContentHuggingPriority:(NSLayoutPriority)priority
    forOrientation:(NSLayoutConstraintOrientation)orientation
- (NSLayoutPriority)contentHuggingPriorityForOrientation:
    (NSLayoutConstraintOrientation)orientation
- (void)setContentCompressionResistancePriority:(NSLayoutPriority)priority
    forOrientation:(NSLayoutConstraintOrientation)orientation
- (NSLayoutPriority)contentCompressionResistancePriorityForOrientation:
    (NSLayoutConstraintOrientation)orientation

enum {
  NSLayoutConstraintOrientationHorizontal = 0,
  NSLayoutConstraintOrientationVertical = 1
};
typedef NSInteger NSLayoutConstraintOrientation;
```

2.3.5 在 IB 中设置内容大小约束

图 2-5 中的交互式设置面板显示了 Xcode 中的部分(而不是全部)视图。在 IB 中，选择一个视图，打开 Size Inspector(方法是选择 View | Utilities | Show Size Inspector)。如果出现了优先级滑动条，则选择 View | Content Hugging Priority 或 View | Content Compression Resistance Priority 来调整优先级值。滑动条和步进文本字段将优先级值限制在 1 到 1 000 之间。

如图 2-5 所示，在调整优先级时 IB 会提供交互式提示。这些提示描述了所设置的值处于何种水平。我发现在大多数情况下，最方便的做法不是逐步增大数值，而是直接在右边的文本字段中输入一个值，因为手动控制值比拖动滑动条更精确。

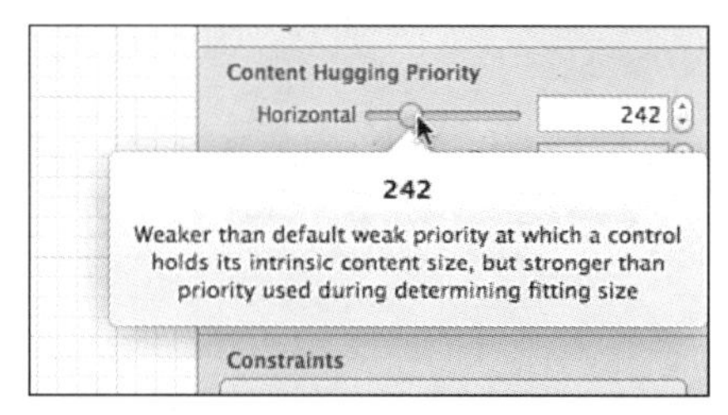

图 2-5　IB 会提供弹出式提示，用来描述每个优先级的意义

2.4 构建布局约束

布局约束(NSLayoutConstraint 的实例)定义了关于视图的物理几何特性的规则。布局约束指定了视图的布局方式，以及视图与同一层次结构中其他视图的关系。

要表达这些规则，可以使用表 2-3 中所示的简单数学术语。这些术语由视图属性、关系以及加法和乘法的基本运算组成。

表 2-3 约束的元素

类 型	说 明	值
属性	视图的左边、右边、顶部和底部	NSLayoutAttributeLeft NSLayoutAttributeRight NSLayoutAttributeTop NSLayoutAttributeBottom
属性	视图的前边和后边。在类似英语的场合中，前边和后边对应于左边和右边；在从右到左的场合，特别是在阿拉伯语和希伯来语的情况下，前边和后边对应于右边和左边	NSLayoutAttributeLeading NSLayoutAttributeTrailing
属性	视图的宽度和高度	NSLayoutAttributeWidth NSLayoutAttributeHeight
属性	视图的中心点。在两个坐标轴的方向上分别表示为 centerX 和 centerY	NSLayoutAttributeCenterX NSLayoutAttributeCenterY
属性	视图的基线。通常是指在视图的底部上方放置文字的地方	NSLayoutAttributeBaseline
属性	占位符。当与另一个约束的关系中没有用到某个属性时可以使用该占位符，如在设置宽度或高度时就会用到这种占位符	NSLayoutAttributeNotAnAttribute
关系	约束。这种约束允许将属性通过等式(= =)和不等式(<=和>=)相互关联	NSLayoutRelationLessThanOrEqual NSLayoutRelationEqual NSLayoutRelationGreaterThanOrEqual
数学运算	每个约束的乘数和相加性常数	用户提供的 CGFloat 值

2.5 布局约束类

数学规则通过构建 NSLayoutConstraint 类的实例来创建，然后将创建的规则添加到视图中。该类的实例提供了下面几个基本约束：

- priority——该属性存储约束的优先级值。Auto Layout 系统通过对约束进行排序来选择响应哪个请求。本章前面对优先级及其值进行过介绍。
- firstItem 与 secondItem——这两个属性是指视图。约束可能仅涉及一个视图的属性，也可能涉及两个视图之间的关系。有效约束的第一项总是非 nil 项。第二项可能是也可能不是 nil。
- firstAttribute 与 secondAttribute——这两个属性是约束系统中的“名词”，它们描述视图的对齐矩形的特征，如左边、右边、中心和高度。这些属性值为表 2-3 中的 12 个枚举属性中的任意两个。如果不存在第二项，则将第二个属性设置为 NSLayoutAttributeNotAnAttribute。
- relation——关系是约束系统中的“动词”，它们指出属性之间如何相互比较：相等(==)、大于等于(≥)或者小于等于(≤)。约束的关系常量必须设置为表 2-3 中列出的 3 个枚举值之一。
- multiplier 和 constant——这两个属性提供了代数元素，增强了约束系统的功能和灵活性。通过这两个属性，可以指出一个视图是另一个视图大小的一半，也可以指出一个视图是将其父视图偏移一定的距离而得到的。这两个属性都是浮点型值，它们对应于构成约束方程的 *m*(乘数)和 *b*(常数)元素。乘数 1 或者常数 0 可以忽略，因为它们是恒等运算。

2.5.1 约束数学

不管约束是如何创建的，所有约束在本质上都是相等或不等关系，用公式表示如下：

```
y (关系) m * x + b
```

如果你有数学背景，那么可能见过下面这个类似的公式，其中 *R* 是指 *y* 和右边算式的值之间的关系：

```
y R m * x + b
```

y 和 *x* 是表 2-3 中列出的各种视图属性，如宽度、centerY 或顶边。这里，*m* 是常数缩放因子，*b* 是常数偏移值。例如，可以说“视图 B 的左边应位于视图 A 的右边 15 点处”。其关系方程如下所示：

```
视图 B 的左边 = 视图 A 的右边 + 15
```

在这个方程中，关系是相等关系，常数偏移值(*b*)是15，缩放因子或乘数(*m*)是1。我在这里尽量防止上述方程看上去像代码，因为后面我们将会讲到，在 Objective-C 中不用代码来声明约束。

约束不一定要使用严格的相等关系，其实也可以使用不等关系。例如，可以说“视图 B 的左边应该位于视图 A 的右边至少 15 点处”。即

```
视图 B 的左边 >= 视图 A 的右边 + 15
```

偏移值用来在对象之间添加固定间隙，乘数用来缩放视图。事实证明，在摆放栅格图案时，缩放特别有用，只要乘以视图的高度即可，而不一定要在另一个视图上增加固定的距离。

2.5.2 第一项和第二项

我们构建的每个带乘数(m)和常数(b)的这种关系方程总是适用于第二项：

```
firstItem.firstAttribute (R) secondItem.secondAttribute * m + b
```

没有绝对的规则规定哪个视图必须是第一项，哪个视图必须是第二项。可以随心所欲地指定视图的顺序。例如，可以这样指定：

```
视图 B 的左边 = 视图 A 的右边 + 10
```

也可以这样指定：

```
视图 A 的右边 = 视图 B 的左边 - 10
```

这两个方程本质上是同一个意思。

在第一个示例中，视图 B 是 firstItem；在第二个示例中，视图 B 又成了 secondItem。它们都描述了一个这样的布局：视图 B 出现在视图 A 的右边 10 点处。下面的示例以一种更加可视化的方式来呈现这两个意思相同的约束所描述的关系：

```
[视图 A]-10-[视图 B]
```

这种可视化格式将在第 4 章中详细讨论。要使它像在第一个示例中(含有+10 而不是-10 的那个示例)那样保持在数学上采用正数值，有一个小技巧：只要将前边、左边或者上方的视图作为 firstItem，后边、右边或者下方的视图作为 secondItem。这样做略微有些违反直觉，因为许多人以为这个请求是“视图 A 的后边后面接上 10 点，后面再接上视图 B 的前边。”但是，由于不能用 NSLayoutConstraint 合法地表示下面的公式：

```
视图 A 的后边 + 10 = 视图 B 的前边
```

因此需要要么尽量保留视图的顺序(使用负数值，描述从 secondItem 回到 firstItem 须移动多少)，要么将要产生的视图顺序倒过来，保持数值为正数。

第 4 章将会介绍，利用可视化格式字符串能够做到用更直观的“[视图 A]-10-[视图 B]”形式的布局来构建这个规则。

2.6 创建布局约束

构建布局约束的方法有以下3种：

- 用IB设计界面。IB可以生成支持你的布局的约束，你可以在可视化编辑器中进一步定制约束集。
- 用可视化格式语言描述约束，并允许NSLayoutConstraint类根据你的请求生成具体的实例(constraintsWithVisualFormat:options:metrics:views:)。
- 为每个组件提供一个基本关系，从而构建NSLayoutConstraint类的实例(constraintWithItem:attribute:relatedBy:toItem:attribute:multiplier:constant:)。

如果用官方的表述来说，这3种方法的顺序与你预期苹果公司为你构建约束的方式一致：从最喜欢的到最不喜欢的。该技术的整体“安全性”和对有效布局的保证根据上述列表从上至下依次降低。

但是从非官方的观点来讲，我的经验恰恰相反。我发现从下向上构建约束可以使开发人员进行最好的控制，并且能够最好地诠释“最小惊奇原则”。要使界面与你的预期和设计一致，通常最好使用后两个方法中的一个，通过代码来手动构建约束。

遗憾的是，虽然在Xcode 5中作了很大的改进，但是IB还是可能在几个层次中出现问题：它会在界面上到处分散约束引用；它没有办法组合和记录功能上相关的约束；它没有提供表达边界条件的编辑器，而边界条件正是使用Auto Layout进行设计的一个重要主题(第6章中将讨论边界条件)。

与此同时，在有些方面IB确实表现不错。IB提供了一种设计工具，它与你创建的结果在同一个可视化空间工作。在与非程序员合作时，这一点很重要。使用这种工具，无须编写自己的约束，即可布局视图和测试应用程序(该设计工具会为你生成部分约束)。该工具会帮助你测试约束，并对布局中的问题提出修复建议。对于简单的布局，该工具会提供快速且切实可行的解决方案。

我发现，将基于IB的故事板和nib文件与基于代码的约束管理结合起来，可为这些问题提供完美的解决方案。另一个很适合我的解决方案是：用Autosizing构建自包含的界面部分，然后将这些界面部分作为模块化的Auto Layout组件导入应用程序中。

我并不是说你不能用IB建立表达性约束。你可以这么做。然而，对构建的约束进行检查比较难，不可能严格地检查。再说布局方面的术语也有限。

归根结底，这3种设计方法都能产生NSLayoutConstraint实例。无论用哪种方法指定Auto Layout规则，它们都会分解成一组添加到界面视图中的布局约束。

2.6.1 构建NSLayoutConstraint实例

NSLayoutConstraint的类方法constraintWithItem:attribute:relatedBy:toItem:attribute:multiplier:constant:(好长的方法!)每次只创建一个约束。每个布局约束定义一个规则，可能涉及一个视图，也可能涉及两个视图。

如果是涉及两个视图的规则，则上述创建约束的方法产生一个严格的“视图.属性 *R* 视图.属性*乘数+常数”关系，其中 *R* 是等于(==)、大于等于(>=)或者小于等于(<=)关系之一。

我们来看一下下面的示例：

```
[self.view addConstraint:
    [NSLayoutConstraint
        constraintWithItem:self.view
        attribute:NSLayoutAttributeCenterX
        relatedBy:NSLayoutRelationEqual
        toItem:textfield
        attribute:NSLayoutAttributeCenterX
        multiplier:1
        constant:0]];
```

该代码调用上述方法向一个视图控制器的视图(self.view)中添加了一个新约束，要求将文本字段水平居中对齐。其实现原理是在两个视图的水平中心(NSLayoutAttributeCenterX 属性)之间设置相等关系(NSLayoutRelationEqual)。这里的乘数是 1，偏移值常数是 0。用等式表示如下：

```
[self.view]的 centerX =([文本字段]的 centerX * 1) + 0
```

这个等式的意思是：“请确保我的视图中心和文本字段中心的 X 坐标对齐。”

addConstraint:方法将该约束添加到视图中，与其他约束一起存储在视图的constraints 属性中。

2.6.2 一元约束

不是所有约束都引用两个视图。有些约束仅对一个视图进行操作，尤其是那些处理视图尺寸的约束。例如，指出视图的宽度为 50 点的约束不引用其他任何视图。

这些类型的约束是一元的，不涉及第二个视图。在这种情况下，secondItem 属性将为 nil，可以通过检查约束对此进行简单的测试：

```
if (constraint.secondItem == nil)
    NSLog(@"Constraint is unary");
```

例如，可以建立一个将视图最小宽度设置为 100 点的一元约束：

```
NSLayoutConstraint *constraint = [NSLayoutConstraint
    constraintWithItem:view
    attribute:NSLayoutAttributeWidth
    relatedBy:NSLayoutRelationGreaterThanOrEqual
    toItem:nil
    attribute:NSLayoutAttributeNotAnAttribute
    multiplier:1
    constant:100];
[view addConstraint:constraint];
```

该约束对应于如下规则：

```
[view]的宽度>=100
```

该约束中的第二项是nil，其属性被设置为not an attribute。实际上，如果你不太在乎可读性的话，可以将第二个属性设置为你喜欢的任何属性。如上述代码中这样设置时，约束仍然有效，因为没有第二项可引用。

2.6.3 不含视图项的约束是不合法的

每个约束至少要引用一个视图，比较常见的情况是引用两个视图。无法创建不含视图项的有效约束。下面的代码试图添加一个不含视图项的约束：

```
[self.view addConstraint:
    [NSLayoutConstraint
        constraintWithItem:nil
        attribute:NSLayoutAttributeNotAnAttribute
        relatedBy:NSLayoutRelationEqual
        toItem:nil
        attribute:NSLayoutAttributeNotAnAttribute
        multiplier:1 constant:0]]
```

这段代码能够正常编译，不会发出警告。但是，在运行时会抛出异常：

```
2013-01-17 12:14:37.653 HelloWorld[17700:c07] *** Terminating app
    due to uncaught exception 'NSInvalidArgumentException', reason:
    '*** +[NSLayoutConstraint constraintWithItem:attribute:relatedBy:
    toItem:attribute:multiplier:constant:]:
    Constraint must contain a first layout item'
```

2.7 视图项

约束用firstItem和secondItem属性引用它所影响的视图。这些属性是只读的，而且只能在约束创建期间设置。

这两个属性的类型为id，老实说，我不太喜欢。我还没有遇到过第一项和第二项合法地指向除视图外的其他任何类的情况(我怀疑这样做是为了允许在iOS和OS X中使用相同的类)。

为了解决这个问题，我创建了一个简单的类类别(参见代码清单2-1)，其中包含了我喜欢使用的类型为firstView和secondView的属性。与其他所有类类别一样，最好在自己的代码中添加命名空间前缀，以确保该类别的方法和属性不会与苹果终端上将来可能的任何开发相冲突，这一点我们前面已经提醒过。

为了使该类别在不同的平台都能使用，我建立了一个VIEW_CLASS常量，它引用我所用的软件开发工具包(SDK)上的适当基类。下面是使我的所有约束都有效的定义方式：

```
#pragma mark - Cross Platform
#if TARGET_OS_IPHONE
    #define VIEW_CLASS UIView
```

```
#elif TARGET_OS_MAC
    #define VIEW_CLASS NSView
#endif
```

本书中全部使用这种定义方式，所有代码均同时适用于 iOS 和 OS X。此外，也可以用如下形式定义：

```
#if TARGET_OS_IPHONE
    @compatibility_alias VIEW_CLASS UIView;
#elif TARGET_OS_MAC
    @compatibility_alias VIEW_CLASS NSView;
#endif
```

注意：

始终要在类扩展前面添加命名空间前缀，以免与苹果公司将来可能的更新相冲突。本书没有遵循这一规则，是为了保持代码示例的可读性。如果在生产代码中不添加命名空间前缀，将来可能会引发兼容性问题。

代码清单 2-1 扩展 NSLayoutConstraint 以返回视图特有的属性

```
@interface NSLayoutConstraint (ViewHierarchy)
@property (nonatomic, readonly) VIEW_CLASS *firstView;
@property (nonatomic, readonly) VIEW_CLASS *secondView;
@end

@implementation NSLayoutConstraint (ViewHierarchy)
// Cast the first item to a view
- (VIEW_CLASS *) firstView
{
    return self.firstItem;
}

// Cast the second item to a view
- (VIEW_CLASS *) secondView
{
    return self.secondItem;
}
@end
```

2.8 约束、层次结构与边界系统

当约束引用两个视图时，这两个视图一定要属于同一个视图层次结构。对于引用两个视图的约束，只有两种合法的情况：要么一个视图是另一个视图的父视图(即 firstItem 是 secondItem 的祖先，或者反过来)，要么两个视图必须是某种类型的兄弟(即它们必须在同一个窗口下有一个非 nil 的共同视图祖先)。如果试图让约束引用其他情况的视图，将会崩溃得一塌糊涂。

我们来看图 2-6，其中 View 3 及其子视图属于同一个窗口，View 4 位于另一个窗口中：

- 可以在 View 1 和 View 3 之间建立约束，因为 View 1 是 View 3 的子视图。
- 也可以在 View 2 和 View 3 之间建立约束，尽管 View 2 是间接子视图，但这种约束仍然是合法的。
- 不能在 View 1 到 View 3 之间的任何一个视图与 View 4 之间建立约束，因为 View 4 与其他 3 个视图不属于同一个层次结构。

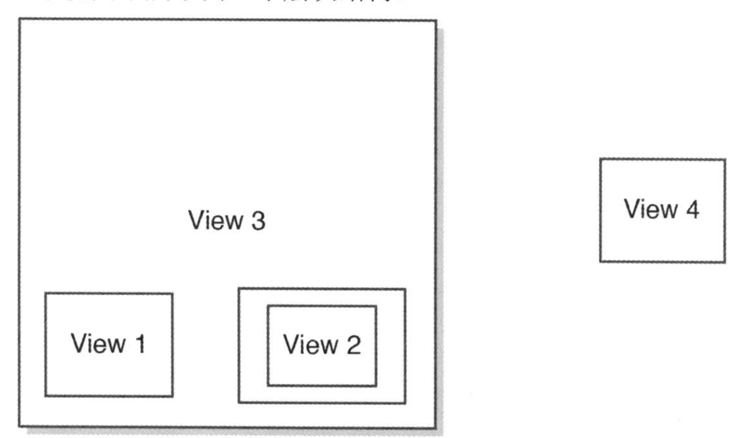

图 2-6　不能在属于独立窗口的 View 4 与其他任一视图之间建立约束

在使用约束时，经常会出现这些检查。NSView 提供了 ancestorSharedWithView:方法，但是 UIView 没有提供。为了解决这个问题，我创建了各平台通用的视图类扩展，如代码清单 2-2 所示。该代码清单中的类实现了两个常用的测试方法，它检查一个视图是否是另一个视图的祖先，并返回两个视图最近的共同祖先。

要留心边界系统。例如，不要将某个视图上的按钮与另一个集合视图中的文本字段关联。如果某种内容视图有自己的边界系统(如集合视图、滚动视图和表视图)，不要跳到另一个完全不同的边界系统中。代码清单 2-2 没有检查这个问题，不过如果你愿意，当然可以自行添加这种检查。

代码清单 2-2　支持视图层次结构

```
@implementation VIEW_CLASS (HierarchySupport)
// Return an array of all superviews
- (NSArray *) superviews
{
    NSMutableArray *array = [NSMutableArray array];
    VIEW_CLASS *view = self.superview;
    while (view)
    {
        [array addObject:view];
        view = view.superview;
    }
```

```
    return array;
}

// Test if the current view has a superview relationship to a view
- (BOOL) isAncestorOfView: (VIEW_CLASS *) aView
{
    return [[aView superviews] containsObject:self];
}

// Return the nearest common ancestor between self and another view
- (VIEW_CLASS *) nearestCommonAncestorToView: (VIEW_CLASS *) aView
{
    // Check for same view
    if ([self isEqual:aView])
        return self;

    // Check for direct superview relationship
    if ([self isAncestorOfView:aView])
        return self;
    if ([aView isAncestorOfView:self])
        return aView;

    // Search for indirect common ancestor
    NSArray *ancestors = self.superviews;
    for (VIEW_CLASS *view in aView.superviews)
        if ([ancestors containsObject:view])
            return view;

    // No common ancestor
    return nil;
}
@end
```

2.9 安装约束

要让约束进入 Auto Layout 系统，需要将约束添加到视图中。举例如下：

```
[myView addConstraint: aConstraintInstance];
```

因为可视化格式系统返回约束的数组，而不是返回单个约束，所以NSLayoutConstraint类还提供了一种同步添加约束集合的方式：

```
[myView addConstraints: myArrayOfConstraints];
```

约束在它们的 firstItem 和 secondItem 属性的最近公共祖先中总有一个天然归宿。以图 2-6 中的视图为例：

- View 1 和 View 3 之间的约束应该添加到作为父视图的 View 3 中。

- 同样，View 2 和 View 3 之间的约束也属于 View 3。虽然 View 3 不是 View 2 的父视图，但 View 3 是 View 2 的祖先。
- 对于 View 1 和 View 2 来说，View 3 是它们的最近公共祖先。尽管没有提到是作为第一项还是第二项，但是应将 View 1 和 View 2 之间的约束添加到 View 3 中。

IB 遵循这一规则，你也应该遵循这一规则。如果要了解每个约束位于 IB 层次结构中的什么位置，可以在添加到第一项和第二项的最近公共祖先中的故事板大纲内找到。

下面是苹果公司对 UIView.h(iOS)和 NSLayoutConstraint.h(OS X)头文件所作的解释：

约束通常安装在该约束所引用视图的最近公共祖先中。约束有必要安装在引用的每个视图的公共祖先中。约束中的数字相对于所安装视图的坐标系有意义。视图被视为自身的祖先。

事实上，每个约束自身可以而且应该安装到一个自然且正确的目标视图中。代码清单 2-3 显示了实现这种安装的 NSLayoutConstraint 类类别。约束在两个视图之间寻找最近的公共祖先，并将自身添加到该视图上。如果是一元约束，则安装到第一个视图上。

使用这个类别，可以针对约束本身调用install(和remove)方法。你需要的关于安装位置的信息已经存在于每个(合法定义的)约束中。此外，如果你的约束统一安装在一致的目标视图中，则删除约束也会很轻松。

Auto Layout 还提供了一种删除约束的“笨”办法：在从层次结构中删除视图时自动删除约束：

```
[view removeFromSuperview]
```

然后，任何引用该视图的约束都会从 Auto Layout 中自动删除。例如，假设有一个约束，它描述了图 2-6 的 View 1 和 View 2 之间的关系。View 3 拥有该约束，因为它是 View 1 和 View 2 的最近公共祖先。当将 View 2 从其父视图中删除时，Auto Layout 会自动删除 View 3 中的约束。这种删除是系统自动为你完成的，不需要显式地请求。

代码清单 2-3 自安装的约束

```
@implementation NSLayoutConstraint (SelfInstall)
- (BOOL) install
{
   // Handle Unary constraint
   if (self.isUnary)
   {
      [self.firstView addConstraint:self];
      return YES;
   }

   // Find nearest common ancestor
   VIEW_CLASS *view =
       [self.firstView nearestCommonAncestor:self.secondView];
```

```
        if (!view)
        {
            NSLog(@"Error: No common ancestor between items.");
            return NO;
        }

        // Install to nearest common ancestor
        [view addConstraint:self];
        return YES;
    }

    // You may want to rename this to installWithPriority:, which in
    // retrospect would have been a far better method name.
    - (BOOL) install: (float) priority
    {
        // Set priority and install
        self.priority = priority;
        return [self install];
    }

    // Discussed further in the section that follows
    - (void) remove
    {
        if (self.isUnary)
        {
            VIEW_CLASS *view = self.firstView;
            [view removeConstraint:self];
            return;
        }

        // Remove from preferred recipient
        VIEW_CLASS *view =
            [self.firstView nearestCommonAncestor:self.secondView];
        if (!view) return;

        // This is safe. If the constraint isn't on the view, this is a no-op
        [view removeConstraint:self];
    }
    @end
```

删除约束

任何时候都可以在视图中添加和删除约束。两个内置方法removeConstraint:和removeConstraints:可用来删除给定视图中的一个约束或者一个约束数组。因为这些方法是针对目标指针的，因此当试图删除约束时，它们可能不会如你所愿。

例如，假设你构建了一个中心匹配约束，并将该约束添加到了你的视图中。那么，你不能用同样的规则构建该约束的另一个版本，并预期调用removeConstraint:方法删除该约束。虽然这两个约束是等价的，但它们不是同一个约束。下面是关于这种情况的示例：

```
// Build and add the constraint
[self.view addConstraint:
    [NSLayoutConstraint constraintWithItem:textField
        attribute:NSLayoutAttributeCenterX
        relatedBy:NSLayoutRelationEqual
        toItem:self.view
        attribute:NSLayoutAttributeCenterX
        multiplier:1.0f constant:0.0f]];

// Attempt to remove the constraint
[self.view removeConstraint:
    [NSLayoutConstraint constraintWithItem:textField
        attribute:NSLayoutAttributeCenterX
        relatedBy:NSLayoutRelationEqual
        toItem:self.view
        attribute:NSLayoutAttributeCenterX
        multiplier:1.0f constant:0.0f]];
```

调用这两个方法后，最终会得到这样的结果：self.view 实例中仍然包含原来的约束，试图删除第二个约束的请求被忽略了，未能成功删除该视图不支持的约束。

要解决这个问题，有两个办法。第一个办法是在第一次添加约束时将它存储在一个局部变量中，以保存该约束。代码如下：

```
NSLayoutConstraint *myConstraint =
    NSLayoutConstraint constraintWithItem:textField
        attribute:NSLayoutAttributeCenterX
        relatedBy:NSLayoutRelationEqual
        toItem:self.view
        attribute:NSLayoutAttributeCenterX
        multiplier:1.0f constant:0.0f]];
[self.view addConstraint:myConstraint];

// later
[self.view removeConstraint:myConstraint];
```

要删除另一个等价的约束，可以使用这样的方法：将两个约束进行比较，并删除在数学上与你传递的约束相匹配的约束。第二个办法是用类类别给约束做标记，以便将来找到并删除该约束。删除约束是 Auto Layout 中的一个重要功能。每当刷新布局时(在设备旋转时最常发生这种情况)，都需要删除无效的约束，并用新的约束规则替换它们。

知道自己的约束是静态的(在视图的整个生命周期都有效)还是动态的(根据需要更新)可帮助你决定需要采用何种方法。如果你觉得以后可能需要删除一个约束，可以通过局部变量保存该约束，以便以后从视图中删除；也可以采用以后能够搜索该约束的变通方法。

2.10 比较约束

所有约束均使用下列形式的固定结构以及一个关联的优先级：

```
视图 1.属性(关系)视图 2.属性*乘数+常数
```

上述公式中的每个元素通过约束的对象属性提供，即 priority、firstItem、firstAttribute、relation、secondItem、secondAttribute、multiplier 和 constant。使用这些属性可以很方便地将两个约束进行比较。

视图将约束作为对象来存储和删除。如果两个约束存储在内存中的不同位置，那么即使这两个约束描述了相同的条件，系统也会认为它们是两个不同的约束。要使代码不将约束存储在局部变量中，直接添加和删除约束，可以使用比较功能来实现。

代码清单2-4创建了一个NSLayoutConstraint类别，用来比较两个约束之间的属性，并判断它们是否匹配。isEqualToLayoutConstraint:方法用来判断是否等价，而不考虑优先级。不管开发人员当前指定的优先级如何，两个描述相同条件的约束在本质上都是等价的。

代码清单 2-4 在约束与约束之间进行属性比较

```
@implementation NSLayoutConstraint (ConstraintMatching)

// This ignores any priority, looking only at y (R) mx + b
- (BOOL) isEqualToLayoutConstraint: (NSLayoutConstraint *) constraint
{
    if (self.firstItem != constraint.firstItem) return NO;
    if (self.secondItem != constraint.secondItem) return NO;
    if (self.firstAttribute != constraint.firstAttribute) return NO;
    if (self.secondAttribute != constraint.secondAttribute) return NO;
    if (self.relation != constraint.relation) return NO;
    if (self.multiplier != constraint.multiplier) return NO;
    if (self.constant != constraint.constant) return NO;

    return YES;
}
@end
```

匹配约束

安装了约束后，可以对该约束做两件事情。可以删除该约束(也许是用一个新规则替换它)，也可以修改该约束的常数(通常是为视图添加动画效果)。Auto Layout 经常使用这两个任务来创建响应用户交互请求的生动界面。

尽管可以创建指向特定约束的实例变量和输出口，但是具有高度交互能力的 GUI 可以创建大量即时添加、修改和删除的约束。轻量级和生命周期较短的约束由于存在时间不长，因此可能不值得直接指向它们。

最后，我构建了一个专门用来检索已安装约束的视图类别。代码清单 2-5 中列出了大量约束匹配方法，可以在所有视图中搜索，查找与某个约束或某个约束数组(适用于通过可视化格式构建的约束数组)相匹配的约束，或者引用特定视图的约束(便于制作动画)。该代码清单还提供了两个删除匹配约束的方法。

代码清单 2-5 查找并删除匹配的约束

```
@implementation VIEW_CLASS (ConstraintMatching)

// Find the first matching constraint
- (NSLayoutConstraint *) constraintMatchingConstraint:
    (NSLayoutConstraint *) aConstraint
{
    // Try to find a matching constraint in the view's
    // installed constraints
    for (NSLayoutConstraint *constraint in self.constraints)
    {
        if ([constraint isEqualToLayoutConstraint:aConstraint])
            return constraint;
    }

    // Search superviews as well
    for (VIEW_CLASS *view in self.superviews)
        for (NSLayoutConstraint *constraint in view.constraints)
        {
            if ([constraint isEqualToLayoutConstraint:aConstraint])
                return constraint;
        }

    return nil;
}

// Find all matching constraints. Use this to pull out
// installed constraints matching a set generated from
// a visual pattern.
- (NSArray *) constraintsMatchingConstraints: (NSArray *) constraints
{
    NSMutableArray *array = [NSMutableArray array];
    for (NSLayoutConstraint *constraint in constraints)
    {
        NSLayoutConstraint *match =
            [self constraintMatchingConstraint:constraint];
        if (match)
            [array addObject:match];
    }
    return array;
}

// All constraints matching that view
```

```
// This method is *insanely* useful.
- (NSArray *) constraintsReferencingView: (VIEW_CLASS *) view
{
    NSMutableArray *array = [NSMutableArray array];
    for (NSLayoutConstraint *constraint in self.constraints)
        if (([constraint.firstItem isEqual:view]) ||
            ([constraint.secondItem isEqual:view]))
            [array addObject:constraint];
    return array;
}

// Remove matching constraint
- (void) removeMatchingConstraint:
    (NSLayoutConstraint *) aConstraint
{
    NSLayoutConstraint *match =
        [self constraintMatchingConstraint:aConstraint];
    if (match)
    {
        [self removeConstraint:match];
        [self.superview removeConstraint:match];
    }
}

// Remove matching constraints
- (void) removeMatchingConstraints: (NSArray *) anArray
{
    for (NSLayoutConstraint *constraint in anArray)
        [self removeMatchingConstraint:constraint];
}
@end
```

2.11 布局约束法则

下面是一些关于布局约束的基本法则，应当牢记：

- **布局约束是有优先级的。**优先级的范围在 1 到 1 000 之间。优先级高的约束总是比优先级低的约束先得到满足。可以指定的最高优先级是“必需的”优先级(值为 1 000)，它也是默认优先级。在布局期间，系统浏览你添加的所有约束，并试图全部满足它们。在决定哪个约束的影响较小时，需要用到优先级。当两个约束有冲突时，优先级为 99 的约束会让步于优先级为 100 的约束。
- **布局约束没有任何超越优先级的天然“顺序”。**所有具有相同优先级的约束都被同时考虑。如果需要优先处理某个约束，就要赋予该约束更高的优先级。
- **布局约束是关系，没有方向。**不必通过解出右端来计算左端。
- **布局约束可以取近似值。**可选的约束试图优化它们的结果。假如有这样的约束“View 2 的顶边应该与 View 1 的底边位于相同的位置”。那么约束系统会尽量使这两个视图之间的距离最小，从而将它们挤压在一起。如果有其他防止这两个视图相互接触的约束，那么系统会把它们放得尽可能靠近，最小化这两个视图之间的绝对距离。

- **布局约束可以循环**。只要所有条件都满足，哪个元素引用哪个元素无关紧要。不要忌讳交叉引用。在这种声明式的系统中，可以进行循环引用，不会遇到无限循环的问题。
- **布局约束可以冗余**。如果约束不互相冲突，则可以放心地安装多个实现同一种布局逻辑的约束。
- **布局约束可以引用兄弟视图**。只要两个视图有共同的视图祖先，即可将一个视图的子视图的中心点与另一个完全不同的视图的中心点对齐。例如，可以创建一个复杂的文本输入视图，并将其最右边按钮的右边属性与它下方的嵌入式图像视图的右边属性对齐。也可以如第 6 章所示，将“把手”与“抽屉”相匹配，两个视图一起移动，但哪一个视图都不是另一个视图的父视图。
- **Auto Layout 对变形的处理可能不是很好**。将 Auto Layout 与变形混用时要特别小心，尤其是与包括旋转的变形混用时。
  - Auto Layout 仅支持保护矩形的变形。
  - 在带有不保护矩形的边界变形的视图上，Auto Layout 不支持非 0 的对齐 inset。
- **Auto Layout 不支持 iOS 7 新增的视图动态功能**。可以在任何不受动态行为影响的视图内使用 Auto Layout，但是不能将 Auto Layout 视图布局与动态动画管理结合使用。
- **Auto Layout 支持动画效果**。应用 UIMotionEffect 实例产生的视觉变化不会影响基础布局，因为它们只影响相应的视图层。
- **布局约束不应在不同的边界系统之间交叉使用**。不要交叉进出滚动视图、集合视图和表视图来进行对齐。如果有某种自带边界系统的内容视图，不要跳到另一个视图所在的完全不同的边界系统中。这么做也许不会与你的应用相冲突，但是最好不要这样做，而且 Auto Layout 对它的支持性也不是很好。下面是关于边界的其他几个注意事项。
  - Auto Layout 仅支持保护矩形的交叉边界变形。
  - Auto Layout 不支持交叉使用旋转边界变形与边缘布局约束，如右边、左边、顶部和底部的约束。
  - Auto Layout 不支持交叉使用旋转边界变形与尺寸布局约束，如宽度和高度约束。
- **布局约束会在运行时失败**。如果你的约束不能被解析并且与其他约束有冲突，那么系统会在运行时选择放弃哪个约束，以便将视图布局呈现出来。不过这样呈现的布局通常比较难看，很难反映你的意图。Auto Layout 会将所有关于错误的描述发送到 Xcode 控制台。这些报告可用来修复约束，使各约束之间彼此协调。

  直接设置视图框架(例如 layoutSubviews 中的视图框架)的自定义视图在运行时特别容易失败。与现有约束规则矛盾的框架更新会导致崩溃。

- **格式不正确的布局约束会中断应用程序的执行**。尽管我们还没有详细介绍可视化格式(参见第 4 章)，但仍然要注意一些可能通过未处理异常导致应用程序崩溃的约束调用。例如，如果将像@"V[view1]-|"(字母 V 后面少了一个冒号)这样的约束格式字符串传递给一个约束创建方法，将会遇到一个运行时异常：

```
Terminating app due to uncaught exception 'NSInvalidArgumentException',
reason: 'Unable to parse constraint format'
```

  在编译期间检测不到这个错误；你必须手动地仔细检查你的格式字符串。在 IB 中设计约束有助于避免录入错误的情况。
- **约束必须至少引用一个视图**。本章前文已经介绍过，可以创建一个不引用任何视图的约束，编译时不会出现警告，但是在运行时该约束会抛出异常。这种情况不是好事。
- **小心无效的属性结对**。将一个视图的左边与另一个视图的高度相匹配是无效的。无效的属性结对会在运行时抛出异常。特别要指出的是，不要将尺寸属性与边缘属性混合使用。你通常可以猜出哪些属性对是有问题的，因为它们没有意义。
- **合理使用 Auto Layout**。请记住我们使用约束时的规定。

2.12 练习

阅读完本章后，通过下面的练习可以测试知识的掌握程度：

1. 你能手动构建 NSContentSizeLayoutConstraint 吗？这些约束将如何以及为什么呈现在 Auto Layout 中？

2. 当两个相互冲突的规则恰好有相同的优先级时，运行时会发生什么情况？

3. 为什么使用 251 和 249 之类的优先级要优先于使用像 257 和 243 之类的优先级？

4. 为什么可能会使用无内在内容大小的视图？

5. 如果将一个视图与其父视图之间的约束安装在该子视图上，会发生什么情况？

6. 指出这两个约束之间的区别：视图 A 的宽度是视图 B 的宽度的两倍，视图 B 的宽度是视图 A 的宽度的一半。如果这两个约束都安装了，会发生什么情况？

7. 在图 2-6 中，你会在下列视图之间的哪个视图上安装约束：①View 1 和 View 3 之间、②View 1 和 View 2 之间、③View 2 和 View 3 之间或④View 2 和 View 4 之间？⑤如果添加一个按钮作为 View 2 的子视图，你会将约束安装在该按钮和 View 1 之间的哪一个上？⑥你又会将约束安装在该按钮与 View 4 之间的哪一个上？

8. 创建视图 A 并添加一个子视图，即视图 B。添加两个约束，将视图 B 相对于其父视图居中对齐，并且将视图 B 的大小设置为 100×100 点。①视图 B 的布局是否无歧义？②视图 A 的 constraints 数组中存储了多少约束？③视图 B 的 constraints 数组中存储了多少约束？

将视图 B 从其父视图中删除。④删除以后，视图 A 的 constraints 数组中存储了多少约束？⑤视图 B 的数组中存储了多少约束？

2.13　小结

本章相当详尽地介绍了约束，讨论了什么是约束、约束的由来，以及约束在 Auto Layout 系统中的表现。本章介绍了可能用到的约束的种类，以及如何在视图中添加和删除约束。在继续学习下一章之前，先总结一下本章的核心思想：

- 优先级在向界面中添加有细微差别的约束时起着重要的作用。优先级有助于管理边界条件，允许 Auto Layout 决定哪些规则应该战胜其他有冲突的设计规则。如果你发现自己只会创建必需的约束，那就错过了 Auto Layout 的一些强大功能。
- 虽然苹果公司建议使用 IB 作为创建约束的主要途径，但是采用代码创建的约束提供了更严密的控制，为获得可靠的界面设计提供了更好的解决方案。最重要的是，代码可以帮助记录你的设计选择，并检查你的实现情况，而这一点是 IB 所欠缺的。
- 在将界面文本进行国际化转换时，压缩阻力和内容吸附变得特别重要。当标签和按钮的大小改变时，使用这些约束可以调整界面布局，使应用的德语和日语版本与英语版本一样美观。
- 尽管 $y R m * x + b$ 看上去绝对是布局界面的最简方式，但是这个公式在表达上提供了意想不到的稳健性。在接下来的几章中，你将发现简单的约束可以相当灵活和强大。

第 3 章 Interface Builder 布局

对比 Xcode 早前的发布版本，重新设计 Interface Builder(IB)后的 Xcode 5 极大地增强了自动布局功能。尽管如此，对于很多开发新手而言，在 IB 中学习基于约束的设计仍会是一次充满挫折感的体验。本章将帮助你减少挫折感，并且介绍一些 IB 提供的工具。你将学习自动布局是如何同 IB 融合，以及如何最佳地探索、构建、测试和验证你的界面。

本章实用性较强。通过启动 Xcode，创建新的项目，跟随这些在线 IB 文档中的示例，你将从中获益匪浅。当 IB 约束成为你设计流程的一部分时，你使用的工具越多，谜团就会越少。

注意：

IB 是一个持续演进的产品。本章中描述的细节可能会随着苹果更新 Xcode 而发生改变。

3.1 在 IB 中设计

多年来，IB 和它的前身提供了一个可定制的界面编辑器。设计人员和开发人员通过这些建立在“界面表达天然是一个视觉问题”概念上的工具相互合作。通过使用同一种语言和表现空间，IB 可以使团队设计出和他们最终产品一致的界面。

IB 的威力和灵活性与日俱增。直到 2011 年，IB 把目光放在了 Autosizing 上，这是一个使用 strut(对父视图的固定偏移)和 spring(灵活的尺寸补偿)建立位置规则的系统。尽管这个老的系统仍然是 IB 的一部分，但是新的基于约束的 Auto Layout 极大地增强了可视化布局。

使用 Auto Layout，可以在布局层次结构中表示一个视图与自身、父视图、兄弟视图的关系。这些关系可以包括等式关系和不等式关系，也可能涉及视图的属性，例如位置、范围和基线偏移量(对于文本而言)。这些特征使 Auto Layout 能够以一种 Autosizing 无法实现的方式实现细致精妙的边界条件。举例来说，你可能会说“我想让这些等尺寸的视图排成一行，但是和父视图边界的距离不得小于 20 点”或者“如果水平空间不足，我想在任何右边按钮受到影响前，让左边按钮的文本先被裁剪”。

在 Xcode 5 中，IB 让你使用新的方式来建立和调整布局规则，并对这些布局规则划定优先级和测试。只需要进行简单的双击，约束设置弹出菜单就会出现，这样就不必在多个检查窗格间来回切换了。预览窗格可以让你测试你的约束在任何方向下的显示效果。使用新的菜单选项，只需要一些单击操作，就可以使你的规则生效，Auto Layout 会给你提供一些完成约束的建议。

假如你已经使用约束一段时间了，那么会发现在 Xcode 5 中使用 Auto Layout 是一个惊喜。假如你在这项技术面前还是个新手，就会发现大量评估、核实、提升 GUI 设计的帮助。

3.2 禁用 Auto Layout

有时，你可能需要使用 IB 中的 Autosizing 代替 Auto Layout。也许你在专利设计中有投入，还没准备好迁移到自动布局上去。也许你正在一点点地迁移现有项目，并需要保留一部分在 Autosizing 中。幸运的是，可以在单个的故事板和 nib 文件中关闭 Autosizing。

步骤如下：

(1) 在 Xcode 中，从 Project Navigator(View | Navigators | Show Project Navigator)中选中任意用户界面文件(一个故事板或者 nib 文件)。

(2) 打开 File Inspector(通过 View | Utilities | Show File Inspector 打开)。

(3) 在 File Inspector 中找到 Interface Builder Document 部分。在 View As 下拉菜单的下方，取消选中 Use Autolayout 复选框，如图 3-1 所示，这样 IB 就回到使用 Autosizing。

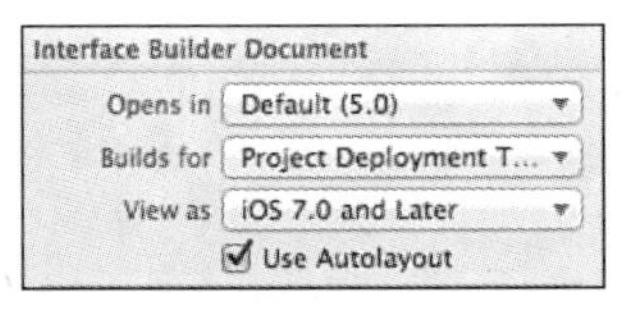

图 3-1　禁用 Auto Layout 只需要在 Xcode 的 File Inspector 中取消选中 Use Autolayout 复选框。这个操作对 iOS 和 OS X 项目都适用

注意：

尽管现在苹果的说明文档普遍称该技术为 Auto Layout，但是在一些较老的引用中，仍然把 Autolayout 作为单独一个词。苹果鼓励开发人员将任何超出规范、使用旧名 Autolayout 的情况以错误报告或者反馈表的形式提交。

在Autosizing下，视图使用autoresizingMask属性来确保它们正确地调整尺寸，例如在设备调整方向或者用户改变窗口大小时。在Auto Layout禁用时，使用strut、spring以及autoresizingMask。图3-2(a)和(b)分别显示了一个禁用和使用自动布局的视图的Size Inspector(通过View | Utilities | Show Size Inspector打开)。

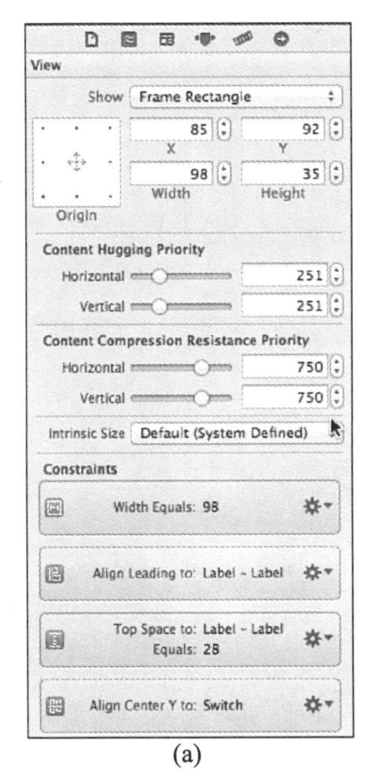

(a)

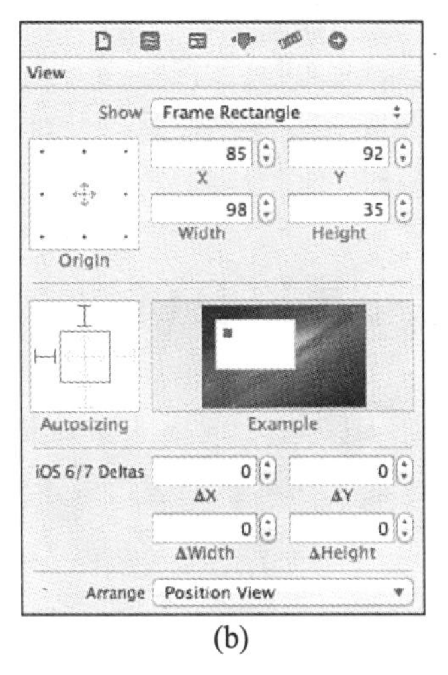

(b)

图 3-2　当使用 Auto Layout 时(a)，IB 的 Size Inspector 提供了一些调整视图布局优先级的控制和一份涉及该视图的约束的清单。当禁用 Auto Layout 时(b)，Inspector 恢复为 Autosizing strut 和 spring 编辑器，它对应于视图的 autoresizingMask 属性

3.2.1　在代码中退出 Auto Layout

代码中默认使用 Autosizing。可以将一些视图从 Autosizing 中退出来，参与到 Auto Layout 系统中。所有视图都默认使用旧的行为，即使现代的运行时使用的是基于约束的布局。那是因为运行时暗中将旧式的代码翻译为新式的约束系统。

当一个视图的 translatesAutoresizingMaskIntoConstraints 属性设为 YES(默认值)时，运行时使用该视图的自动尺寸调整掩码创建在新的自动布局系统中与之相匹配的约束。规则的运用一如既往，尽管实现细节已经更加现代化。这里，创建一个视图并将其加入到 Auto Layout 中：

```
// Create a new view. It defaults to autosizing.
UIView *view = [[UIView alloc] initWithFrame:frame];

// Opt view into Auto Layout
view.translatesAutoresizingMaskIntoConstraints = NO;
```

以下是苹果不得不说明的一点。这个注释来自UIView.h头文件，同OS X的NSLayoutConstraint.h中的内容本质上是相同的：

默认地，一个视图的自动尺寸调整掩码会产生可以完整确定这个视图位置的约束。你在视图里设置的任何约束都有可能会和这些自动尺寸调整约束发生冲突，因此必须先关闭这个属性。IB 会为你关闭该属性。

自动尺寸调整翻译的执行是不可见的。运行时创建实现 Autosizing 规则的约束，并将其加入到 Auto Layout 系统中。

3.2.2 结合 Autosizing 和 Auto Layout

可以使用基于约束的布局来混合和匹配自动尺寸调整视图，只要它们的规则不冲突。例如，可以加载一个 nib，它的子视图使用 strut 和 spring 布局，能够让这个视图作为 Auto Layout 中的一级成员运作。关键在于如何封装。只要规则不冲突，就可以复用在项目中已创建的复杂视图。

3.3 基本布局以及自动生成的约束

现代版本 IB 中的基于约束的布局非常有用。就像 IB 帮助你创建对齐的、中心定位的、缩进的对象的位置，它可以创建约束来表示你建立的布局。图 3-3 显示了一个开关，它被添加到一个新的 iOS 视图控制器布局上。引导线确保开关在父视图中位于水平和垂直方向的中间。

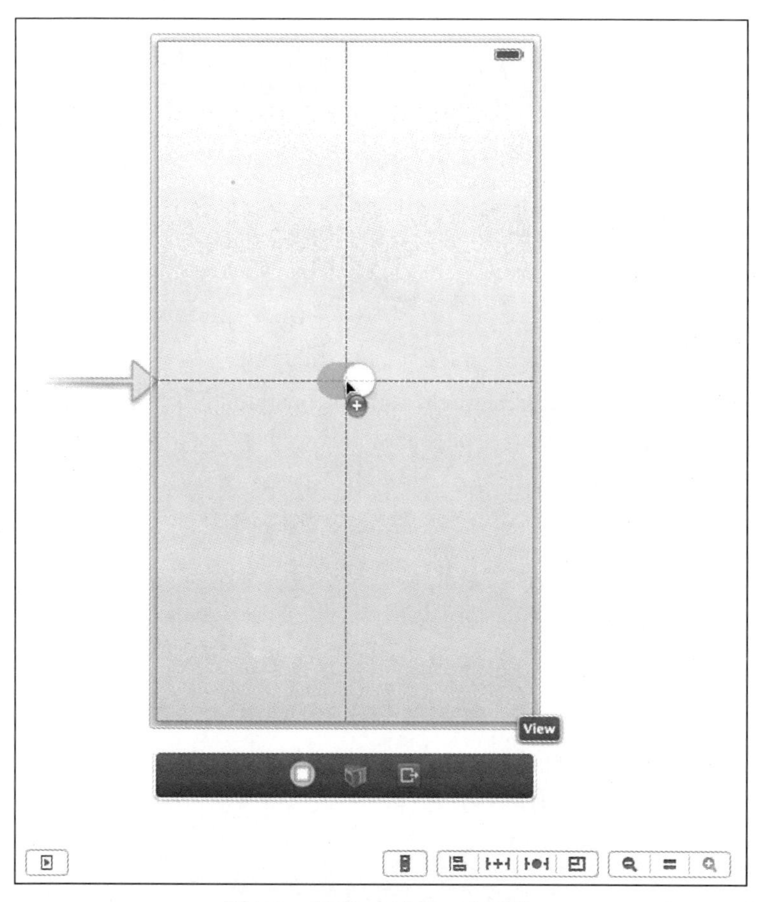

图 3-3 在 IB 中添加一个开关

3.3.1　推测的约束

从 Xcode 5 和 iOS 7 开始，IB 可以为你推测约束。这意味着你可以一点点地创建界面，但仍然有一个可用于测试的工作界面。创建一个新的包含一个开关的单视图项目，如图 3-3 所示。IB 创建了两个约束来确定开关相对于父视图顶部和左边的位置。

在 4 英寸的 iPhone 上，这个开关位于距离顶部 268 点，距离左边 136 点的地方。如图 3-4 所示，在纵向方向下，开关位于视图中心，在横向方向下就并非如此了。

图 3-4　IB 从一个固定的位置推测约束

通过在运行时记录附加在这个视图控制器视图上的约束，便能确定这些推测项。为此，保存你的界面，然后在你的基本视图控制器中添加如下代码：

```
- (void) viewDidAppear:(BOOL)animated
{
    for (NSLayoutConstraint *constraint in self.view.constraints)
        NSLog(@"%@", constraint);
}
```

当运行这个应用时，viewDidAppear:消息中记录所有附加于这个基本视图的约束。在 iOS 中，你会发现这些约束设置了上边缘和左边缘相对于父视图的位置。

```
2013-08-14 16:09:49.751 test[31487:a0b] <NSIBPrototypingLayoutConstraint:
                                                        0x8993900
'IB auto generated at build time for view with fixed frame' H:|-(136)-
[UISwitch:0x898fe50](LTR)   (Names: '|':UIView:0x898fc70 )>
2013-08-14 16:09:49.753 test[31487:a0b] <NSIBPrototypingLayoutConstraint:
                                                        0x8993be0
'IB auto generated at build time for view with fixed frame' V:|-(268)-
[UISwitch:0x898fe50]   (Names: '|':UIView:0x898fc70 )>
```

我在日志消息中对指明IB生成约束背后基本原理的关键文本进行了加粗。这个示例演示了当你放置好视图，在不添加约束的情况下，保存好你的工作后会发生什么。每当Xcode发现缺少约束的视图时，它就假定你刚着手开发。它免费添加一些根据视图的框架构建的约束，为界面元素提供最小的回退行为。

除了这些约束，你也会看到一些用于视图控制器顶部和底部布局引导的占位符约束。在 iOS 7 中，UIViewController 类在场景的顶部和底部引入了内建的间隔视图，每一个间隔有一个相关长度，它描述了垂直方向上视图控制器主要内容的起止位置。这些有助于排列你的内容，确保你想要保持可见的素材不会和状态栏、导航栏、选项卡以及其他 UI 特征相重叠。

在下列调试输出中，顶部引导高度为 20 点，底部为 0 点。

```
2013-08-14 16:09:49.753 test[31487:a0b] <_UILayoutSupportConstraint:0x8993c90
V:[_UILayoutGuide:0x8992ee0(20)]>
2013-08-14 16:09:49.754 test[31487:a0b] <_UILayoutSupportConstraint:0x898f5e0
V:|-(0)-[_UILayoutGuide:0x8992ee0]   (Names: '|':UIView:0x898fc70 )>
2013-08-14 16:09:49.754 test[31487:a0b] <_UILayoutSupportConstraint:0x8990cd0
V:[_UILayoutGuide:0x89933f0(0)]>
2013-08-14 16:09:49.754 test[31487:a0b] <_UILayoutSupportConstraint:0x8990ac0
_UILayoutGuide:0x89933f0.bottom == UIView:0x898fc70.bottom>
```

这些长度的变化取决于你使用的容器的布局。选项卡栏和导航栏可能会导致一个视图控制器的核心应用区域的底部被抬升或者顶部被下移。

如图 3-5 所示，IB 显示了和视图控制器场景相关联的引导代理。你直接将约束与这些引导相连，确保用户界面上的项是相对于场景的顶部和底部布局的，而不是相对于屏幕的顶部和底部。在 iOS 7 的新的边到边设计中，视图控制器的框架可能扩大到导航栏、工具栏、选项卡栏之类的区域，并被覆盖在下面。使用布局向导，可以防止因疏忽而将按钮、标签等置于这些项之下，导致无法看到。

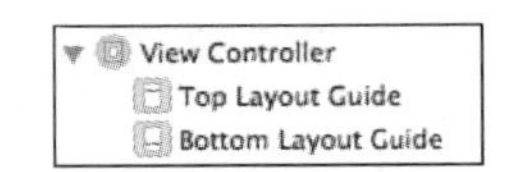

图 3-5　Xcode 5 中，新的顶部和底部向导使你在内容和活动应用区域之间建立约束

3.3.2　歧义消除约束

当开始创建约束时，可能偶然会碰到 IB 提供的另一种约束。为发现这种 IB 生成的约束，可以将非充分约束添加到视图中。

(1) 添加并居中放置一个开关(如果还未这样做)。然后选中该开关。

(2) 按下 Ctrl 键，从开关上向左侧拖曳(或者保持右键按下并拖曳)，然后在父视图内松开。拖曳的方向会影响 IB 显示的选项。

(3) 从上下文弹出菜单中，选择 Leading Space to Container(如图 3-6 所示)。IB 添加了一个新的橘黄色的约束。这个颜色告诉你附加到这个视图的约束是有歧义的。蓝色约束是没有歧义的，而红色约束包含冲突的规则。

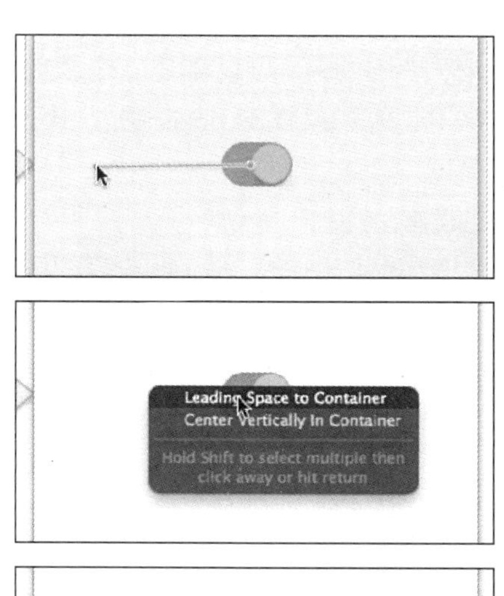

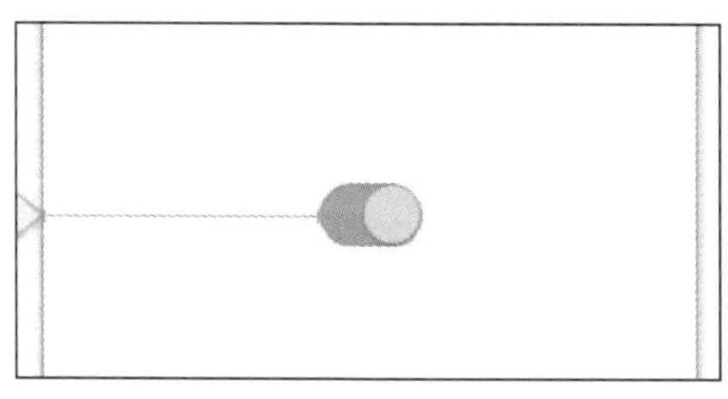

图 3-6　按下 Ctrl 键并从开关上向左侧拖曳(或者保持按下右键并拖曳)，添加一个前缘(左侧边缘)间隔约束

(4) 保存并运行新的界面。

这时，自定义的 viewDidAppear:方法中首先会打印出如下消息：

```
2013-08-15 12:25:58.398 test[38829:a0b] <NSLayoutConstraint:
                                                  0x8c806a0 H:|-(136)-
[UISwitch:0x8c7cc90]   (Names: '|':UIView:0x8c7cab0 )>
2013-08-15 12:25:58.400 test[38829:a0b] <NSIBPrototypingLayoutConstraint:
                                                  0x8c80770
'IB auto generated at build time for view with ambiguity' H:|-(136@251)-
[UISwitch:0x8c7cc90](LTR) priority:251   (Names: '|':UIView:0x8c7cab0 )>
2013-08-15 12:25:58.400 test[38829:a0b] <NSIBPrototypingLayoutConstraint:
                                                  0x8c80a50
'IB auto generated at build time for view with ambiguity' V:|-(268@251)-
[UISwitch:0x8c7cc90] priority:251   (Names: '|':UIView:0x8c7cab0 )>
```

根据图 3-6，我们创建了 3 个约束中的第一个。IB 创建了另外两个，以消除歧义。重复的约束(即 IB 创建的项中的第一个)似乎像是一个 bug。关于这点，我已经向苹果提交了一个 bug 报告。因此，在你尝试这个示例的时候，可能会得到一个不同的输出。

3.3.3　尺寸约束

正如在第 1 章中所见，每个视图在每个坐标轴都需要至少两个约束来设置位置和大小。那么除推测的和占位符约束之外的其他约束在哪儿？

每一个开关控件都提供一个固定的内在内容尺寸。这个内容尺寸确定了它的视图的高度和宽度。为发现开关控件“消失”的约束，可以创建一个新的 IBOutlet，命名为 mySwitch，将其连接到开关控件，并且在自定义 viewDidAppear:方法中添加如下代码：

```
// Check the intrinsic content size
NSLog(@"Intrinsic content size: %@",
    NSStringFromCGSize(mySwitch.intrinsicContentSize));

// Look for constraints stored in the switch
for (NSLayoutConstraint *constraint in mySwitch.constraints)
    NSLog(@"%@", constraint);
```

当运行这个更新后的方法时，你会发现内在内容尺寸和 IB 为你创建的两个“消失”的约束：

```
2013-07-05 13:50:12.040 IBTest[16646:a0b] Intrinsic content size: {49, 31}
2013-07-05 13:50:12.040 IBTest[16646:a0b]
                                    <NSContentSizeLayoutConstraint:0x8b231d0
H:[UISwitch:0x8b1e240(49)] Hug:750 CompressionResistance:750>
2013-07-05 13:50:12.040 IBTest[16646:a0b]
                                    <NSContentSizeLayoutConstraint:0x8b23320
V:[UISwitch:0x8b1e240(31)] Hug:750 CompressionResistance:750>
```

默认的 iOS 开关控件的尺寸为 49×31 点。开关控件使用一个高的吸附优先级来确保它们不会变得比自身图像部分大太多。默认的高压缩阻力优先级防止开关控件在紧致布局情况下被裁剪。

在尺寸布局约束、图 3-6 中创建的一个约束以及 IB 提供的约束之间，开关控件的确在每个坐标轴都包含了至少两个约束——用于设置位置和范围。

3.4 IB 元素指南

表 3-1 为你将在可视化编辑器中发现的一些 IB 元素提供了一个指南。花几分钟阅读该表，来了解一下你创建基于约束的布局时要使用的组件。不要担心在测试这些选项时把你的当前项目弄乱了。你可以很容易地将项目恢复到只有一个开关控件和一个约束时的状态或者为接下去的章节新建一个项目。

表 3-1　IB 编辑器中图标功能对照表

元　　素	描　　述
	这个指向视图左侧的入口箭头表明，箭头指向的是应用的初始视图控制器。它只出现在 iOS 故事板中。可以通过在 Attributes Inspector 中选中 Is Initial View Controller 来设置初始视图控制器

(续表)

元　　素	描　　述
	这个视图下方的工具栏提供了一些连接目标，包括所有者视图控制器、活动的第一响应者以及 unwind segue。这个工具栏只存在于 iOS 的故事板编辑器中。拖曳工具栏的背景可以在故事板编辑器中移动场景
	左下角的文档大纲开关按钮用于显示或者隐藏文档的详细大纲，其中包括了每个故事板场景中视图和布局约束的分层列表。在处理基于约束的布局时，文档大纲扮演着一个重要的角色。请保持大纲处于打开状态，并且可见和容易访问
	右下角的规格切换按钮是底部三组工具中的第一组。它可以让你在基于 3.5 和 4.5 英寸的手机场景间切换。这个按钮只用于手机项目，不存在于平板项目或者 OS X 界面中。这纯粹是一种设计时的便利，也是一个便于你在不同配置中测试布局的工具。也可以通过选中文档大纲中的视图控制器，将编辑器的布局从纵向转换到横向或者返回。打开 Attributes Inspector，并且更新 Simulated Metrics | Orientation 的内容
	第二个工具集提供了一些创建约束的选项。从左到右，分别是如下工具： • 对齐 • 钉固(尺寸调整、间隔调整以及尺寸匹配) • 约束问题处理 • 尺寸调整行为 这些工具大部分是 Xcode 编辑器菜单中的选项的再现
	这个编辑器窗口右下角最右边的工具集用于控制缩放，这是一个 iOS 编辑器特征。可以通过双击编辑器的背景来实现类似行为
	在编辑器窗口的最右上角，可以找到 Issue Stepper。单击箭头可以浏览任何与你的故事板相关的问题。刚才你创建的示例中有一个问题：它的垂直摆放有歧义。你创建的那个约束只解决了水平布局

(续表)

元　素	描　述
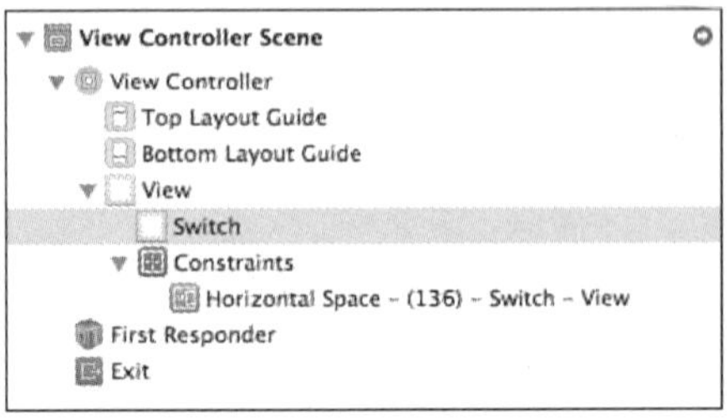 View Controller Scene View Controller Top Layout Guide Bottom Layout Guide View Switch Constraints Horizontal Space - (136) - Switch - View First Responder Exit	当切换到打开状态时，这个大纲视图就出现在编辑器窗口的左侧。它由一些包含在每个场景中的具有层次结构的项组成 Top Layout Guide 和 Bottom Layout Guide 代理使你可以将项约束到界面的可见部分，那样它们就不会消失在导航栏或者状态栏底下。从视图拖曳到这些元素上，就可以将它们用作布局的天然组件 对于有问题的布局，场景根部右侧会出现一个被圆圈围住的箭头。单击这个圆圈可以显示每个场景的问题列表
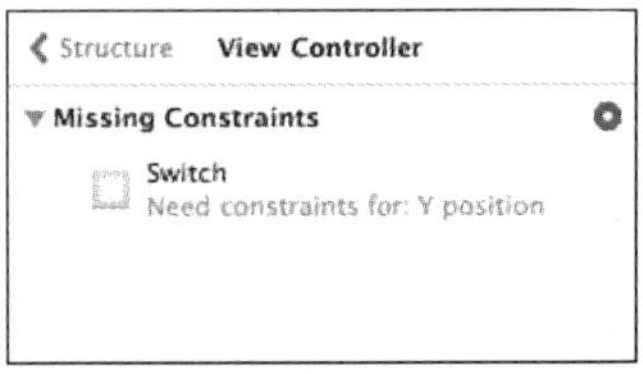 Structure　View Controller Missing Constraints Switch Need constraints for: Y position	问题列表按场景显示存在的问题。典型的问题包括：约束缺失、约束冲突、视图错位 单击 Structure 返回文档大纲
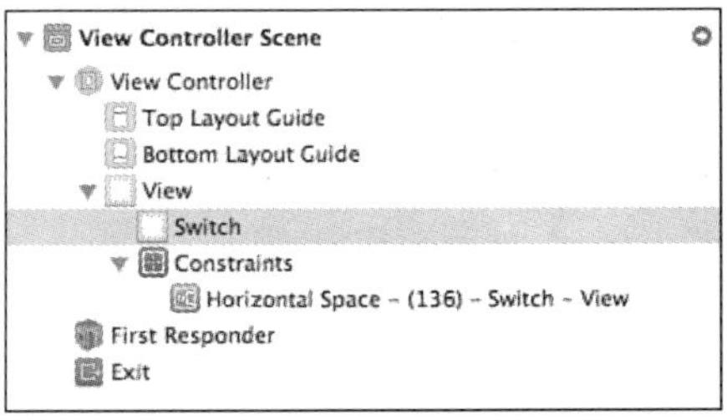 View Controller Scene View Controller Top Layout Guide Bottom Layout Guide View Switch Constraints Horizontal Space - (136) - Switch - View First Responder Exit	约束出现在大纲中安装它们的视图的下方(查看第2章来学习 IB 是如何选择哪个视图带有哪些约束的) 你添加的这个约束用于设置开关的左侧 inset，它出现在父视图拥有的约束集合中 一般而言，只有与给定视图本身同级的约束是用户建立的尺寸约束。IB 不会显示内部的 NSContentSizeLayoutConstraint 实例
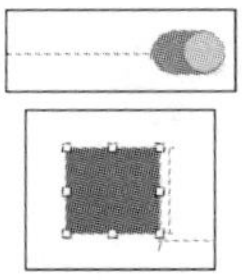	在编辑器中创建的单个约束以橘黄色显示。橘黄色约束线提醒你视图是欠约束的
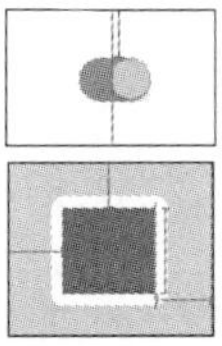	当看到蓝色约束线时，它们在告诉你视图布局已经没有歧义了 一个合理约束的视图至少参与两个位置约束：一个是水平的，另一个是垂直的。一个表现为内在内容尺寸的视图并不需要额外的高度和宽度约束 要将布局更新为蓝色约束，选择 Editor | Resolve Auto Layout Issues | Add Missing Constraints 或者 Reset to Suggested Constraints 每条命令中变化的容器(可以在处理菜单底部找到)还能为整个场景生成约束，而不只是选中的视图

(续表)

元　　素	描　　述
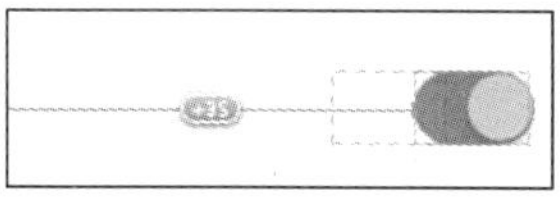	当一个视图的当前位置与它的约束确定的位置不匹配时，就会出现一个虚线轮廓。在将一个视图拖离约束指定的位置时，一般会出现这种情况。轮廓指示了当 Auto Layout 应用其约束时，视图将会占据的位置 • 为了把视图移回适当的位置，选择 Editor | Resolve Auto Layout Issues | Update Frames。那么，视图的框架会被更新，以匹配隐含的约束 • 为了更新约束以匹配拖动后的框架，选择 Editor | Resolve Auto Layout Issues | Update Constraints。IB 提供了新的约束来匹配改变后的布局
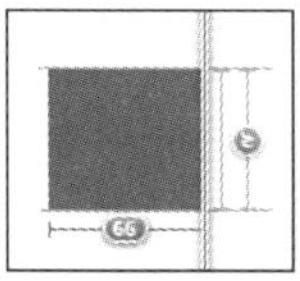	红色线警示你布局不协调，产生了冲突 为修复这些问题，可以直接编辑约束(选中，然后删除不相关项)或者选择 Editor | Resolve Auto Layout Issues | Reset to Suggested Constraints 蓝色气泡指示一个不等约束，例如大于等于 数字气泡指示一个常量。这里，该约束设置为 66 点宽度
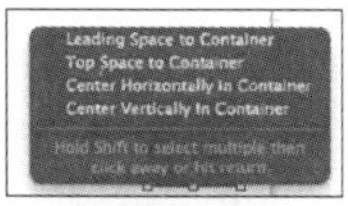 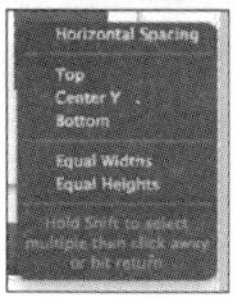	正如所见，通过按下 Ctrl 键并从一个视图拖曳到父视图，添加视图到父视图的约束。按下 Ctrl 键并从任意视图拖曳到另一个视图，来设置与这两项相关的约束 当释放鼠标时，IB 显示出一个可能的约束列表供你选择： • 菜单根据你拖曳的方式有所不同，例如从视图到父视图(如左边的上图所示)、从视图到视图(如左边的下图所示)或者从视图到自身(这里没有给出图) • 拖曳的方向(水平、垂直、斜对角)决定弹出菜单中的选项。例如，当在两个视图间水平拖曳时，菜单提供 Horizontal Spacing 选项；当斜对角拖曳时，菜单提供水平和垂直的选项 • 在选择项时按住 Shift 键，可以对弹出菜单进行多选
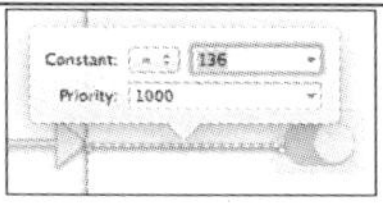 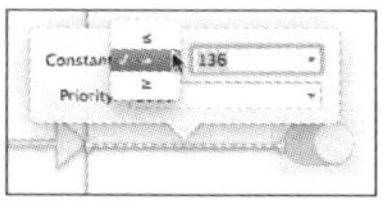  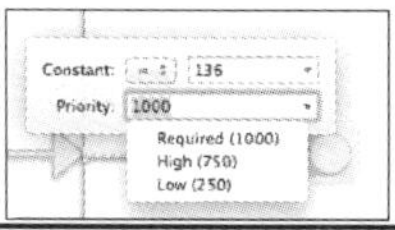	双击任意约束，在编辑器窗口中显示一个调整弹出对话框 通过选中小于、等于或者大于来编辑关系 可以输入任何常量——正数或者负数，整数或者浮点数 从父视图的边缘到子视图的标准间距是 20 点，而子视图之间是 8 点 预定义的优先级有 1 000(必需的)、750(高)和 250(低)。可以输入 1～1 000 之间的任何数字，不过最常见的做法是根据预定义的优先级调整数值。例如，751 略微比 750 重要些，而 749 则略微不重要些

(续表)

元　素	描　述
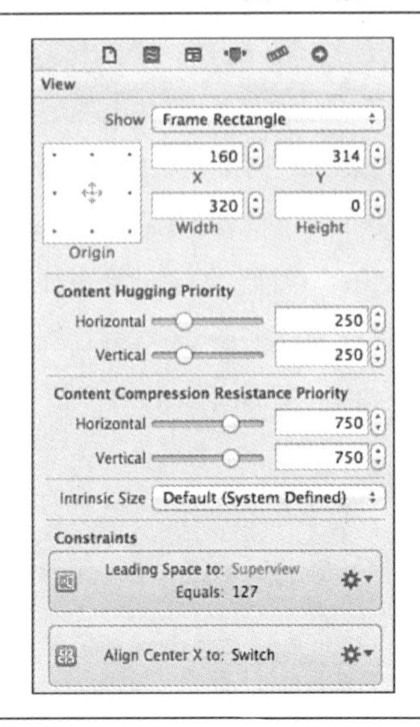	Size Inspector (通过 View | Utilities | Show Size Inspector 打开)罗列了选中视图涉及的约束。这些约束出现在检查器底部的 Constraints 区域 这里，也可以看到用于设置内容吸附和压缩阻力优先级的滑块，还有一个 Intrinsic Size 调整工具 优先级滑块是上下文敏感的，不会一直出现。如果你好奇它们去哪儿了，可以试着给考察中的视图添加一个宽度或者高度的约束
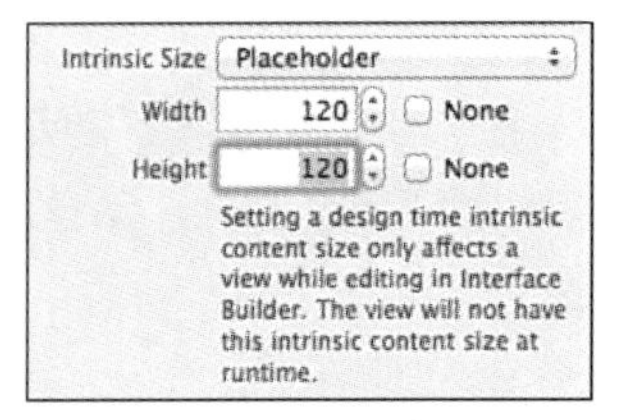	Intrinsic Size 弹出列表提供两个选项：一个系统定义的默认尺寸(最适合于系统提供的项，例如按钮和开关)和一个用于自定义视图的占位符选项 使用 IB 中的占位符宽度和高度值，为设计中的实际视图提供一个固定的替身。检查器中的值默认为故事板编辑器中放置的视图的框架值 在 Size Inspector 中添加的设置不会影响已编译的应用。当在 IB 中开发时，它们有助于你更好地测试界面 选中 None 复选框，应用 UIViewNoIntrinsicMetric 的值(例如-1)，像第 2 章中讨论的那样。在运行时，自定义的类会报告它自己的尺寸
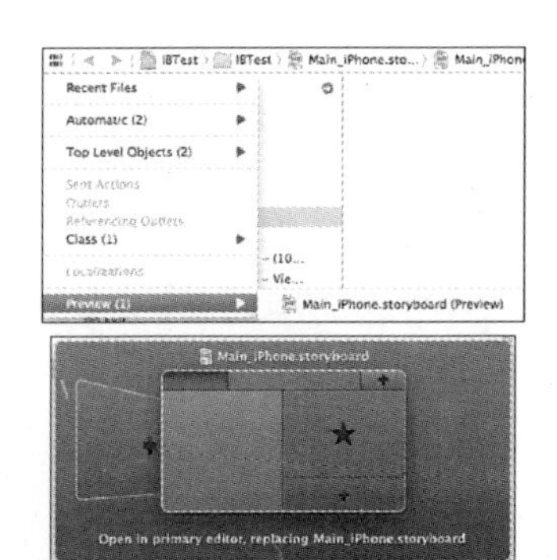	Related Files 菜单出现在编辑器大纲视图的左上角，使用该菜单可以在 Assistant Editor 中打开预览窗格。它看起来有点像一堆(8 个)小矩形 单击一下该菜单，然后在选择预览对象时选中一个故事板文件，同时按住 Option 和 Shift 键。一个灰色背景的布置对话框便出现了，它帮助你放置每个预览 单击星号将一个预览放入已存在的窗格内 单击加号，向编辑器中添加一个新的窗格。选项卡栏上的加号将一个预览添加到一个新的选项卡。Cover Flow 风格的向主窗口的左后倾斜的加号用来添加一个新的窗口 按下 Return 键应用你的选择

(续表)

元　　素	描　　述
	这是一个出现在所有预览窗格底部的工具栏。从左到右分别是： • 一个固件切换按钮——选择 iOS 7 或后续版本，或者 iOS 6.1 以及更早版本。外观会随着选择的系统类型而更新 • 一个方向切换按钮——在水平和垂直之间切换 • 一个形状尺寸切换按钮——选择 4 英寸或者 3.5 英寸布局 如果没有找到这个工具栏，则可能当前你处于一个编辑器窗口，而非预览窗口
	在 IB 编辑器中，同时按下 Ctrl 键和 Shift 键并单击任意地方，便会显示该位置所有放置项的一个清单。单击任意项来选中该项 当项位于编辑器其他拥挤或者堆叠的区域时，这个窍门使你能够选中它们

3.4.1　约束列表

Constraints 区域出现在文档大纲中，用于为所有的视图存储约束。该区域对应于每个视图的 constraints 属性，它通常是存储布局约束的地方。约束排列的方式可以告诉你更多关于它的内容。

在本章之前创建的单开关示例中，那个单个的约束附属于视图控制器的主视图(如图 3-7 所示)。该视图代表了开关和它的父视图共同的最近祖先。

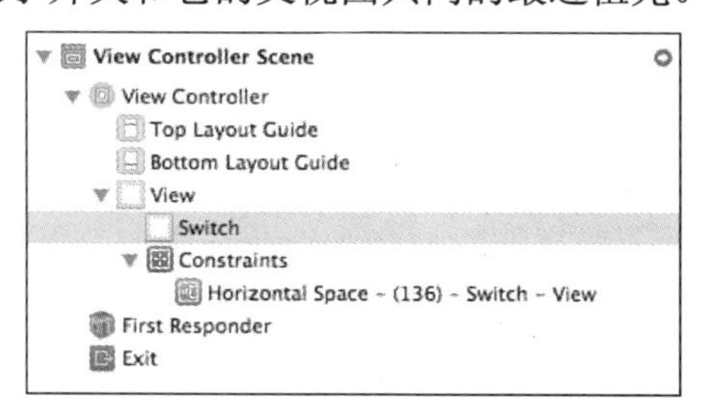

图 3-7　IB 大纲中列出的约束对应于每个视图的 constraints 属性

约束图标暗示了每个约束所扮演的角色。表 3-2 为这些项提供了一个基本的快速参考表。它显示了每种约束对应的图标、一段关于约束行为的描述以及每个约束安装的目的地。

如果在一个彩色屏幕上阅读本书的电子版，你会注意到这张表中的约束图标的颜色是蓝色的。那是因为它们取自编辑器底部的弹出列表。它们在约束列表中是紫色的。这些颜色在 Xcode 5 中没有什么特殊含义，尽管它们曾在 Xcode 4.*x* 中似有所指。

表 3-2　IB 约束

约　束	类　型	描　述
单视图		
Width Height	尺寸(Size)	宽度和高度约束显式地设置一个视图的尺寸 直接设置到视图
Horizontal Center in Container Vertical Center in Container	中心定位(Centering)	在父视图中定位一个视图的中心 设置到父视图
Leading Space to Superview Trailing Space to Superview Top Space to Superview Bottom Space to Superview	偏移(Offsets)	将一个视图同它的父视图间隔开来 设置到父视图
多视图		
Horizontal Centers Vertical Centers Baselines	中心对齐 (Align centers)	将所有选中的视图中心对齐到同一位置：垂直的、水平的或者基线 设置到选中视图共同的最近祖先
Left Edges Right Edges Top Edges Bottom Edges	边缘对齐 (Align edges)	将所有选中的视图对齐到同一条边 设置到选中视图共同的最近祖先
Equal Widths Equal Heights	尺寸匹配 (Match dimensions)	约束所有选中的视图匹配高度或宽度 设置到选中视图共同的最近祖先
Horizontal Spacing Vertical Spacing	钉固间隔(Pin space)	在布局编辑器中约束视图之间的间距为当前偏移量 设置到选中视图共同的最近祖先

表中的词汇和你在本书中已经读到的一些约束属性相一致。这些约束规则看起来比你通过代码表示的有更多的限制，因为它们是 IB 提供的、常见的但非完全的约束集。例如，在 IB 中你可以说“将这个视图的宽度匹配到那个视图”。在代码中，你可以说“将这个视图的宽度设置为那个视图的一半”。IB 并没有提供一个非常详尽的约束编辑，来允许你使用代码中能采用的方式来调整那种关系。

3.4.2　Xcode 标签

IB 会赋予每个约束一个说明它角色的默认名称。在开关示例中，约束名称(Horizontal Space-(136))定义了该约束的基本行为。如果充分展开大纲区域，正如我在图 3-7 中所做的那样，还会看到每个约束的描述附加了一个列表(例如 Switch - View)。这个列表中的项分别是约束中第一项和第二项在 IB 中的默认名称。在这个示例中，这两项分别是 Switch 和 View。

如果添加一个按钮，它的名称会是 Button - Button。按钮的名称源于它的类(Button)和它的标签(Button)，为了一点额外的乐趣，IB 使用连字符连接这些项，增加了某种别具一格的模糊处理。使用 Xcode 特定的标识来覆盖每个视图的默认名。为此，选中任意 Xcode 对象，打开 Identity Inspector(通过 View | Utilities | Show Identity Inspector)。在 Document | Label 域中输入名称，如图 3-8 所示。Xcode 将使用你在标签项中输入的文本。

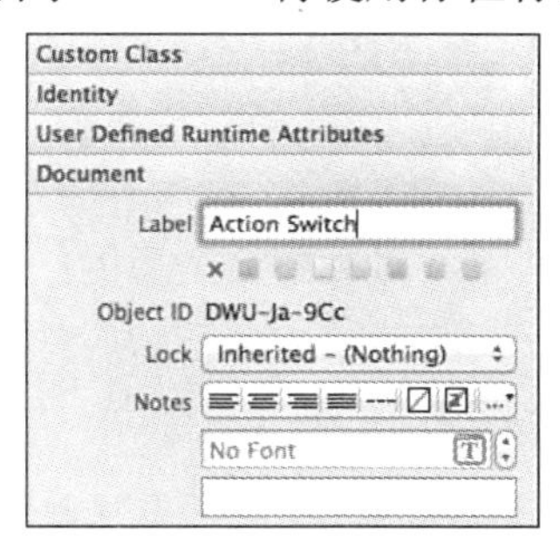

图 3-8　在 Identity Inspector 中为视图指定 Xcode 特定的标签

或者，可以选中文档大纲中的任何项，按 Return 键进入编辑模式。文本框出现后，就可以直接在大纲里编辑文档标签了。这通常比打开 Identity Inspector 更为便利。

添加自定义视图标签提高了约束列表的可读性。图 3-9 所示为开关控件获得一个自定义名称后的文档大纲。现在可以更容易地看到，该水平间隔约束应用于一个特定的开关控件。

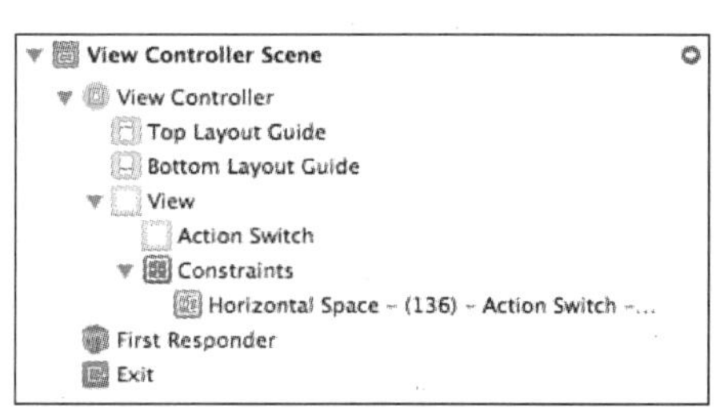

图 3-9　使用 Xcode 标签提高约束列表的可读性

3.4.3　添加 Xcode 标识

Xcode 标签在编码和执行中并不扮演什么角色，但是 Xcode 标识却有，至少在有限程度上使调试日志变得稍微更具可读性。遗憾的是，目前该特征只用于 OS X。图 3-10 为 Identity Inspector。该截图来自于一个 OS X 项目，和你创建的单开关 iOS 应用相当。项目中使用一个复选框(一个 NSButton)替换开关控件。

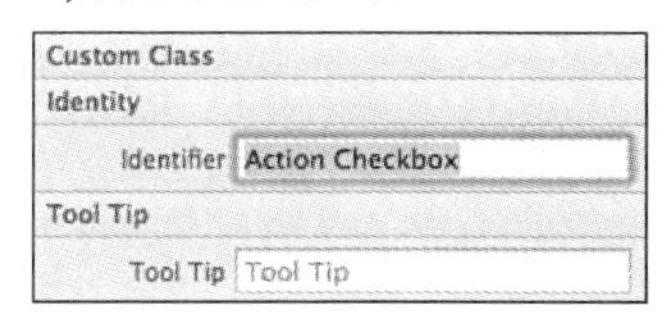

图 3-10　指定视图标识可用来改善调试输出日志

OS X 产生的约束并不总是和 iOS 产生的相一致。在这个示例中，最终获得了 5 个自动生成的约束，而不是 3 个。关键是那些约束是如何在调试控制台中列出的。下面是添加视图标识前的默认输出：

```
2013-07-05 13:52:42.437 IBTest OS X[16736:303]
                                        <NSLayoutConstraint:0x10050d740 'IB
auto generated at build time for view with ambiguity' H:|-(191@251)-
[NSButton:0x101a0af90'Check'](LTR) priority:251   (Names:
                                        '|':NSView:0x101a0a300 )>
```

下面是运行另一个具有相同约束并对视图命名后的应用所输出的结果：

```
2013-07-05 13:47:13.717 IBTest OS X[16510:303]
                                        <NSLayoutConstraint:0x10056d810 'IB
auto generated at build time for view with ambiguity' H:|-(191@251)-[Action
Checkbox](LTR) priority:251   (Names: Action Checkbox:0x101b13110,
'|':NSView:0x101b124a0 )>
```

自定义的名称改善了控制台输出的清晰度，利于你调试。因为这个特征不是跨平台的，所以我写了一个我自己的视图和约束命名以及日志输出例程。我将在第 5 章中讨论实现命名所使用的技术。

如果你想更深入地探索标识技术，我建议你去翻阅苹果的 NSUserInterfaceItemIdentification 文档：

> NSUserInterfaceItemIdentification协议用于将用户界面的对象与一个独一无二的标识符关联。
>
> 可以在代码或者 IB 中设置一个 OS X 视图的 identifier 属性。

3.5 添加约束

在 IB 中，可以使用若干种方式添加约束：

- 按下 Ctrl 键，从一个视图拖曳到另一个视图，或者从一个视图拖曳到它的父视图。IB 根据拖曳的方向和涉及的项的数量，显示一个特定上下文的弹出菜单。
- 选中一项或多项，使用编辑器菜单或者编辑器面板底部右边工具栏上的 Pin 和 Align 项来添加约束。
- 使用编辑器菜单或者工具栏，忽略当前所选，让 IB 为你自动添加约束。

表 3-3 是通过这些方法可以创建的请求类型的详情。

表 3-3　在 IB 中添加布局请求

请求类型	结果
钉固请求	
Width/Height	添加一个约束将选中的单个或多个视图的宽度或高度固定为当前值
Horizontal/Vertical Spacing	当多个视图被选中时，添加约束来固定那些视图之间的间隔
Leading/Trailing/Top/Bottom Space to Superview	添加约束，固定选中的一个或多个视图的偏移量为当前到父视图的距离
Widths/Heights Equally	当多个视图被选中时，约束视图的尺寸(宽度或者高度)来协调各个视图
对齐请求	
Left/Right/Top/Bottom Edges	沿着特定的边对齐选中的视图
Horizontal/Vertical Centers	沿着请求的坐标轴对齐选中视图的中心
Baselines	沿着视图的基准线对齐视图
Horizontal/Vertical Center in Container	将选中视图沿着父视图中心对齐

3.5.1　拖曳

当通过拖曳来添加约束时，移动鼠标的方向将影响IB显示给你的选项。水平拖曳提供水平坐标轴的约束，例如宽度、水平间隔或者相对于父视图前缘和后缘的偏移量。垂直拖曳专注于从顶到底的布局。斜对角拖曳提供这两种选择。这个规则适用于从一个视图拖向它的父视图，也适用于两个子视图之间。

继续我们的演练，跟着下面的步骤，从包含一个约束的单个开关控件开始，设置该开关控件相对于父视图前缘的偏移量：

(1) 拖动一个标签到编辑器中，并将它放在开关控件的左边。

(2) 按下 Ctrl 键，从标签上拖曳到开关控件。

(3) 按下 Shift 键，选中 Horizontal Spacing 和 Center Y(如图 3-11 所示)。

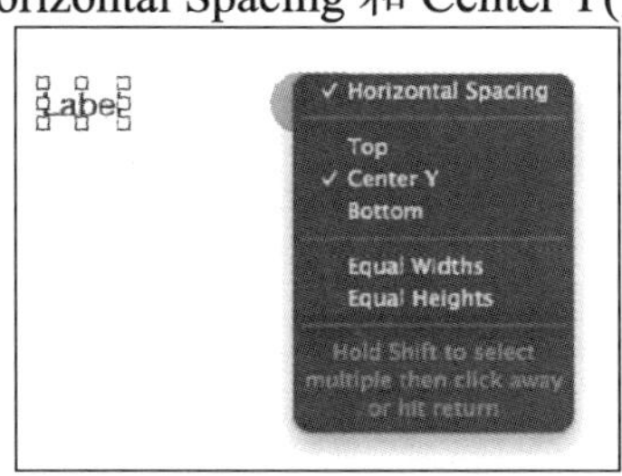

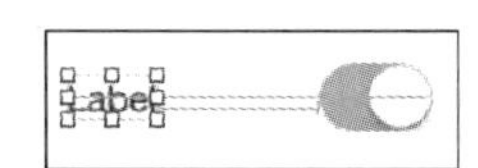

图 3-11　使用 Shift 键同时添加多个约束。选中 Horizontal Spacing 和 Center Y 来添加两个约束

(4) 按下 Return 键。这样，IB 就添加了两个约束。第一个约束设置了标签和开关之间的固定间距。第二个约束使这两个视图沿着它们的垂直中心对齐。因为标签比开关窄，所以它垂直方向的上方和下方都有一点额外的空间。

所有 3 个目前添加的附属于主视图控制器视图的约束就产生了(如图 3-12 所示)。在大纲中，可以看到一个 Center Y 约束和两个 Horizontal Space 约束。如果想知道约束的所在位置，可以通过点中每个约束，使它在主编辑器中高亮显示。

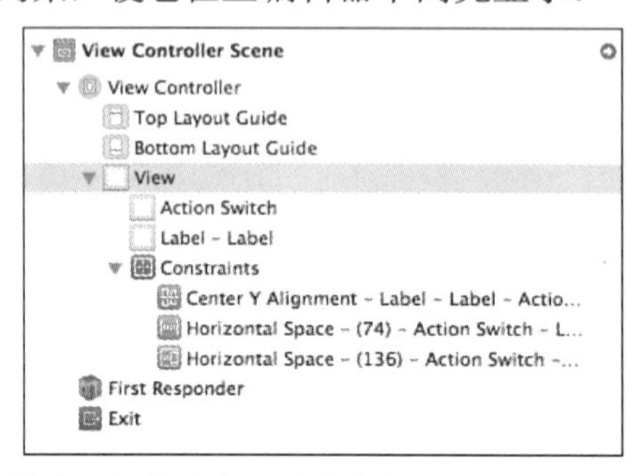

图 3-12　可以在场景大纲中检查添加的约束。通过选中大纲中的某个约束，高亮显示可视化编辑器中相应的约束

同样可以在 Size Inspector(View | Utilities | Show Size Inspector)中找到这些约束。约束随视图而变化。开关中列出了它参与的所有 3 个约束(如图 3-13 所示)，标签中列出了两个约束，而控制器的视图中只有 1 个约束。

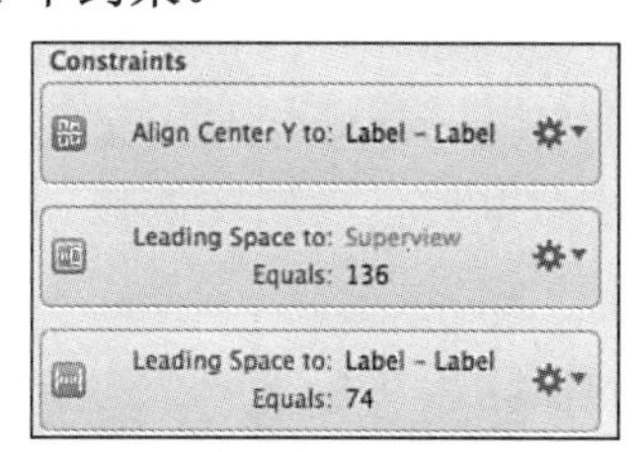

图 3-13　目前开关控件参与了 3 个约束

可以通过单击列在文档大纲中的约束，或者选中一个视图，然后直接单击它的任意可视化约束来选中它。选中一个约束会将其高亮显示。根据需要，通过开启 Editor | Canvas | Show Involved Views for Selected Constraints，同样可以高亮显示相关联的视图(如图 3-14 所示)。

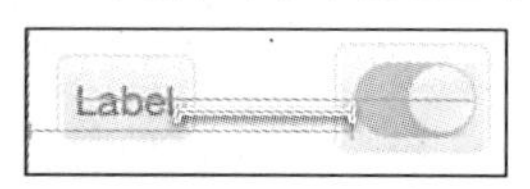

图 3-14　当开启 Editor | Canvas | Show Involved Views for Selected Constraints 时，涉及的视图会显示出一层黄色覆盖

继续我们的演练，如下所示：

(1) 双击设置标签和开关的水平间隔的约束。一个弹出框便出现了(如图 3-15 所示)。

(2) 调整约束为使用一个标准常数。单击 Constant 域中向下的箭头，显示出一个 Use Standard Value 选项。标签一下子就弹到了右边，几乎和开关碰到了一起(不过没那么近)。

保存你的修改。

图 3-15 使用可视化编辑器中的约束弹出框调整约束的常数、关系以及优先级

3.5.2 钉固和对齐

编辑器和底部右侧的工具栏都提供了 Pin 和 Align 菜单，但是它们显示的方式有所区别。钉固意味着固定尺寸或者偏移量。对齐意味着根据共同的某些方面，将项放置到一个协调一致的位置。你可能将视图沿着它们的左侧或者底部排列。如图 3-16 所示，可选项在你应用它们时随采用的方式不同而变化。

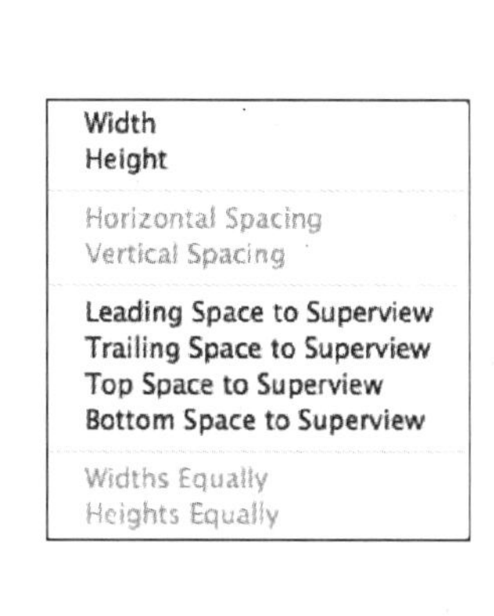

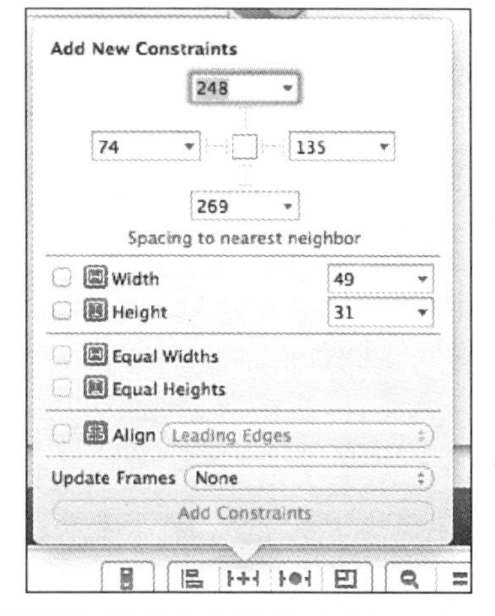

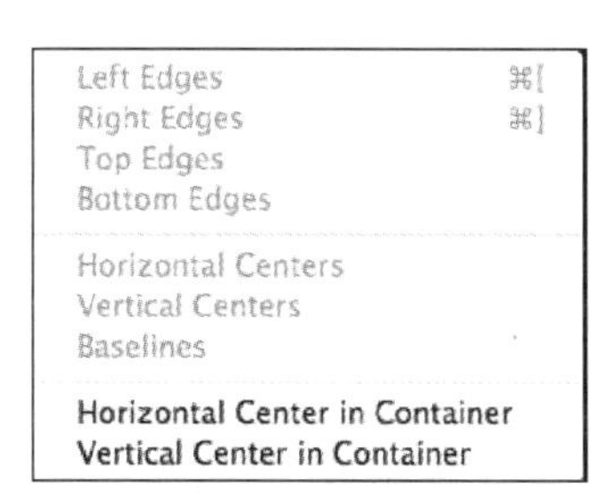

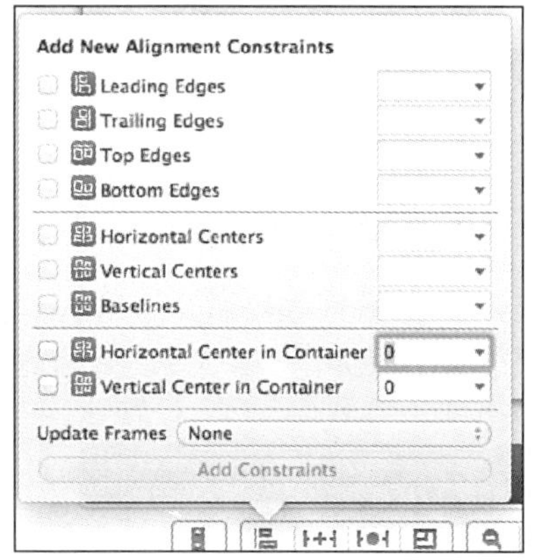

图 3-16 顶上项：钉固视图。底下项：对齐视图。左边项：Editor 菜单。右边项：工具栏弹出菜单

例如，为设置一个项的宽度，可以选中它，然后选择 Editor | Pin | Width。IB 添加了一个将视图宽度固定为当前值的约束。如果使用工具栏，单击 Pin 按钮，它看起来有点像有个加号在中间的钛战机。选择 Width 选项，如有需要，可以在文本框中调整目标宽度。单击 Add Constraints 完成设置。

或者你可能想固定一个视图到后缘。为此，可以选择 Editor | Pin | Trailing Space to Superview，新的约束会获取当前偏移量。或者也可以打开 Pin 菜单工具栏，然后单击弹出菜单顶上右边的 T 形梁 strut。

假设想对齐两个视图的底部。为此，选中它们，然后选择 Editor | Align | Bottom Edges 或者使用 Align 弹出菜单，选中 Bottom Edges 选项。

通常，弹出菜单提供更强大的方式来添加约束：

- 通过选中若干项，可以同时添加多个约束。
- 可以像定义约束那样，对约束进行调整，省去了一些额外的步骤。
- T 型梁 strut 为添加到父视图的连接提供了简单界面。
- 弹出菜单可以让你决定是自动更新框架以匹配当前的约束集(通过启用 Update Frames)，还是仅仅添加约束。

接下去将会用到你已经读到的那些工具：

(1) 暂时将标签拖开，然后选中开关控件。

(2) 通过单击编辑器底部工具栏上的条形图标，打开Align弹出菜单。选中Vertical Center in Container，选择Update Frames | Items of New Constraints，然后单击Add Constraints。现在所有和开关控件相关的约束都变成蓝色了，说明你现在已经确定了水平和垂直位置。

(3) 当将标签拖开时，你将它的框架从完全约束的位置上脱离开来。这一点可以通过大纲顶端右边出现的带圈黄色箭头来确认。为修复这个问题，先选中该标签。通过 Editor | Resolve Auto Layout Issues 菜单或者弹出的处理菜单来选择 Update Frames。完成这些之后，布局问题就解决了，所有约束现在都变成蓝色了，如图 3-17 所示。

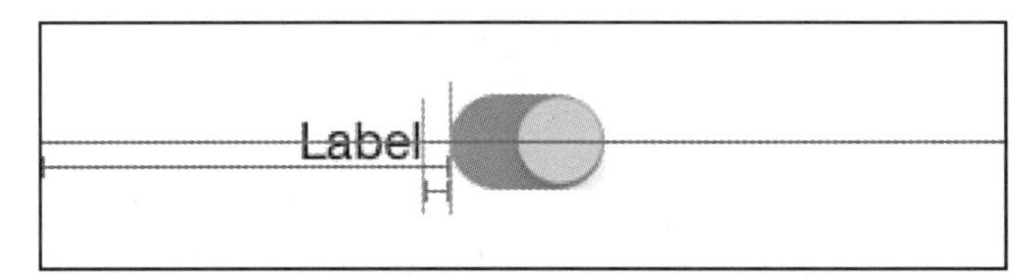

图 3-17　在给开关添加一个垂直定位约束并更新框架之后，布局约束就以蓝色显示

现在，已经建立起了将开关和标签固定在合适位置的规则：

- 开关位于距离其父视图前缘 136 点处，并且在父视图垂直方向的中央。
- 标签在垂直方向上和开关并排，并且偏离开关一个标准间隔。

3.6 预览布局

为了完整地测试一个界面，每个开发人员会使用某些常规的检查。例如，是否做了所有至少覆盖屏幕上 44×44 区域的交互点？应用是否为 Retina 和非 Retina 目标设备提供了合适的图像？该图像是否已经为全尺寸 iPad、iPad mini、3.5 英寸和 4.5 英寸手机的大多数用户提供了合适的规格？

除了这些常见的检查，还应当思考 Auto Layout 特定的测试。回答下列问题：

- 界面是否会在 iPad、3.5 英寸和 4.5 英寸几何形状上合理调整？
- 当设备转向时，界面是否会无缝适应？
- 当用户在设置中改变字体选择和应用收到动态的字体更新时，界面是否会正确调整？
- 当文本本地化时，界面是否会合理适应？

这次，IB 提供了简单的方法，可以在不同几何形状设备和不同朝向上预览布局，这些会在接下去的一些步骤中看到。第 5 章讨论了测试动态字体和本地化文本，这些不是能在 IB 中找到的特征。但是如下步骤却是 IB 特定的：

(1) 关闭任何检查器和/或调试控制台，在工作区中腾出尽可能多的空间。预览布局需要占用很多空间。

(2) 在 IB 大纲的最左上角找到相关文件的菜单。它位于 Xcode 跳转栏的左边。它的图标看起来像一组(8 个)小矩形。

(3) 按住 Shift 和 Option 键，选择 Preview，然后选择 iPhone 故事板。一个灰色的目标对话框出现了。选中右边的加号，如图 3-18(a)所示，在一个新的辅助编辑器面板中打开预览，然后按下 Return 键。重复上述步骤，在第一个下方打开第二个编辑器面板。

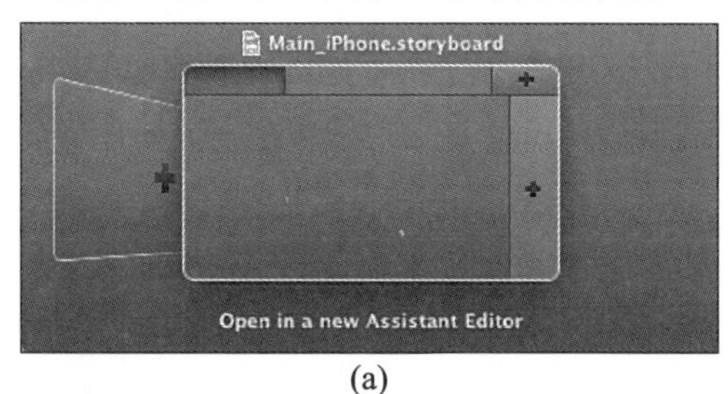

(a)

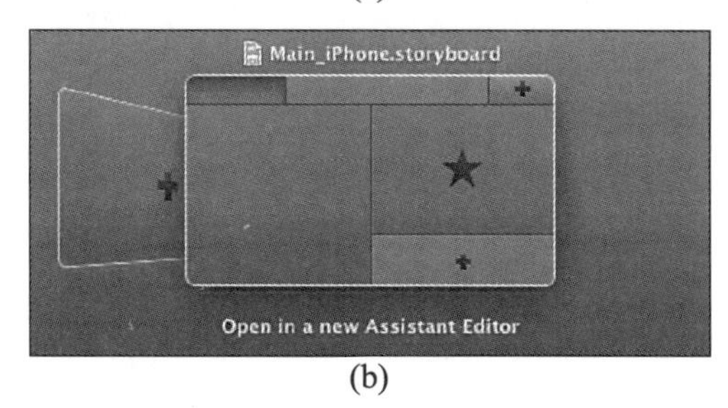

(b)

图 3-18 如果屏幕空间允许，可以添加多个面板在所有朝向下预览应用

(4) 现在，界面应该看起来如图 3-19 所示。在底部预览中找到朝向切换开关。它是工具栏中间的一个按钮，看起来像一个指向下方的箭头。单击它，使下方的预览转到横向。

(5) 调整面板，这样就可以同时看到正在编辑的区域和预览(如图 3-20 所示)。

现在，在 IB 提供的预览中，可以看到界面在纵向和横向时是怎样的。任何在编辑器中作的改动都会反映在预览中。从这里，可以做如下事情：

- 在 iOS 7 和 iOS 6.1 或者更早风格间切换。较新的布局更亮白、更简约并且没有一些类似黑色状态栏之类的特征。这些只是预览特征，不会影响到编辑器。

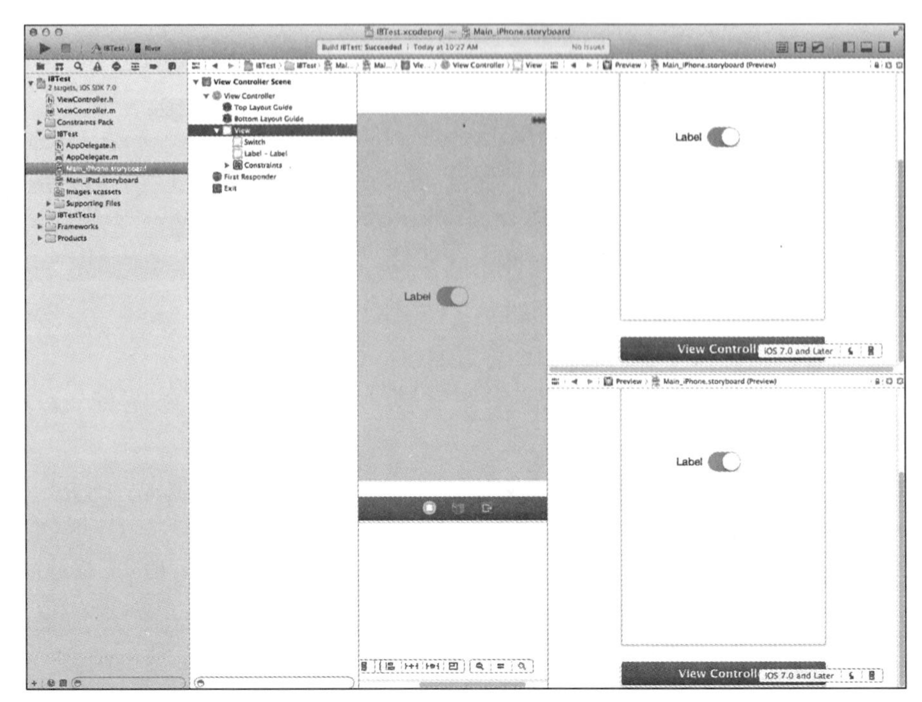

图 3-19　向辅助编辑器中添加两个预览面板后的 IB 界面。在该截图中，从左到右依次是：灰色背景的项目导航器、IB 编辑器、一对上下堆叠的预览。这只是一个概览，并不是为了进行详尽的解读。当然，它显示了打开这些预览后的基本布局

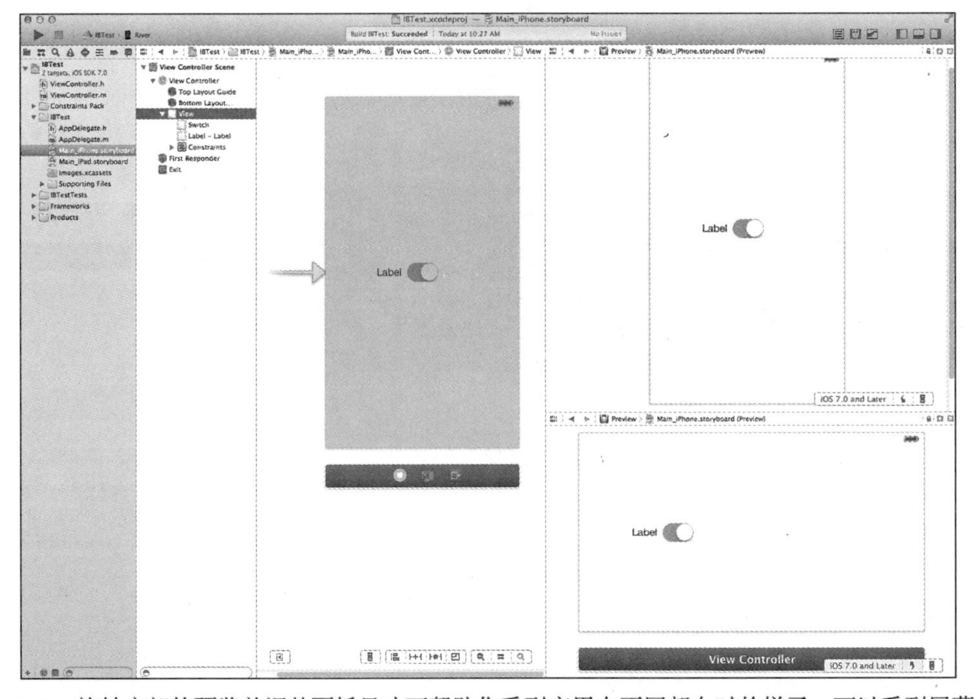

图 3-20　旋转底部的预览并调整面板尺寸可帮助你看到应用在不同朝向时的样子。可以看到屏幕右下方发生的变化，该预览在垂直方向占用的空间比图 3-21 中少很多。同样，该截图也并不是为了显示详尽的信息

● 在 3.5 英寸和 4 英寸布局间切换(只用于 iPhone 预览)。这可以让你知道布局从一个几何形状到另一个几何形状是如何调整的。

在这个示例应用中，不考虑朝向时，开关位于一个相对左边缘固定距离的位置。因为可以同时看到两个朝向，所以这个细节在你的设计中非常醒目，提示你存在问题。

开关使用一个前缘约束来放置，而不是一个定位中心的约束。想知道IB的预览是如何帮助你修正布局的，可跟随如下步骤：

(1) 在组织器中找到 Horizontal Space-(136)约束。选中并删除它。

(2) 选中开关，然后选择 Editor | Align | Horizontal Center in Container。

该横向预览会立即更新。开关移到了中心，在任何朝向下看起来都不错。

3.7　检查约束

Xcode 允许你使用 Attributes Inspector(通过 View | Utilities | Show Attributes Inspector 打开)检查任何选中的约束，或者通过在编辑器中双击任意约束。图 3-21 显示了刚才添加给开关的 Center X 约束。

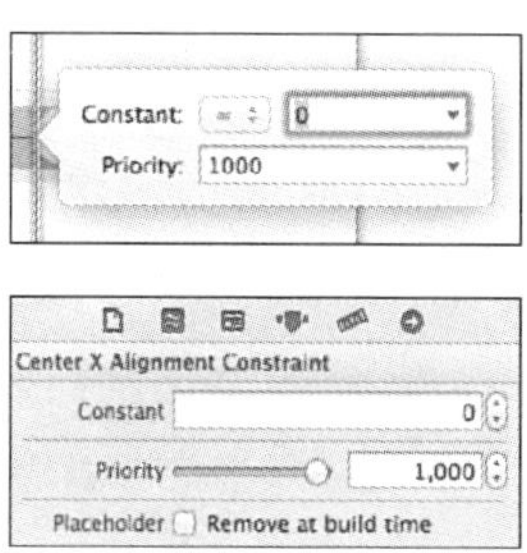

图 3-21　该垂直约束将开关对齐到它的容器的中心

如图 3-21 所示的检查器增强了构成所有约束基础的 $y\ R\ mx + b$ 关系式。在这个示例中，关系(R)是等于，常数(b)是 0，乘数(m，你在这里看不到，也无法调整)是 1。

这些检查器使你可以对约束作如下调整：

● 对于允许设置关系的约束，可以选择一个不同的关系。考虑这个使标签偏离开关一定距离的约束，假如将其修改为大于等于 50 点，那么可视化约束添加了一个≥标志，如图 3-22 所示。这表明该约束是一个非等约束。

  其次，至少是在这个示例中，IB 约束系统会发现它自己的表达存在歧义。在该新关系下，标签不再有一个确定的位置来放置，因此约束变为了黄色。

● 通过修改一个约束的 Constant 值来改变偏移量和尺寸面积。在图 3-22 的示例中，所作的调整会将标签移近或者远离开关。

  选中 Standard 复选框，将约束更新为使用 Aqua 间距——一般为距离边缘的 20 点偏移值和视图间的 8 点偏移值。苹果的 Aqua 用户界面标准是 OS X 设计中的基本视觉主题。很多 Aqua 模式也同样出现在 iOS 中。

  当 Standard 被选中后，标准间距将覆盖已经通过布局设置的 Constant 值。

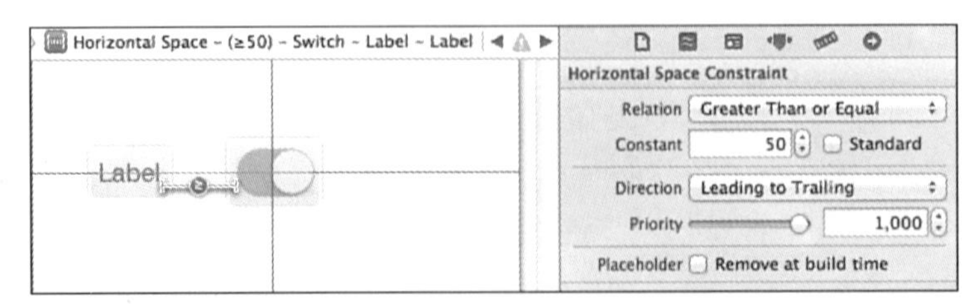

图 3-22　该水平约束指定标签应至少距离开关 50 点。Placeholder 复选框使你可以在编译期移除约束。这很方便，例如当你既想在设计期创建一个完全令人满意的布局，又想在运行时将其用一个基于代码的约束替代的时候

- 可以通过移动滑块或者在文本框中输入一个新的值来调整约束的优先级，从它的默认必需值(1 000)到另一个值。

3.8　视图的 Size Inspector

视图的 Size Inspector(通过 View | Utilities | Show Size Inspector 打开)在约束“故事”中扮演着一个和 Attributes Inspector 中的约束编辑器不一样的角色。当选中一个视图时，Size Inspector 列出了所有涉及该视图的约束，并且提供了对编辑视图内容尺寸优先级的支持。

图 3-23 显示了该项目中标签的 Size Inspector。这是编辑属性的地方，这些属性会影响视图的尺寸。这里也可以看到该视图参与的所有约束。

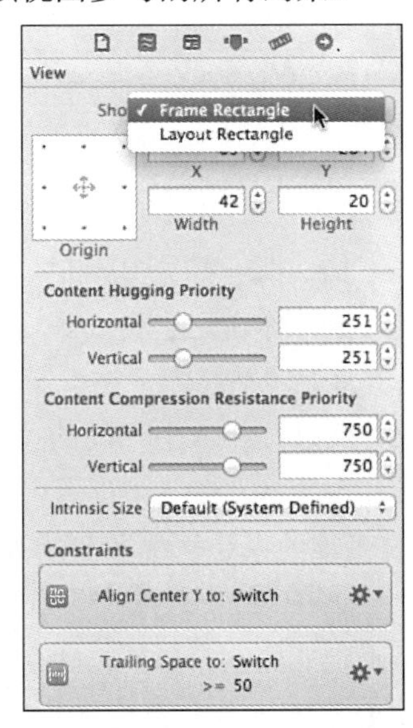

图 3-23　一个视图的 Size Inspector 使你可以设置它的内容尺寸优先级，并列出了它的所有约束

3.8.1　框架矩形和布局矩形

在检查器的顶部区域，如图 3-23 所示，可以浏览和编辑视图的框架矩形或者布局矩形。布局矩形是对齐矩形在 IB 中的说法，这已经在前面的章节中读到过了。对齐矩形定义了一

个视图的 Auto Layout 几何属性，例如 left edge、trailing edge、baseline、top、bottom 和 center。对于控件实例，框架矩形和对齐矩形会有些不同。可以通过切换 Show 弹出菜单中的这两个选项来发现不同之处。

为了更好地可视化框架矩形和对齐矩形，选择 Editor | Canvas | Show Layout Rectangles 或 Editor | Canvas | Show Bounds Rectangles。这些选项为可视化编辑器添加了覆盖物，如图 3-24 所示。界限矩形以蓝色显示，布局矩形以红色显示。

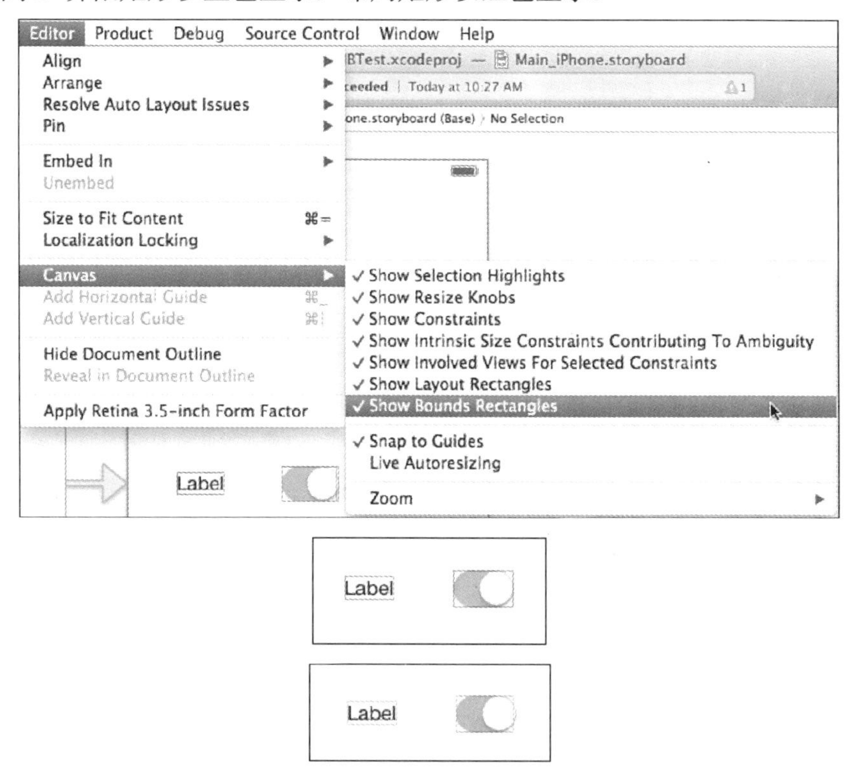

图 3-24 Editor | Canvas 菜单使你可以可视化界限矩形(框架显示为蓝色)和布局矩形(对齐矩形显示为红色)。正如所见，开关的布局矩形右侧被略微裁剪，迫使中心略微移向左边。它的界限矩形完整地包围了所有图像

3.8.2 其他 Size Inspector 项

检查器中接下去的位于矩形编辑器的下方是两个区域，这里，可以为视图设置内容吸附和内容压缩优先级。Auto Layout 使用这些来生成内容尺寸约束。正如在前面章节中所读到的，这些值可以使你调整视图的填充和裁剪。在这之下，可以看到 Intrinsic Size 弹出列表，它使你可以设置代理视图尺寸。

视图所涉及的约束都列在检查器面板的底部。这些约束无须为当前检查的视图所有。请总是检查文档大纲而不是 Size Inspector 来寻找所有者。

3.9 处理菜单

Xcode 5 新的处理菜单(Editor | Resolve Auto Layout Issues，如图 3-25 所示)允许你管理常见的约束问题。该菜单由两部分组成。菜单上半部分应用于当前选中视图，下半部分影响活动场景中的所有视图。这两部分的选项是相互对应的。

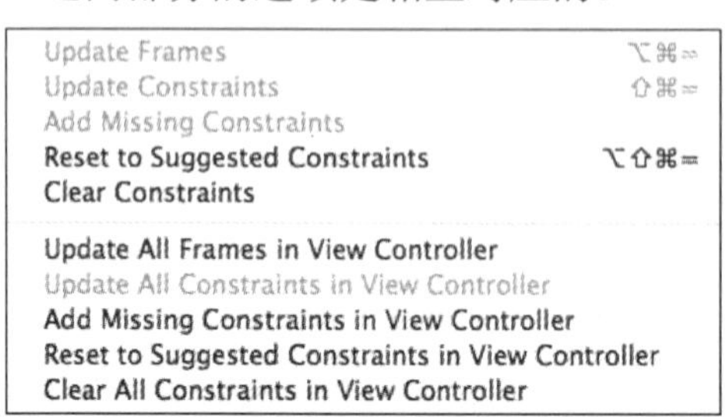

图 3-25 使用处理菜单来解决常见约束问题

3.9.1 更新框架和约束

当在IB编辑器中移动一个已约束视图时，会遇到在前面章节已经读到的虚线框。橘黄色的虚线框描出了当Auto Layout应用当前约束集时视图将会出现的位置。

两个更新选项出现在处理菜单开头。Update Frames 允许你调整视图的框架来匹配当前约束集，Update Constraints 让你可以改变约束来匹配当前的视图框架集。

如果移动是有意而为之的——而不是暂时将一个视图移开——那么可以接着进行，然后更新约束。IB 会替换任何设置该视图原点位置的约束。如果是无意之为，那么可以重置框架。这会将视图移回当前约束集确定的位置。

3.9.2 添加和重置约束

接下去的两个选项是 Add Missing Constraints 和 Reset to Suggested Constraints。Add 选项创建足够的新约束来消除任何歧义。它将这些约束添加到已创建的约束中去。Reset 选项使用一个完全的充分的约束集替换已有约束。在这两种情形中，IB 必须猜测你需要什么约束。有时它能猜对，但是它也经常猜错。

IB不会读心术。如果你定位一个视图的中心，在给视图添加约束时，IB可能会正确地推断出你想要定位那个视图的中心。也可能它会将该视图沿着某个坐标轴定位中心，沿着另一个坐标轴添加固定的偏移量。

通过 Add 和 Reset 选项添加的约束和在本章开头讨论的推测的框架约束是不一样的。IB 为框架固定的视图自动生成的约束所设置的位置和尺寸与布局该视图时是一样的，没有猜测成分。

3.9.3 清理约束

最后一个菜单选项是 Clear Constraints，它所做的就是移走所有和某个视图有关的或者整个场景内的约束，这取决于你在菜单里选择了哪个版本。该操作等同于打开视图的 Size Inspector，然后单个地删除那里列出的每条约束。

3.10　约束/尺寸调整弹出菜单

到目前为止，已经看到了编辑器屏幕底部工具组上 4 个项中的前 3 个。最前面两个是对齐和钉固选项，可以用它们来给布局添加约束。第三项提供约束问题处理。最后一项提供一对偏好设置，如图 3-26 所示。

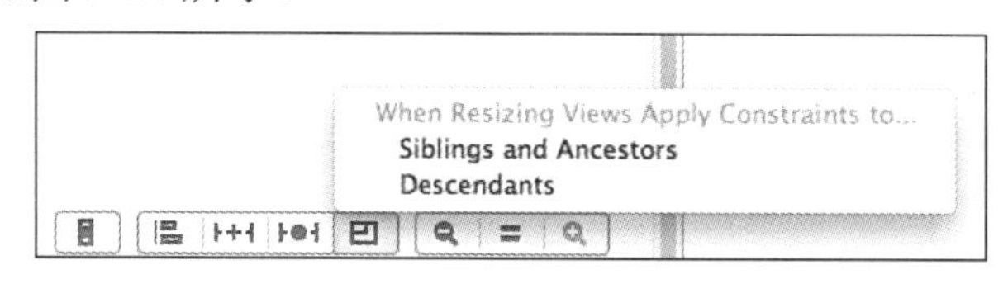

图 3-26　IB 可以在调整尺寸时应用约束

这些全局的选项可以在调整尺寸期间开启和关闭针对兄弟/祖先和孩子的自动约束。如果开启，当在编辑器中调整视图尺寸时，IB 维护着约束。最好还是通过示例来解释一下。图 3-27 显示了三个视图(两个兄弟和一个孩子)以及与它们相关的约束。一个约束使用固定的距离将顶部和底部的视图分隔开。另外的约束将一个子视图内嵌在底部的父视图之中，每条边都被添加了相对于父视图的固定偏移量。

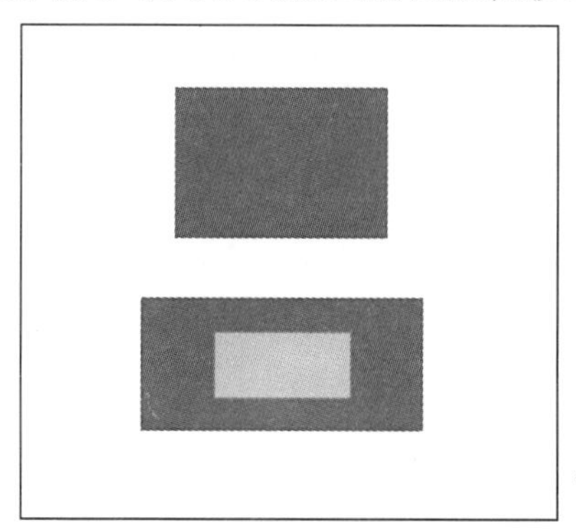
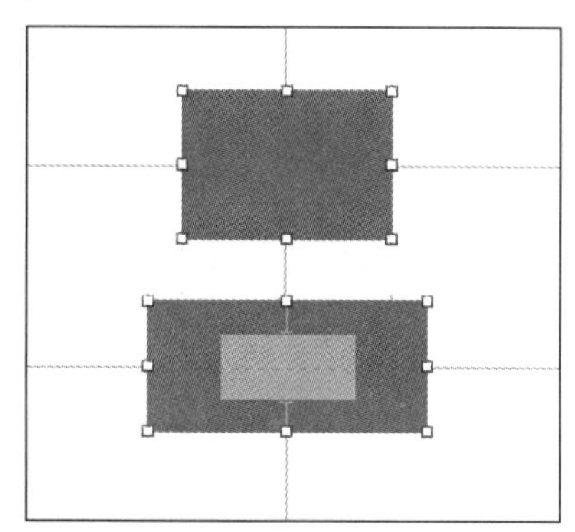

图 3-27　三个视图由两个兄弟和一个子视图组成

使用弹出菜单选项，将看到在尺寸调整期间 IB 是如何实施约束的。当允许 IB 实施约束时，它协调你的尺寸调整请求和任何存在的布局规则。首先来看一下 Descendants 选项，然后是 Siblings and Ancestors 选项。

3.10.1　Descendants 选项

图 3-28 显示了尺寸调整期间的底部视图。Descendants 选项在(a)图中被启用，在(b)图中则被禁用。在图 3-28(a)的示例中，IB 在尺寸调整期间将约束应用于子视图。底部视图中的子视图更新以匹配这些改变，保持在布局期间已创建的固定偏移量。

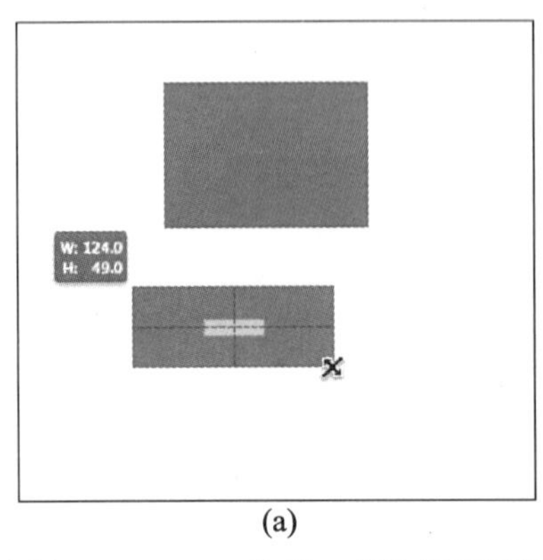

(a)

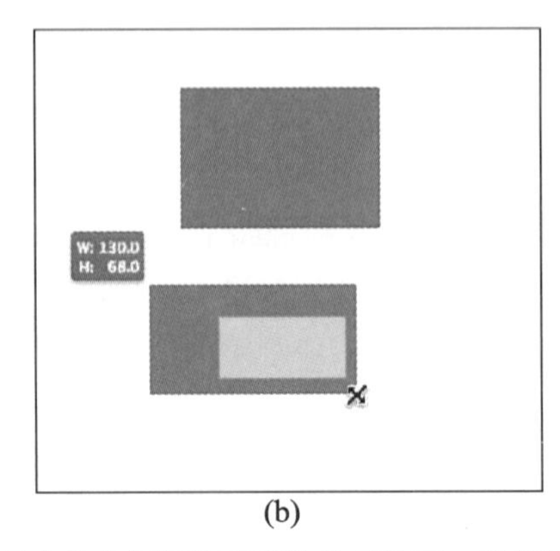

(b)

图 3-28　启用 Descendants 选项(a)保持将子视图从它的父视图偏移开的关系约束。当该选项被禁用时(b)，在尺寸调整期间约束不起作用

在恢复并且禁用 Descendants 选项之后，结果发生了变化。在父视图调整尺寸时，子视图不再作出响应。约束被忽略，子视图保持原样，尺寸大小和开始时一样。

3.10.2　Siblings and Ancestors 选项

Siblings and Ancestors 选项和 Descendants 选项的工作方式一样，但该选项用于兄弟和祖先视图。图 3-29 在底部视图向上调整尺寸大小时演示了这一点。

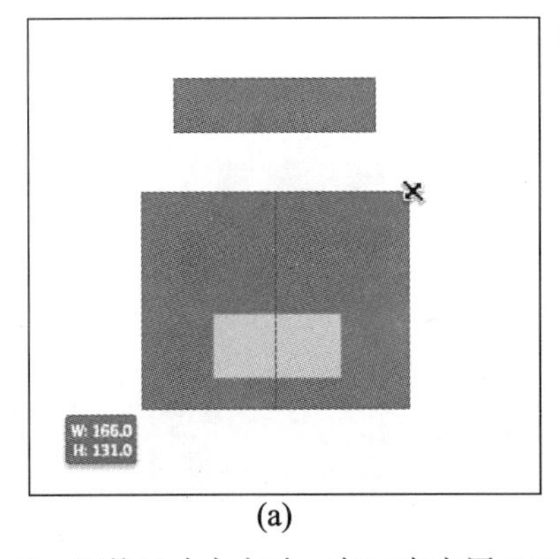

(a)

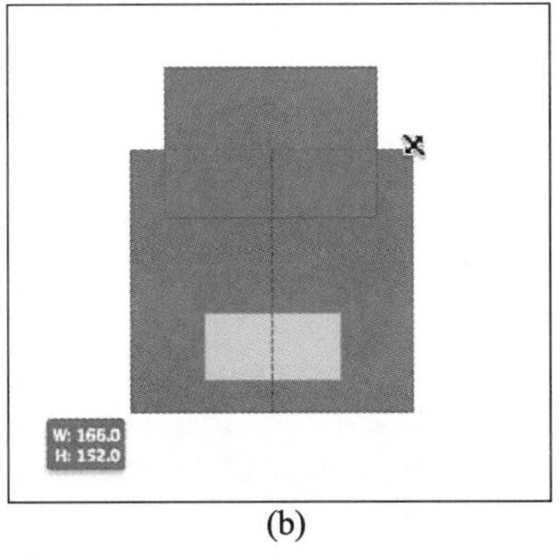

(b)

图 3-29　调整尺寸大小时，在(a)中启用 Siblings and Ancestors 选项，在(b)中禁用该选项

启用 Siblings and Ancestors 选项后，顶部的视图保持这两个视图间的偏移约束，它会收缩以适应约束。禁用该选项后，底部的视图调整尺寸时会忽略那个约束，顶部的视图仍保持它原来的尺寸大小。

3.11　视图丢失问题

使用代码时，冲突的优先级可能会引起视图“丢失”。尽管 IB 可以确保一个一致的、没有歧义的界面，但是它无法保证一个界面上的每个视图都是可见的。接下来将介绍这是如何发生的。

对于下一个示例，需要一个空白的画布，因此创建一个新的单视图应用程序，并打开iPhone 故事板。以纵向方式显示它。

在这个示例中，设想你跟随如下步骤，创建一个公司信息应用程序：

(1) 将一个标签拖曳到视图中，然后使用约束将它中心对齐到视图的顶部下方。接着，拖曳第二个标签，然后使用标准 inset 将它左对齐，同样也位于屏幕顶部的下方(如图 3-30 所示)。使用处理菜单添加缺少的约束。IB 已为你添加了一些。

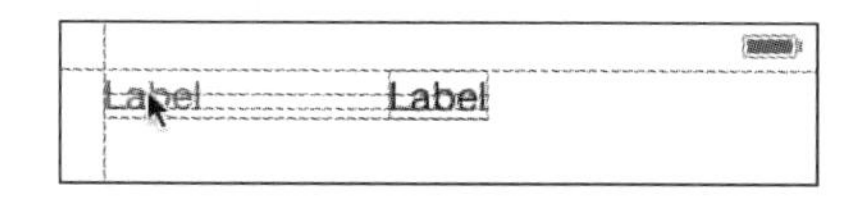

图 3-30　将两个标签添加到纵向视图

(2) 双击左边的标签进入编辑模式。更新左边标签的名称为 Department Name。该标签应当自动调整尺寸以适应新的文本。现在当这两个标签使用关联的默认字体时，将会部分重叠。

(3) 选中文档大纲中的这两个标签。选择 Editor | Pin | Horizontal Spacing。

(4) 选中新的 Horizontal Spacing 约束。它可能有一个负的常数值，因为这两个视图部分重叠了，第二个标签的开头在第一个标签末尾的左侧。打开 Attributes Inspector，选中 Standard 复选框。这会在这两个视图间请求一个标准的 8 点间隔。左边的标签现在应当会被裁剪，如图 3-31 所示。

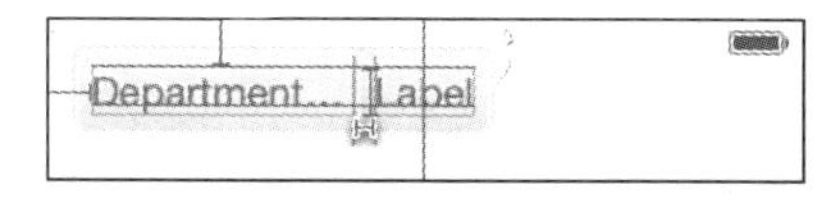

图 3-31　迫使带有标准间隔的一行挤压 Department Name 标签

(5) 选中Department Name标签，打开Size Inspector。调整Horizontal Content Compression Resistance Priority设置，从 750 修改为 751。然后从约束处理菜单中选择Update All Frames in View Controller。这时，Department Name标签的尺寸会调整(稍微)，Label标签(右边的项)完全消失了。

(6) 在文档大纲中选中 Label - Label(无法在 IB 编辑器中选中它)。在尺寸编辑器中检查它的尺寸(如图 3-32 所示)。它的宽度值为 0，这就是它从 IB 布局中消失的原因。

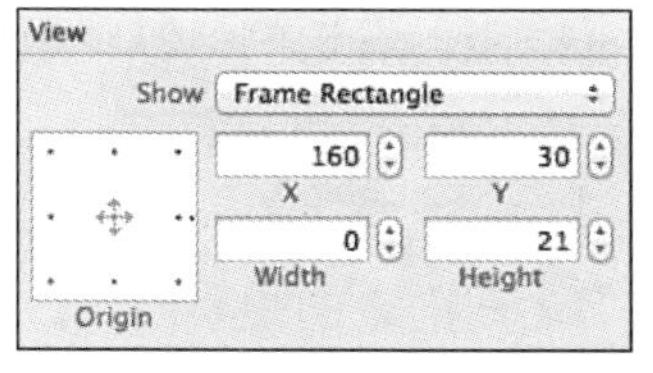

图 3-32　由于冲突的约束，一个视图的尺寸可能会跌到 0，然后从布局甚至 IB 中消失

在本例中，Auto Layout约束系统会被满足，但是右边的标签宽度被挤压到了0。这是因为一些约束发生了冲突。最右边的标签的压缩阻力规则丢失了。它的宽度降到了0，然后整个视图从屏幕上消失了。

如果现在再次选中视图控制器，通过Attributes Inspector | Simulated Metrics | Orientation将方向切换为Landscape，失踪的视图又弹回来了。额外的布局空间确保了在这些规则下，视图仍能被显示。如果将它翻转到纵向，这个视图又会再次消失。

在 Auto Layout 中进行设计时，应当确保视图在每个朝向和合法窗口尺寸下都能恰当地布局。本例演示了错误是如何发生的以及为何总是需要考虑边界条件。

3.12 平衡请求

无论何时，当在 Auto Layout 中进行设计时，记得要考虑一下极端情况。例如，在最大和最小尺寸时，各项该如何响应？在尺寸调整时，哪些对象应当被优先处理？在 Auto Layout 中获得成功的关键在于，在试图表示你想要得到的布局前对它有一个完整的理解。接下来，将探究一些常见布局场景。

我们以创建另一个新的单视图 iPhone 故事板项目开始，其中包含了一个自定义视图控制器类。在这个示例中，我使用了一个 ViewController 类，但是你自己的类可以有所不同。关键在于使用一个代码可编辑的自定义的 UIViewController 子类。

按照如下步骤创建一个基本的测试台，你将使用它来探究这些 Auto Layout 问题：

(1) 将一个导航控制器添加到故事板。选择一个默认的表视图控制器作为导航控制器的根视图控制器，然后删除它。选中导航控制器，打开 Attributes Inspector，选中 Is Initial View Controller。

(2) 将一个新的视图控制器拖曳到故事板编辑器中，以替换刚被删掉的表视图控制器。按下 Ctrl 键，从导航控制器拖曳到这个视图控制器。在 IB 弹出列表中选择 Root View Controller。

(3) 选中那个新的视图控制器，然后打开 Identity Inspector。调整 Custom Class | Class 工具中的类名来匹配你的基本视图控制器类。现在已设置好了一个导航控制器，它会加载你的自定义类。

(4) 添加两个标签。在本例中，向左和向右对齐标签，取代原先的向左和居中对齐标签。编辑第一个标签，命名为 Department Name，第二个命名为 Value。将左边的标签固定到父视图的前缘，距离是一个标准间距。右边的标签则距离父视图后缘一个标准间距。

(5) 选中这两个标签，然后选择 Editor | Pin | Horizontal Spacing。选中这个新的约束，编辑 Relation 为 Greater Than or Equal。然后选中 Standard 复选框。图 3-33 显示了更新后的界面，其中包含了两个标签和它们之间固定的最小间距。

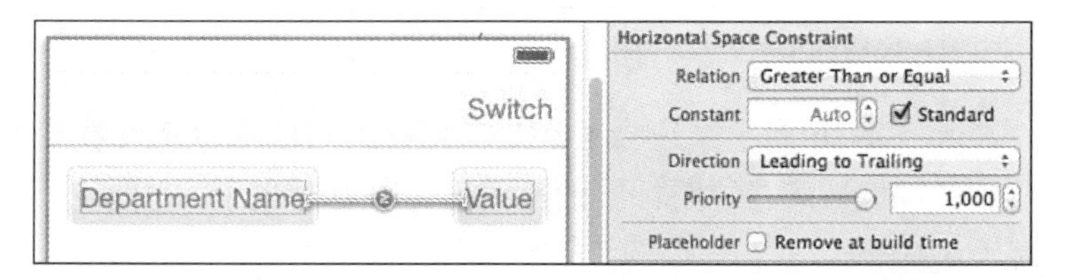

图 3-33　设置界面使两个标签之间的间距不小于一个标准间距

(6) 将一个条形按钮项拖曳到根视图控制器导航栏的右边。将它的标题从 Item 改为 Switch。这个按钮用于调整右边标签显示的文本，这样就可以测试各种布局冲突了。

(7) 打开 Assistant Editor(通过 View | Assistant Editor | Show Assistant Editor 打开)，这样它就显示了你的基本视图控制器界面。按下 Ctrl 键，从 Value 标签拖到声明接口的地方。创建一个新的 Outlet 连接，命名为 valueLabel。

(8) 按下 Ctrl 键，从 Switch 条形按钮项拖到声明接口的地方。创建一个 Action 连接，命名为 switch:，如图 3-34 所示(名称类似 switchLabelText:的方法也是一个不错的选择，因为 switch 在 C 语言中是一个关键字)。

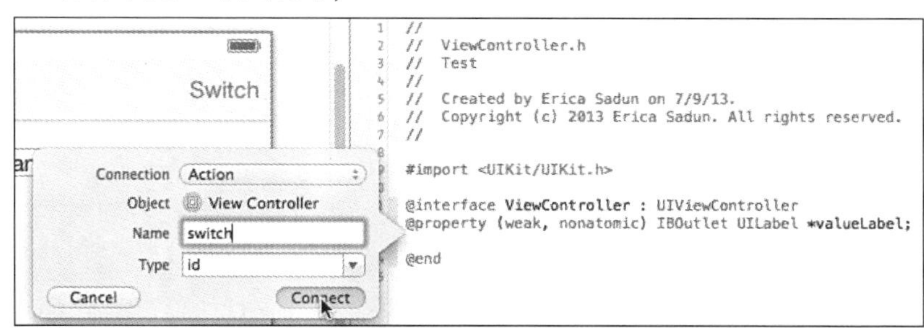

图 3-34　创建一个 Outlet 连接到右边标签，创建一个 Action 连接到 Switch 条形按钮项

(9) 将视图控制器源码编辑为如下片段：

```
@implementation ViewController
- (IBAction) switch: (id) sender
{
   static int numberOfTimes = 1;
   NSMutableString *string = [NSMutableString string];
   for (int i = 0; i <= numberOfTimes; i++)
       [string appendString:@"Value"];
   _valueLabel.text = string;
   numberOfTimes = (numberOfTimes + 1) % 5;
}
@end
```

在这段代码中，添加了一个本地实例变量并更新刚刚创建的 switch 方法。这个方法为适应单词 Value 的几个副本拼接而成的字符串，伸展右边的标签来测试约束行为。

编译并运行该应用，在纵向和横向下进行测试。在纵向方向下，当 Value 标签包含若干副本时，两个标签中的其中一个必定会被裁剪。此时，它还不能决定哪个标签会被裁剪，因为这两项都含有相同的内容压缩阻力，而且你还没有添加关于这两个视图宽度的约束。你的输出可能看起来会如图 3-35 中的样例之一所示。

图 3-35　Auto Layout 帮助你平衡剪裁规则，选择哪项先被裁剪

在实际部署中，显示信息的控件经常竞争屏上空间，正如图 3-35 中所见。Value 标签(即数据来自应用模型)经常和域名称标签(即标识标签)发生竞争。通常，标识标签应当胜出，如图 3-35(a)所示，以创建一个一致的界面而不管将会显示的是什么数据。这也是要使标签短而切题的原因所在。

使用 Auto Layout 时，通常通过规则来确定优先级，而不是显式声明宽度值。在本例中，根据 Department Name 标签，降低 Value 标签的水平内容压缩阻力，使 Auto Layout 无歧义地优先选择图 3-35 中的第一个布局。选中 Value 标签，打开 Size Inspector，然后降低 Content Compression Resistance Priority，将其设置为 749。当再次运行该应用时，它的行为应当始终和图 3-35(a)的图像保持一致。

在平衡布局请求时，提高和降低优先级是常见的做法。它们或多或少是等同的解决方案。你可以说“让这个布局更重要些”或者“减少另一个布局的重要性”。这两个方法都可行。

3.13 混合布局

许多开发人员花费了大量时间创建基于 Autosizing 的视图，并且仍然想在 Auto Layout 项目中使用它们。在混合开发中，一般使用代码加载 Autosizing 视图，而使用 Auto Layout 管理它们。

3.13.1 创建一个用于测试的 nib 文件

按照如下步骤创建一个 nib 文件，你将用它来尝试使用混合布局方式：

(1) 创建一个新的 iOS 单视图项目并添加一个新的界面文件(通过 File | New | User Interface | View 创建)。选择目标为 iPhone，单击 Next 按钮。将它命名它为 View 并保存该文件，将它添加到你的项目中。

(2) 在该视图的文件检查器中(File Inspector | Interface Builder Document)，取消选中 Use Auto Layout 复选框。IB 将使用 Autosizing 创建它的文档。

(3) 在该视图的属性检查器中(Attributes Inspector | Simulated Metrics)，将其尺寸改为 Freeform，并移除状态栏。

(4) 在该视图的属性检查器中(Attributes Inspector | View)，为背景设置一些容易辨识的颜色，例如亮黄色。

(5) 在视图的 Size Inspector 中，设置尺寸为 200×200。

(6) 填充该视图。例如，可以拖入一个新的子视图，并为它设置一个作为对比的视图颜色，例如蓝色。使用 Autosizing strut 和 spring(如图 3-36 所示)，按你喜欢的样子来设置子视图。如何布局并不重要，但是要注意父视图的尺寸将会改变，它的子视图的行为应当是已知并且固定的，应当使用一致的 Autosizing 规则。

(7) 保存该文件。

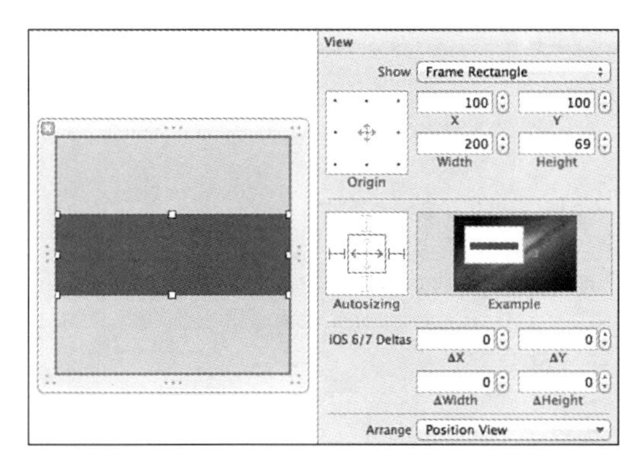

图 3-36　在 Size Inspector 中添加 Autosizing 规则

3.13.2　在代码中加入 nib 文件

现在你创建了一个可以在 Auto Layout 中使用的且基于 Autosizing 的 nib 文件。代码清单 3-1 演示了如何做到这点：从视图的 nib 文件中加载视图，为 Auto Layout 做些准备工作，然后添加你想要的约束(如果你已使用代码创建该视图)。最终的结果是一个受基于代码的 Auto Layout 实现影响的、基于 IB 设计的视图。

代码清单 3-1　将 Autosizing 视图加载到 Auto Layout 中

```
- (void) loadView
{
    // Create the view
    self.view = [[UIView alloc] init];
    self.view.backgroundColor = [UIColor whiteColor];

    // Load the subview from the nib file
    UIView *subview = [[[NSBundle mainBundle] loadNibNamed:@"View"
        owner:self options:nil] lastObject];
    [self.view addSubview:subview];

    // Prepare it for Auto Layout
    // Even though the view was laid out using Autosizing, you're
    // adding it *to* Auto Layout. This property only affects the
    // subview's relation to its parent, and not its subviews.
    subview.translatesAutoresizingMaskIntoConstraints = NO;

    // Add constraints
    NSLayoutConstraint *constraint;

    // Center it along its parent X and Y axes
    constraint = [NSLayoutConstraint
        constraintWithItem:subview
        attribute:NSLayoutAttributeCenterX
        relatedBy:NSLayoutRelationEqual
        toItem:self.view
        attribute:NSLayoutAttributeCenterX
```

```
     multiplier:1
     constant:0];
[self.view addConstraint:constraint];

constraint = [NSLayoutConstraint
    constraintWithItem:subview
    attribute:NSLayoutAttributeCenterY
    relatedBy:NSLayoutRelationEqual
    toItem:self.view
    attribute:NSLayoutAttributeCenterY
    multiplier:1
    constant:0];
[self.view addConstraint:constraint];

// Set its aspect ratio to 1:1
constraint = [NSLayoutConstraint
    constraintWithItem:subview
    attribute:NSLayoutAttributeWidth
    relatedBy:NSLayoutRelationEqual
    toItem:subview
    attribute:NSLayoutAttributeHeight
    multiplier:1
    constant:0];
[subview addConstraint:constraint];

// Constrain it with respect to the superview's size
constraint = [NSLayoutConstraint
    constraintWithItem:subview
    attribute:NSLayoutAttributeWidth
    relatedBy:NSLayoutRelationLessThanOrEqual
    toItem:self.view
    attribute:NSLayoutAttributeWidth
    multiplier:1
    constant:-40];
[self.view addConstraint:constraint];
constraint = [NSLayoutConstraint
    constraintWithItem:subview
    attribute:NSLayoutAttributeHeight
    relatedBy:NSLayoutRelationLessThanOrEqual
    toItem:self.view
    attribute:NSLayoutAttributeHeight
    multiplier:1
    constant:-40];
[self.view addConstraint:constraint];

// Add a weak "match size" constraint
constraint = [NSLayoutConstraint
    constraintWithItem:subview
    attribute:NSLayoutAttributeWidth
    relatedBy:NSLayoutRelationEqual
```

```
        toItem:self.view
        attribute:NSLayoutAttributeWidth
        multiplier:1
        constant:-40];
    constraint.priority = 1;
    [self.view addConstraint:constraint];
    constraint = [NSLayoutConstraint
        constraintWithItem:subview
        attribute:NSLayoutAttributeHeight
        relatedBy:NSLayoutRelationEqual
        toItem:self.view
        attribute:NSLayoutAttributeHeight
        multiplier:1
        constant:-40];
    constraint.priority = 1;
    [self.view addConstraint:constraint];
}
```

这个示例中添加了若干约束到自定义视图。前 5 个约束将视图定位到其父视图的中心，确保其保持 1∶1 的纵横比，然后限制其尺寸为距离父视图 20 点 inset(保持 1∶1 纵横比的前提下，距离父视图左右边缘各 20 点)。这样就创建了一个视图，它和父视图吸附在一起，并且在纵向和横向朝向下都不会接触到父视图的边缘。

严格来说，该布局是欠约束的，因为非等尺寸可能是有歧义的。最后两个约束会解决该问题。添加一个低的优先级后，它们请求根据对父视图的 inset 来精确匹配一个尺寸。这确保视图在考虑 inset 的前提下，在各方向以可能的最大尺寸显示。

图 3-37 显示各朝向下的界面结果。

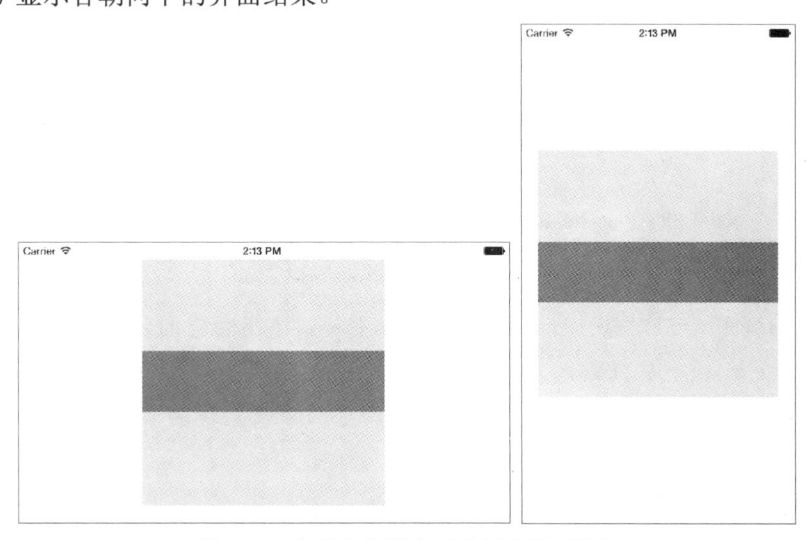

图 3-37　在纵向和横向下的混合界面结果

3.13.3　混合布局的优点

同时使用 IB 和代码提供了切实的好处，例如：

- 正交设计——该设计模式详细划分子视图。你可以自由地回到IB并更新所创建的nib文件，而不会影响到代码，或者可以更新布局代码，而不会影响到子视图。所有在IB中进行的设计工作本质上是自包含的。Autosizing和Auto Layout规则不会跨界。
- 基于 IB 的布局——这个方法完全利用了 IB 视图设计。子视图的视觉细节保留在 IB 中，它是很多开发人员偏好的设计环境。
- 混搭开发——可以轻松地混合自动尺寸调整和 Auto Layout 开发。尽管这个视图使用自动尺寸调整规则创建，但它在 Auto Layout 界面中也自得其乐。
- 减少复杂度——即使你打算使用 Auto Layout 在 IB 中进行设计，但在模块化的 nib 文件中管理的约束也仅限于那些直接参与布局该视图的约束，因此复杂度大为降低。减少复杂度提高了可读性和检查的便利性。因此模块化开发对于那些使用 Auto Layout 来进行的工作和使用自动尺寸调整的工作一样有价值。

3.14 移除 IB 生成的约束

有时你可能会创建一个故事板或者 xib 文件，并且故意未给它设置约束，这样就可以从代码中添加自定义约束。在这种情况下，为你生成的推测的约束就不可用了。在你可能采取的方式中，只有一种——使用占位符——是适合生产工作的。

“最佳实践”方案以 IB 中一个完全约束的布局开始。歧义布局阻止 IB 添加推测的约束。在你的应用中，故事板或 xib 文件中的约束将会与 iOS 加载的约束相匹配。

接着，选中每个想要从布局中移除的约束，然后打开 Attributes Inspector。选中 Placeholder 复选框，如图 3-38 所示。该操作能使 IB 在设计时使用约束来验证布局，但是在运行时移除该约束。

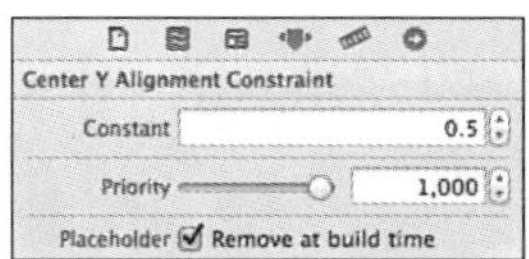

图 3-38　Placeholder 复选框使你可以选择不在运行时加入的约束

注意：

约束是 IB 中的一级对象。可以使用同样的技术创建指向它们的 Outlet，像以前指向视图那样：按下 Ctrl 键，从任意约束拖到一个头文件接口声明处来创建该 Outlet。这样在需要时就可以引用特定的约束。这个方法在通过调整约束来实现约束动画时非常有用。

3.15 练习

阅读完本章后，通过下面的练习可以测试知识的掌握程度：

(1) 将 3 个按钮添加到你的视图。添加约束使这 3 个按钮使用固定的偏移量保持在该视图内居中对齐(如图 3-39 所示)，不考虑方向和平台。加分：将 3 个按钮扩展到 5 个按钮。

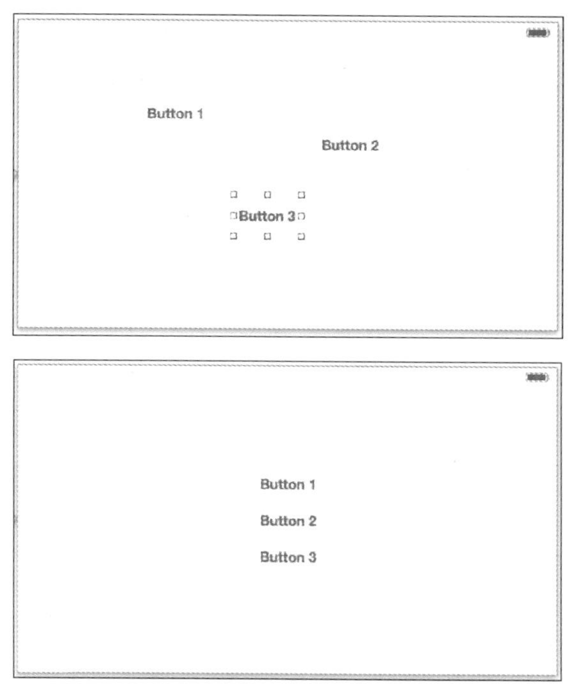

图 3-39　将 3 个按钮居中显示

(2) 将一个带有彩色背景颜色的视图添加到一个视图控制器中。给它添加约束，使它每条边上的 inset 都为 40 点，不考虑朝向(如图 3-40 所示)。

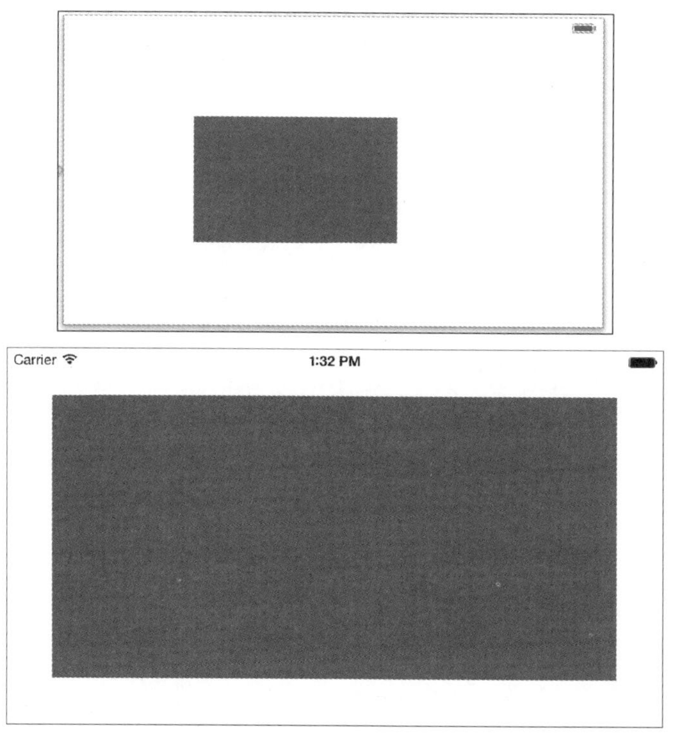

图 3-40　使用一个 inset 伸展视图

(3) 将 3 个视图添加到一个新的视图控制器中，如图 3-41(a)所示。只使用 IB，创建一个约束系统，如图 3-41(b)所示，当通过更新框架应用该系统时，将会产生如图 3-41(c)所示的相等尺寸大小的结果。

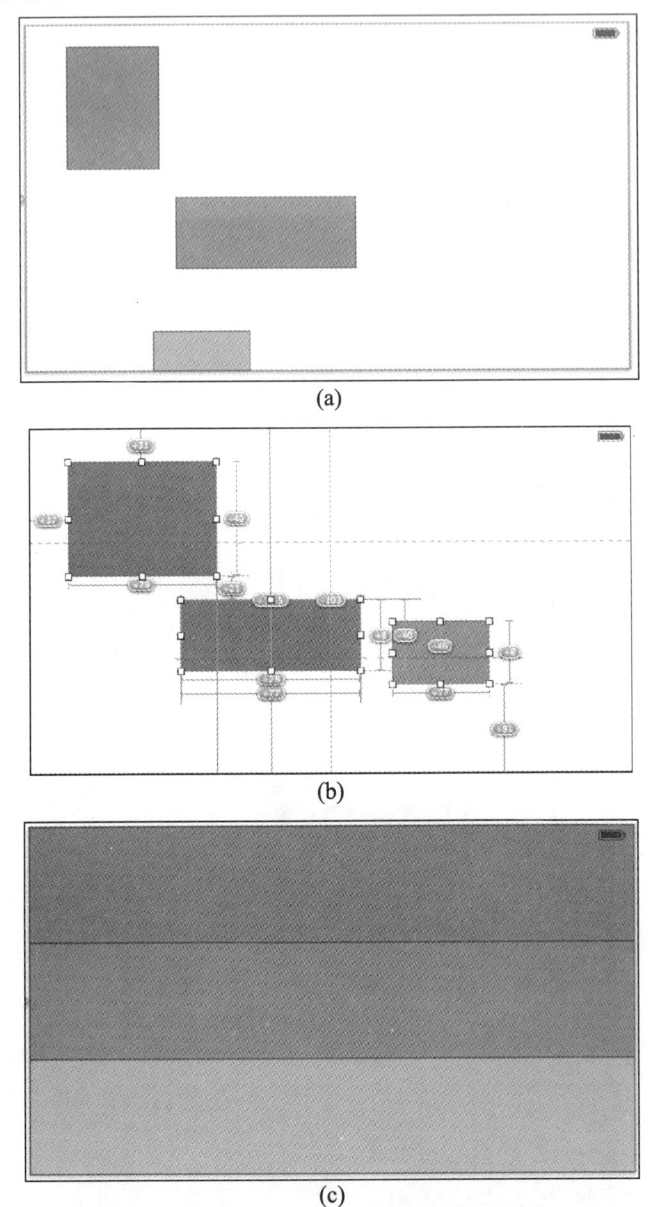

(a)

(b)

(c)

图 3-41　分割并且匹配视图区域

(4) 创建一个表，该表的每行都由左对齐标签和两个靠右边的按钮组成(如图3-42所示)。添加约束，使标签和按钮在每个朝向下都保持适当的对齐，3个按钮垂直居中排列。

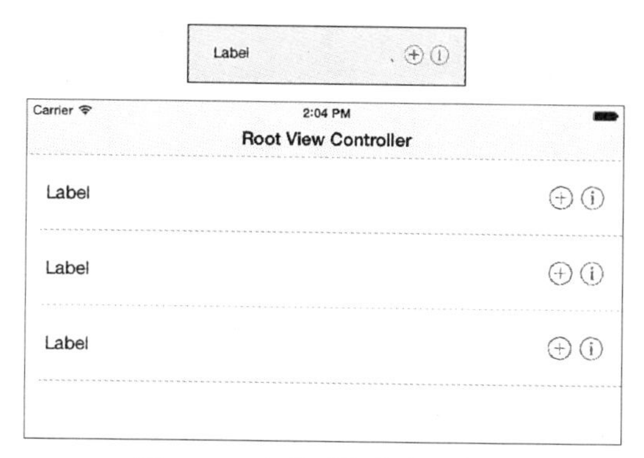

图 3-42 在单元格中布局各项

3.16 小结

本章介绍了基于 IB 的 Auto Layout。我们已经学习了如何在 IB 中添加、删除和修改约束，也探索了设计空间的边缘。在继续学习其他章节前，这里还有一些最后的想法：

- 在本书的上一版本中，我写到“假如我能彻底重写 IB，我会彻底移除它的歧义监管系统。我更愿意在布局结尾反复添加约束，然后测试歧义性”。在 Xcode 5 中，IB 现在正是这么做的。

  如果我能说服 IB 团队，我现在就会请求他们将约束完全地从概览窗格里移除，将它们添加到它们自己的浮动检查器中。这里，开发人员将相关约束聚集到一起，并且可以自由地为他们的设计添加注释。IB 应当支持可视的设计处理，而不是单纯复制底下的实现细节。
- 测试 IB Auto Layout 界面时，你可能需要运用演绎推理来指出哪个约束产生了意料之外的行为。当允许 IB 为你添加约束时，这个问题特别明显，因此应该谨慎进行。

第 4 章 可视化格式

Auto Layout 通过 3 种方式来创建约束。目前，我们已经知道了其中两种。第一种，可以在 Interface Builder(IB)中布局约束，并且根据需求自定义它们。第二种，可以使用代码创建单个约束。NSLayoutConstraint 类提供了 constraintWithItem:attribute:relatedBy:toItem:attribute:multiplier:constant:方法，可以让你每次创建一个约束，它将某项的属性关联到另一项。本章将学习第 3 种方式：使用可视化格式语言来表示各项是如何沿着垂直和水平坐标轴布局的。

本章探究了这些可视化约束在视觉上有何种效果、如何创建它们以及如何在项目中使用它们。我们将学到度量字典和约束选项如何扩展可视化格式，以获得更多灵活性。还将看到大量演示这些格式的示例，并探究它们产生的结果。

要始终牢记一点：所有的约束都是 NSLayoutConstraint 类的成员，无论你是以何种形式创建它们的。每个约束都在一个 Objective-C 对象中存储 $y = mx + b$ 规则，并且通过 Auto Layout 引擎来表达该规则。可视化格式是另一种实现相同效果的工具。

4.1 可视化格式约束介绍

和单个约束一样，通过调用 NSLayoutConstraint 的类方法来创建可视化格式约束。尽管可视化格式可以关联任意数量的视图，但是它们会被翻译为每次只关联一个或者两个视图的实例。你提供一个基于文本的说明和一些选项，然后 NSLayoutConstraint 类根据这个描述创建一组约束。

可视化格式由一个描述视图布局的文本字符串组成。你根据项出现在界面中的顺序依次列出它们。文本序列指定间隔、不等量和优先级。结果是将布局形象化地表现为一个简短的文本。在某种程度上讲，这对Objective-C新手来说，有点类似ASCII艺术画。

下列代码片段演示了使用可视化格式创建约束。我将该请求中的两个关键项加粗显示了。它们分别是可视化格式本身和一个说明如何对齐布局的选项：

```
[self.view addConstraints: [NSLayoutConstraint
    constraintsWithVisualFormat:@"V:[view1]-8-[view2]"
    options:NSLayoutFormatAlignAllLeading
    metrics:nil
    views:NSDictionaryOfVariableBindings(view1, view2)]];
```

这个调用创建了一对约束，即“创建由 view1 和 view2 组成的左对齐的一列，在它们之间保留 8 点间隔”。粗体字项是可视化格式和选项参数。关于这个约束格式示例的创建，这里有几个注意点：

- 坐标轴(或者说方向，如果使用的是 OS X)作为前缀指定(H:或 V:)。当忽略坐标轴时，约束默认为水平布局。我鼓励你总是使用一个前缀。强制使用前缀提供了一个设计意图的一致表示，确保了任何丢失的前缀成为一个错误。
- 每个视图的变量名出现在方括号中(例如[view1])。
- 字符串中视图名称的顺序与布局中视图的请求顺序匹配。这个顺序一般是从顶到底或者从左到右。在阿拉伯语和希伯来语地区，顺序是从右到左。也可以用布局格式选项覆盖顺序。
- 两个视图间的固定间隔以一个数字常量形式出现，如-8-。连字符围绕着该数字。
- 选项参数指定对齐方式。在本例中，它设置为前缘对齐，一般对于类似英语的语言是左对齐，对于类似阿拉伯语和希伯来语的语言是右对齐。前缘指的是当前地区标准书写方向在水平方向上遇到的第一条边。后缘指的是最后一条边。
- 度量字典参数未包含在本示例中。使用时，该参数为约束中的值替代提供常量数值。例如，你想要改变这些视图间的间隔，那么可以使用一个类似 myOffset 的度量名替换数值 8，然后通过一个字典将那个度量值赋予它。
- 参数 views:(尽管叫这个名称)并不是传递一个视图数组。它传递一个变量绑定字典。该字典将变量名字符串(例如"view1")同它们代表的对象(变量名为 view1 的视图实例)关联起来。这种间接性允许你在格式字符串中使用类似"nameLabel"和"requestButton"这种对开发人员有意义的符号。

该示例创建了两个约束。可视化格式字符串总是产生一组结果。一些格式字符串相当复杂，其他比较简单。每个字符串会生成多少约束总是很难猜测。你安装整个约束集合，以满足处理的格式字符串。下面是用于本例的两个约束：

```
[NSLayoutConstraint
    constraintWithItem:view2
    attribute:NSLayoutAttributeTop
    relatedBy:NSLayoutRelationEqual
    toItem:view1
    attribute:NSLayoutAttributeBottom
    multiplier:1.0
```

```
    constant:8.0];
[NSLayoutConstraint
    constraintWithItem:view1
    attribute:NSLayoutAttributeLeading
    relatedBy:NSLayoutRelationEqual
    toItem:view2
    attribute:NSLayoutAttributeLeading
    multiplier:1.0
    constant:0.0];
```

第一个约束将 view2 的顶部与 view1 的底部对齐，并在它们之间添加 8 点间隔。这个约束来自可视化格式字符串。第二个约束来自于选项参数。它将两个视图的前缘(即英文的从左到右布局系统中的左边缘)对齐。

那么，如果它和手动创建的约束是一样的，为什么还要使用可视化格式？

- 首先，它们更简洁。单个可视化格式可以表达可能需要花费若干个约束才能描述的布局条件。
- 其次，它们更容易检查。可视化格式讲述了一个布局小故事，使你可以将注意力集中在更凝练的想法上。
- 最后，它们可以很容易地进行调整。如果你想要更新对齐方式或者调整间隔，只需要修改一个要求。

苹果建议使用可视化格式约束，而不是标准布局约束。相较于基于代码的方案，建议优先使用 IB 方案。我建议你使用最适合你个人开发舒适度的布局方案。

4.2　选项

表4-1列出了可以用于可视化格式方法的选项。这些选项包括了对齐掩码(左列)和格式方向掩码(右列)。可以只提供一个格式方向掩码。在 iOS 7之前，苹果也要求你同时只能选择一种对齐掩码。现在已不作该要求了。可以使用按位 OR 来连接这些选项。

对于大多数布局工作，只需要使用表 4-1 左列中的值。这些选择设置了对齐方式，可以增强指定的可视化格式。在极少的情况下，需要翻转格式方向，此时可以使用表 4-1 右列中的选项。从前缘到后缘的方向是默认值。无须显式地设置该值。

表 4-1　布局选项

对 齐 掩 码	格式方向掩码
NSLayoutFormatAlignAllLeft	NSLayoutFormatDirectionLeadingToTrailing
NSLayoutFormatAlignAllRight	NSLayoutFormatDirectionLeftToRight
NSLayoutFormatAlignAllTop	NSLayoutFormatDirectionRightToLeft
NSLayoutFormatAlignAllBottom	
NSLayoutFormatAlignAllLeading	

(续表)

对 齐 掩 码	格式方向掩码
NSLayoutFormatAlignAllTrailing	
NSLayoutFormatAlignAllCenterX	
NSLayoutFormatAlignAllCenterY	
NSLayoutFormatAlignAllBaseline	

4.2.1 对齐

应当总是在格式中正交地应用对齐掩码。当创建一个水平行时，也就确定了一个垂直对齐(反过来也一样)。例如，设想将一行对象从左到右放置，例如 H:[view1]-[view2]-[view3]-[view4]。你只需要将它们向上或者向下调整一点，便可以对齐它们的顶部、中间或者底部。

然而，无法对齐它们的左边或者右边，因为如果那么做的话，会强迫它们脱离指定的布局顺序。所有的视图会滑向左边或者右边，其根本上是和可视化格式矛盾的。

违反这个规则会产生一个异常，可以在如下的日志文本中看到。在这个示例中，我试图应用一个水平对齐(前缘对齐)到一个水平约束上(H:[view1]-8-[view2])：

```
2013-01-22 12:35:23.885 HelloWorld[25429:c07] *** Terminating app due to
uncaught exception 'NSInvalidArgumentException', reason: 'Unable to parse
constraint format:
Options mask required views to be aligned on a horizontal edge, which is
not allowed for layout that is also horizontal.
```

4.2.2 省略选项

通过给选项参数赋 0 值来忽略选项。NSLayoutConstraint 根据提供的可视化格式来建立约束，但是没有添加任何对齐约束：

```
[self.view addConstraints: [NSLayoutConstraint
    constraintsWithVisualFormat:@"H:[view1]-8-[view2]"
    options:0
    metrics:nil
    views:NSDictionaryOfVariableBindings(view1, view2)]];
```

4.3 变量绑定

当使用可视化约束时，布局系统将名称字符串(例如"view1"和"view2")同它们表示的对象关联起来。变量绑定用于创建这些关联。可以通过调用一个定义在NSLayoutConstraint.h头文件中的宏NSDictionaryOfVariableBindings()来创建它们。向该宏传入任意个本地视图变量，如下面的示例所示：

```
NSDictionaryOfVariableBindings(view1, view2, view3, view4)
```

正如所见，这个宏并不要求用一个 nil 信号来结束列表。它根据传入的变量来建立一个字典，使用变量的名称作为键，使用变量指向的对象作为值。例如这个调用：

```
NSDictionaryOfVariableBindings(leftLabel, rightLabel)
```

创建下列这个字典：

```
@{@"leftLabel":leftLabel, @"rightLabel":rightLabel}
```

如果不想使用这个变量绑定宏，那么可以很容易地自己创建一个字典，然后将它传给可视化格式约束生成器。可视化约束对视图数组不太友好，那也是需要创建一个自定义绑定字典的原因。

4.3.1　间接的问题

考虑如下代码，它试图围绕一个视图数组创建一个可视化格式：

```
NSDictionary *bindings =
   NSDictionaryOfVariableBindings(views[0], views[1]);
constraints = [NSLayoutConstraintconstraintsWithVisualFormat:
   @"H:|[views[0]]-[views[1]]|" options:0 metrics:nilviews:bindings];
```

下面是通过这个调用创建的绑定字典：

```
2013-01-24 09:40:17.403 HelloWorld[46260:c07]
{
   "views[0]" = "<TestView: 0x8a6af50; frame = (0 0; 0 0);
      layer = <CALayer: 0x8a6b010>>";
   "views[1]" = "<TestView: 0x8a6e850; frame = (0 0; 0 0);
      layer = <CALayer: 0x8a6e8c0>>";
}
```

尽管编译时没有报错，但是它在运行时产生了一个异常。格式字符串解析器无法处理编入索引的视图引用。事实上，你将Objective-C调用嵌入了该格式字符串，不过这一步对于NSLayoutConstraint类来说跨得太远了。

```
2013-01-24 09:12:02.374 HelloWorld[45646:c07] *** Terminating app due to
uncaught exception 'NSInvalidArgumentException', reason: 'Unable to parse
constraint format:
   views is not a key in the views dictionary.
   H:|[views[0]]-[views[1]]|
```

4.3.2　间接的替代方案

正如刚才看到的示例所表明的，可视化格式对于处理任何未在本地上下文中显式声明的项有些力不从心。可视化格式依赖于简单的名称到实例的转换。使用代码指向非本地实例(例如[self.view viewWithTag:99]或 views[0])的方式无法在格式字符串中正确解析。

为解决该问题，可以使用代码创建字典和格式字符串。下面的代码片段演示了该方法：

```
// Initialize the format string and bindings dictionary
NSMutableString *formatString = [NSMutableString string];
NSMutableDictionary *bindings = [NSMutableDictionary dictionary];

// View counter
int i = 1;

// Build a format string that lays out the views in a row
// e.g. @"H:|-[view1]-[view2]-[view3]..."
[formatString appendString:@"H:|-"];
for (UIView *view in views)
{
    // Create a view name
    NSString *viewName =
        [NSString stringWithFormat:@"view%0d", i++];

    // Add the new view to the layout string
    [formatString appendFormat:@"[%@]%@",
        viewName, (i <= views.count) ? @"-" : @""];

    // Store the view and its name in the bindings dictionary
    bindings[viewName] = view;
}
```

为绑定字典中的每个项赋一个名称和条目，能够让你解决无法在格式字符串内索引项的问题。一旦建立，这个字典就能以变量参数 bindings 传入，用于通过如下这个方法建立的 formatString：

```
// Build constraints with centerY alignment
constraints = [NSLayoutConstraint
    constraintsWithVisualFormat:formatString
    options:NSLayoutFormatAlignAllCenterY
    metrics:nil views:bindings];

// Install the constraints
[self.view addConstraints:constraints];
```

4.4 度量

当事先不知道一个常量的值时，度量字典可以为可视化格式字符串提供该值。例如，考虑下面的示例：

```
@"V:[view1]-spacing-[view2]"
```

在此，单词spacing代表某个目前还未确定的间隔值。通过创建一个将字符串和它的值等同起来的字典传递该值。例如，该字典将spacing和数值10关联起来：

```
NSDictionary *metrics = @{@"spacing":@10};
```

将这个字典提供给可视化格式创建方法的 metrics 参数：

```
[NSLayoutConstraint
    constraintsWithVisualFormat:@"V:[view1]-spacing-[view2]"
    options:NSLayoutFormatAlignAllCenterX
    metrics:metrics
    views:bindings];
```

NSLayoutConstraint 使用度量字典将 spacing 替换为数值 10。与将视图和名称等同起来的绑定字典不同，度量字典提供的是数值。

现实工作中的度量

在使用编程的方式创建约束时，度量非常有用。例如，考虑如下方法。它根据你提供的尺寸大小来约束一个视图的宽度。当编写这个方法时，你不知道会被提供什么视图，也不知道应该将它的宽度约束为多少：

```
- (void) constrainView: (VIEW_CLASS *) view toWidth: (CGFloat) width
{
   NSString *formatString = @"H:[view(==width)]";
   NSDictionary *bindings = NSDictionaryOfVariableBindings(view);
   NSDictionary *metrics = @{@"width":@(width)};

   NSArray *constraints = [NSLayoutConstraint
      constraintsWithVisualFormat:formatString
      options:0 metrics:metrics views:bindings];
   [view addConstraints:constraints];
}
```

在此使用的度量字典将可视化格式中的"width"字符串与传给该方法的 width 参数关联起来。使用间接参数使你可以构造出易读的且可维护的格式字符串。

注意：
本书中使用的 VIEW_CLASS 指的是 iOS 中的 UIView 和 OS X 中的 NSView。

4.5　格式字符串结构

用于创建约束的格式字符串要遵循一种如下指定的语法：

```
(<orientation>:)? (<superview><connection>)? <view>(<connection><view>)*
(<connection><superview>)?
```

问号指的是一个可选项，星号指的是该项会出现 0 次或者多次。

虽然该定义看上去有些令人畏惧，但事实上这些字符串相当容易构建。接下来的部分提供了对这些格式字符串元素的说明，也给出了一些用例。

4.6 方向

可视化格式以一个可选的方向开始，可以是 H:(水平方向排列)或者 V:(垂直方向排列)。该排列指定约束是从前缘到后缘应用，还是从上到下应用。

考虑这个约束格式"[view1][view2]"。当以 V:作为前缀时，它表示将 View 2 放在 View 1 的正下方。当以 H:作为前缀时，它表示将 View 2 放到 View 1 的右边。图 4-1 所示为这两个约束请求在一个简单的 iOS 测试台应用程序中的显示效果。

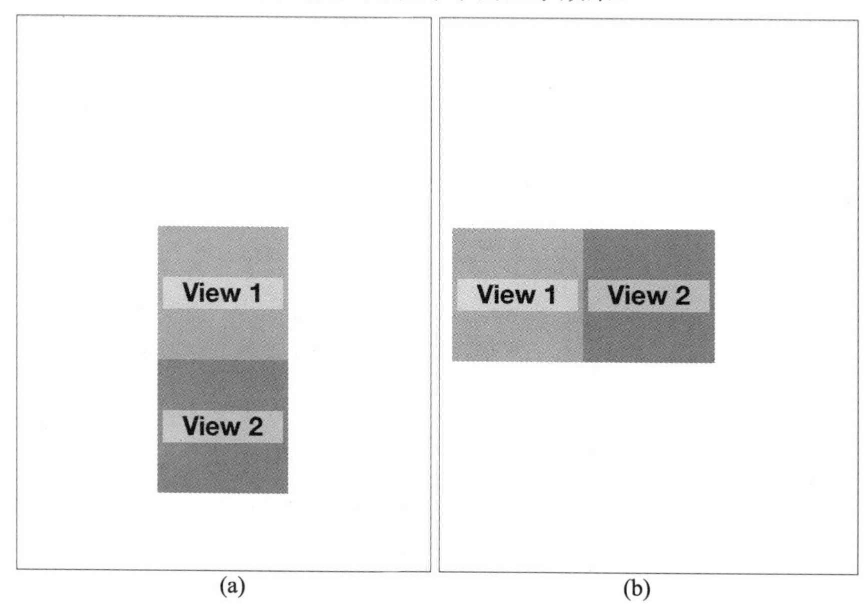

图 4-1　这两张图像以可视化格式字符串"V:[view1][view2] " (a)和"H:[view1] [view2] " (b)创建

可以创建一个忽略方向前缀的水平约束，尽管我并不建议你那么做。强制性的前缀可以增强你的代码检查功能，帮助你一眼就发现问题。在 iOS 和 OS X 上，默认为水平坐标轴方向。

通过坐标轴获取约束

因为 Auto Layout 设计是特定于坐标轴的，所以你可能想将一个视图的约束分为水平和垂直成员两部分。在调试期间，你可能使用视图方法 constraintsAffectingLayoutForAxis:(在 OS X 中是 constraintsAffectingLayoutForOrientation:)获取所有影响水平或者垂直布局的约束。该代码不适用于部署，苹果公司在它的文档里声明它是非 APP Store 安全的。水平坐标轴的枚举值为 0。垂直坐标轴的枚举值为 1。

4.7 视图名称

正如刚才看到的两个示例所示，视图的名称被一对方括号所包围。例如，你可能使用

"[*thisview*]"和"[*thatview*]"。当使用变量绑定字典时，视图的名称指的是视图的本地变量名。因此当有如下声明时：

```
UIButton *myButton;
```

格式字符串就能引用"[myButton]"了。

如本章前面所述，通过一个变量绑定字典来关联视图的名称和视图实例。将该字典传给约束创建方法，用于在名称和对象之间建立映射关系。

父视图

总是用一个特殊的字符——竖线符(|)——来表示父视图。仅会在格式字符串的开头或结尾看到它。在开头时，它恰好出现在水平或者垂直指定符之后("V:|..."或"H:|...")。在结尾时，它恰好出现在后引号之前("...|")。

无须在绑定字典中命名父视图。Auto Layout 知道“|”指的是视图的父视图。

使用父视图字符的典型示例包括：

- 延伸一个视图来适应它的父视图，例如"H:|[view]|"
- 将一个视图偏离它的父视图的某条边，例如"V:[view]-8-|"
- 创建一列或一行与父视图对齐的视图，例如"V:|-[view1]-[view2]-[view3]-[view4]"

4.8　连接

连接指定视图间的间隔。每个视图(包括父视图的引用)间的连接标明了要添加的间距。接下来将讨论在应用程序中要使用的连接类型。

4.8.1　空连接

空连接看起来如下：H:[view1][view2]或 V:|[view3]。在 View 1 和 View 2 的方括号之间或者竖线符和 View 3 之间没有指定任何东西。这些示例分别将 View 2 直接放置到 View 1 的右边，如图 4-2(a)所示；将 View 3 放到其父视图的正上方，如图 4-2(b)所示。

使用空连接来放置需要自然地相互毗邻的视图。例如，可能需要将分开的视图合到一起，在屏幕上形成单个自然的显示，就像一个单独的实体而运作。空连接允许将视图直接放置在另一个视图之后。在关联 view1 和 view2 的可视化格式中指定的空连接创建了一个 NSLayoutConstraint 实例，该实例使用一个等量关系来关联 view 1 的 NSLayoutAttributeTrailing 边缘和 view2 的 NSLayoutAttributeLeading 边缘。

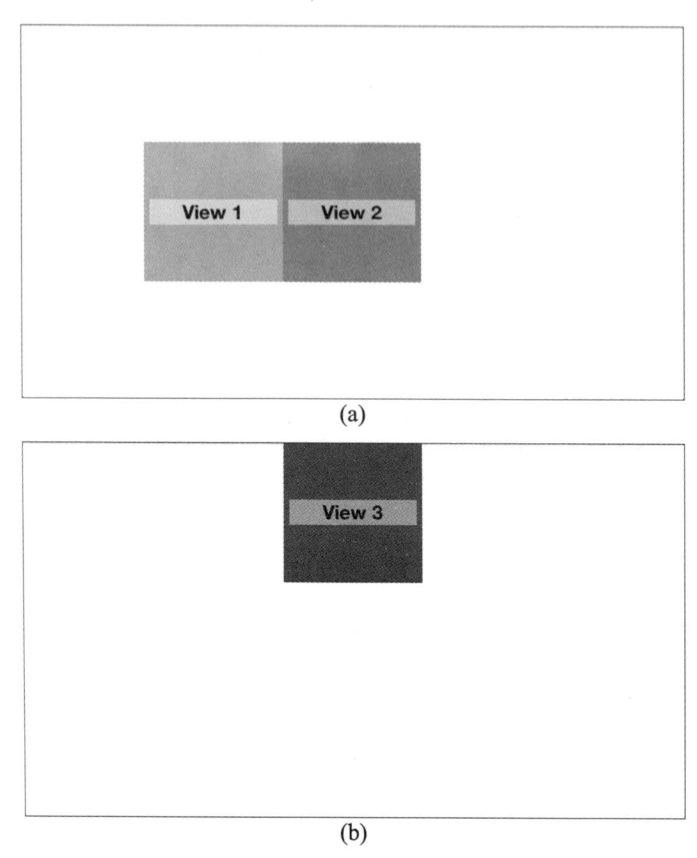

图 4-2 (a)中的空连接为"H:[view1][view2]"，(b)中的空连接为"V:|[view3] "。忽略连接将迫使视图沿着约束坐标轴相互毗邻

4.8.2 标准间隔

连字符(-)代表一个标准的固定间隔。约束"H:|-[view1]-[view2]"在 View 1 和 View 2 以及 View 1 和它的父视图之间留下了一个小的间隙(如图 4-3 所示)。尽管官方尚未文档化，但标准间隔一般对于视图到视图布局为 8 点，对于视图到父视图布局为 20 点。

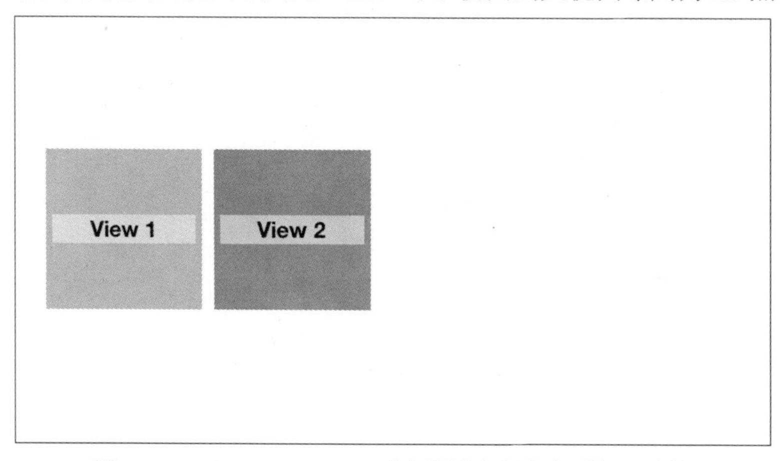

图 4-3 "H:|-[view1]-[view2]"在视图之间添加标准间隔连接

苹果的工程师已声明可视化格式为布局使用 Aqua 间距。这些 8 点和 20 点值来源于苹果的 Aqua 用户界面标准，作为基本的视觉主题应用于 OS X 设计。

标准间隔确保相关联但是又完全分离的视图以足够的视觉间隔显示。例如，你可能使用间隔将标签从它们描述的控件(开关、按钮、文本框等)中偏移开来。

4.8.3　数字间隔

可以用一个放在一对连字符之间的数字常量来设置准确的间隔大小。约束"H:[view1]-30-[view2]"在两个视图间添加一个 30 点的间隔，如图 4-4 所示。从视觉上而言，它比单个连字符产生的默认间隔(如图 4-3 所示)要宽。

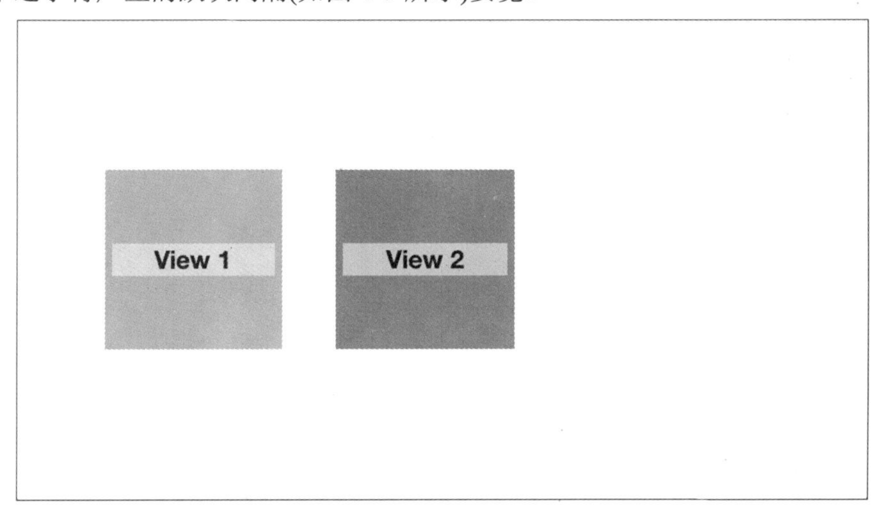

图 4-4　"H:[view1]-30-[view2]"使用 30 点固定大小的间隔在两个视图间产生可察觉的、比标准间隔更大的间隔

4.8.4　引用父视图

格式"H:|[view1]-[view2]|"确定了以父视图开头的水平布局。注意坐标轴指定符右边的竖线符。父视图后紧跟的是第一个视图，然后是一个间隔和第二个视图，之后是另一个竖线符，最后是父视图。

该约束左对齐 View 1，右对齐 View 2，并同父视图齐平。为完成这点，需要作一些变化。必须调整左边视图或者右边视图的尺寸。当我运行这个测试应用时，View 1 发生了调整，如图 4-5 所示。View 2 也很可能会发生调整。

4.8.5　与父视图的间隔

我们通常不希望看到视图和父视图边缘恰好碰到一起。格式"H:|-[view1]-[view2]-|"在父视图边缘和 View 1 的开头以及 View 2 的末尾之间添加了一个 inset(如图 4-6 所示)。标准的父视图 inset(20 点)比视图间的间隔(8 点)更宽。

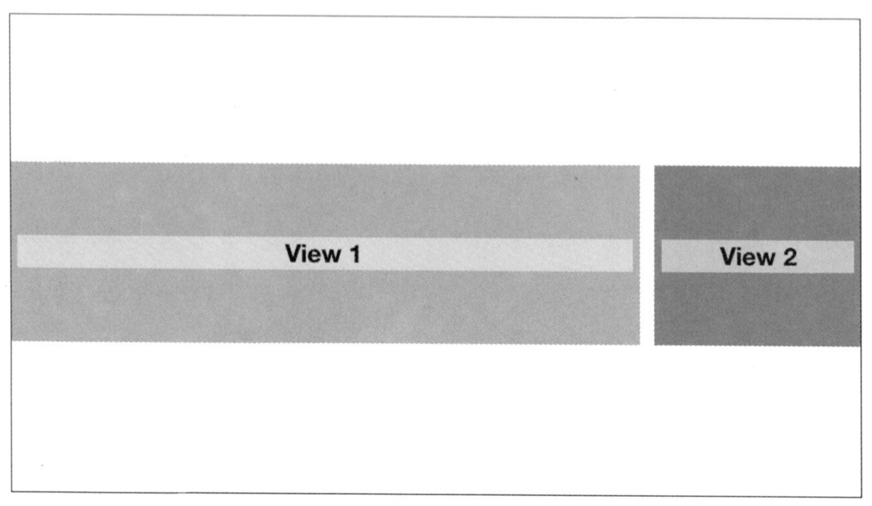

图 4-5 "H:|[view1]-[view2]|"告知所有视图紧贴父视图的边缘。在视图间使用一个固定大小的间隔，必须至少调整一个视图的尺寸来满足约束

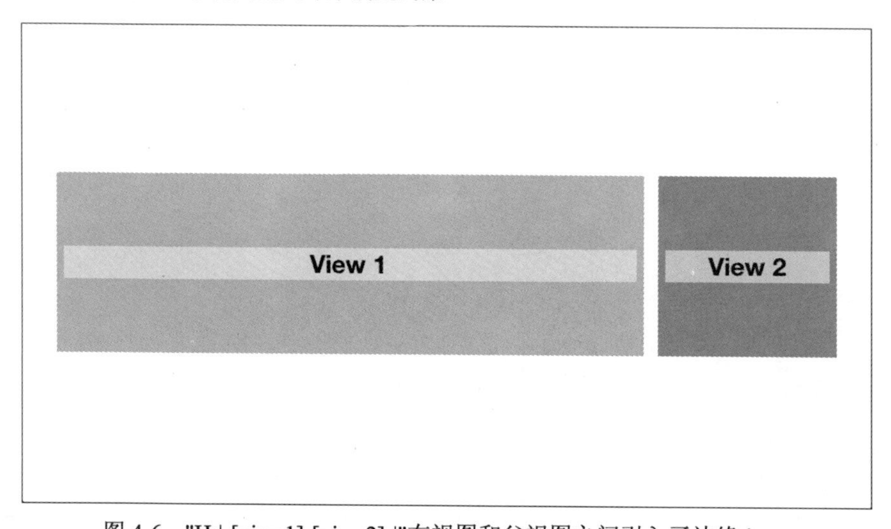

图 4-6 "H:|-[view1]-[view2]-|"在视图和父视图之间引入了边缘 inset

inset 为视图在视觉上留下空白的空间，允许它们从屏幕或者一个父窗口的边缘移开。如果需要内嵌一个非标准的间距，可以在一对连字符间指定一个数值(例如"H:[view2]-50-|")。

4.8.6 灵活间隔

如果目标是在视图间添加一个灵活间隔，同样也有办法。为两个视图添加一个关系规则(例如"H:|-[view1]-(>=0)-[view2]-|")，允许这两个视图保持它们的尺寸，在维护它们的边缘同父视图的间隔时将它们分离开来，如图 4-7 所示。

这个规则可以读作“至少 0 点间距”，提供了使视图分开的更灵活的方式。在此使用了一个很小的数值，这样就不会无意中干扰视图的其他几何规则。

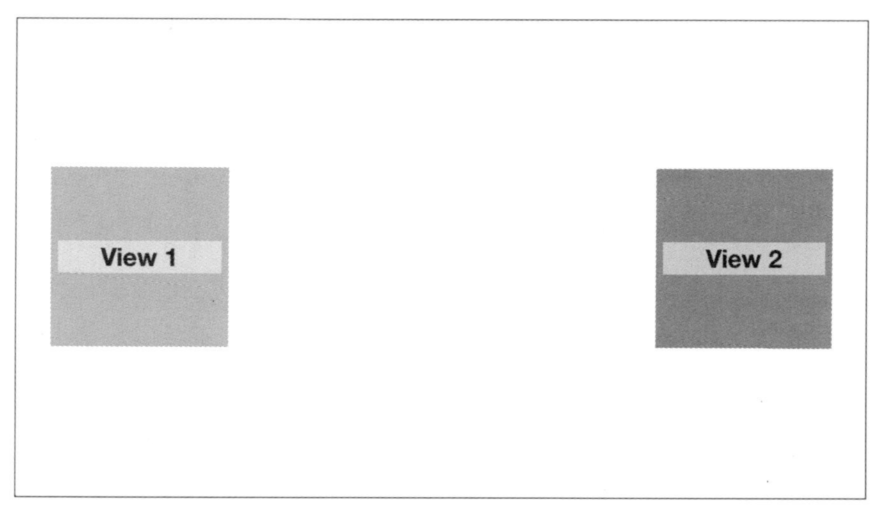

图 4-7　"H:|-[view1]-(>=0)-[view2]-|"在两个视图间使用一个灵活的间隔，允许它们在维护它们的尺寸时相互分离

当说“至少 50 点”(>=50)或者“不超过 30 点”(<=30)时，不能将距离和标准(Aqua)间隔结合起来。例如，说>=-或<=-是非法的。你只能使用等值数值。记住，标准的视图到视图间隔是 8 点，而视图到父视图间隔是 20 点。

4.8.7　圆括号

图4-7中使用的格式("H:|-[view1]-(>=0)-[view2]-|")和固定间隔格式(例如"H:|-[view1]-30-[view2]-|")在语法上存在一个重要的区别——为了清晰起见，关系(>=0)被放在一对括号中。括号将非简单的正数或者度量名的间隔区别开来。

在如何表达规则时，你对可视化约束有很大的灵活性。如下规则都实现两个相互毗邻的视图：

- [view1][view2]
- [view1]-0-[view2]
- [view1]-(0)-[view2]
- [view1]-(==0)-[view2]
- [view1]-(>=0,<=0)-[view2]
- [view1]-(==0@1000)-[view2]
- [view1]-(>=0,<=0,==0,<=30)-[view2]

当在括号中添加多个关系时，使用逗号分隔各项。符号@表示一个优先级，我们将会在4.8.9节中学习这一内容。

4.8.8　负数

必须为任何使用负数值的间隔加上括号。如下这些约束是非法的：

- V:[view1]--5-[view2]

- V:[view1]- -5-[view2]

由这些约束产生的错误如下。第一项抱怨符号“-”重复出现：

```
2013-01-31 18:52:27.735 HelloWorld[88684:c07] *** Terminating app due to
uncaught exception 'NSInvalidArgumentException', reason: 'Unable to parse
constraint format:
Cannot tell if this - is a minus sign or an accidental extra bar in the
connection. Use parentheses around negative numbers.
V:[v1]--5-[v2]
```

第二项捕获了负号前的间隔：

```
2013-01-31 18:53:18.756 HelloWorld[88713:c07] *** Terminating app due to
uncaught exception 'NSInvalidArgumentException', reason: 'Unable to parse
constraint format:
Expected a number or key from the metrics dictionary, but encountered
something else
V:[v1]- -5-[v2]
```

有一个合法的解决办法。下列约束说“将 View 2 的上边缘设置为高于 View 1 的下边缘 5 点”：

```
V:[view1]-(-5)-[view2]
```

负数常量在可视化约束中是允许的。

4.8.9 优先级

可以通过给格式字符串添加一个可选的值来设置布局请求的优先级。在任何连接或者尺寸规则后拼接一个@符号，@后面是一个想设置的优先级数值。

例如，在下面这个可视化格式中：

```
"H:|-5@20-[view1]-[view2]-|"
```

在父视图和 View 1 之间的第一个间隔请求的优先级被设置为 20，这是一个非常低的值。一般地，间隔规则优先级默认是必需的(值为 1000)，除非另有指定。

为了清楚起见，可以用括号将间隔请求括起来，尽管在本例中并不是特别必要：

```
"H:|-(5@20)-[view1]-[view2]-|"
```

因为将优先级降为了 20，所以两个视图改变尺寸的方式可能会影响布局。例如，如果视图很小，由于一个高的优先级，它们可能不会延伸到屏幕的左边。父视图尺寸变大时，它们可能会从屏幕左侧弹开。将它们链接到父视图左侧的规则可能不再足够重要，无法将视图的最左边的边缘钉住。

4.8.10 多视图

格式约束并不局限于一个或者两个视图，我们可以很容易地插入第 3 个、第 4 个或者更多的视图。考虑如下约束字符串：

```
"H:|-[view1]-[view2]-(>=8)-[view3]-|"
```

该约束加入了第 3 个视图，通过至少一个标准距离宽度的灵活间隔同另外两个视图隔离开来。图 4-8 显示了可能的样子。这个方法使你能够使用单个约束请求来同时确定整列或整行。

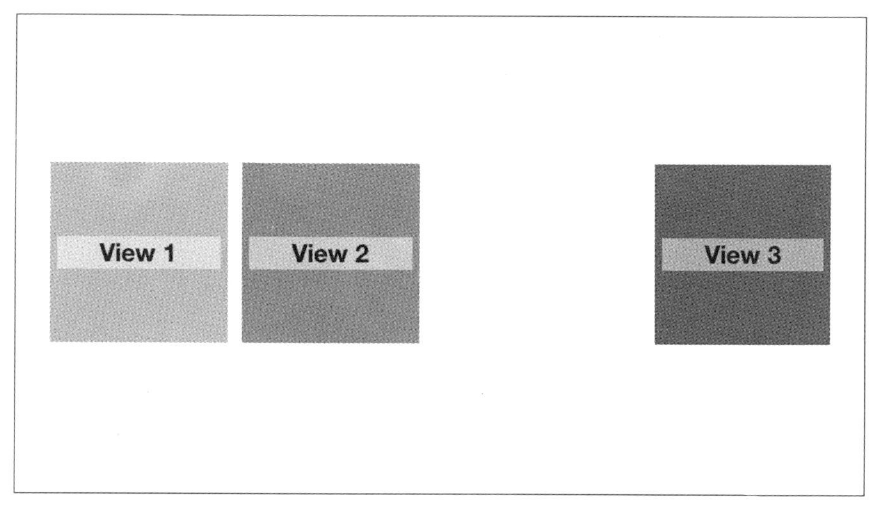

图 4-8　"H:|-[view1]-[view2]-(>=8)-[view3]-|"演示了一个引用 3 个视图的规则

4.9　视图尺寸

可视化约束格式语言除了可以用方括号分隔视图名称外，还可以在方括号中指定视图的尺寸。可以在名称之后的圆括号里指定尺寸值，例如：

- 可以指定一个视图的宽度为 120 点固定值：@"H:[view1(120)]"。如果你喜欢显式地说明关系，也可以添加这样的格式：@"H:[view1(==120)]"。
- 可以指定一个视图的宽度至少为 50 点，使用如下格式：@"H:[view1(>=50)]"。可以使用类似的方法使视图的尺寸在 50 和 70 点之间。正如间隔一样，使用逗号来分隔混合项："H:[view1(>=50,<=70)]"。
- 可以在尺寸请求中引用其他视图。例如，如下格式使 View 1 和 View 2 宽度一致："view1(view2)]"。如果将该尺寸请求添加到原先图 4-6 所示的格式中："H:|-[view1]-[view2]-|"，可以确保子视图尺寸相同，这修复了不对等的随机布局(也就是"H:|-[view1(view2)]-[view2]-|")。图 4-9 显示了更新后的结果。
  顺便提一句，因为约束是无方向的，所以可以自我引用。可以使用如下格式创建一个相等布局："H:|-[view1(view2)]- [view2(view1)]-|"，其中 View 1 和 View 2 一致，View 2 和 View 1 一致。循环定义不会产生性能损失。

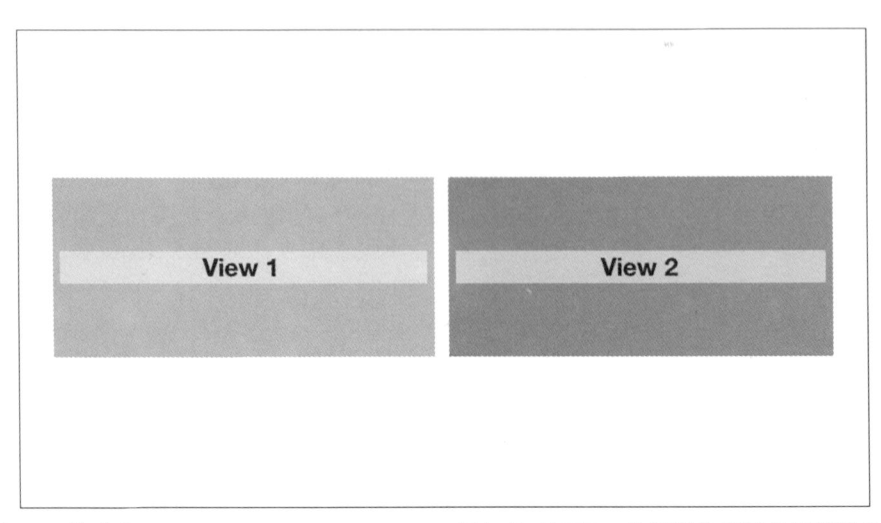

图 4-9　格式为"H:|-[view1(view2)]-[view2]-|"。添加尺寸匹配，确保所有视图有相等的宽度

- 不是所有视图都需要参与尺寸匹配。当在父视图上伸展所有 3 个视图时，接下来的一个请求围绕着一个基本视图创建侧翼视图：@"H:|-[view1(<=80)]-[view2]-[view3(view1)]-|"。该格式限制 View 1 的尺寸为 80 点，并使 View 3 与其大小一致，确保 View 2 伸展时占据剩余空间。图 4-10 显示了布局结果。

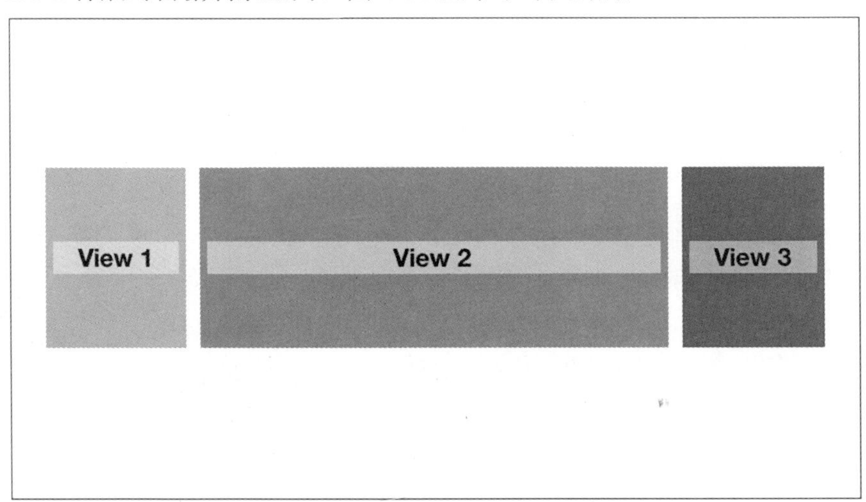

图 4-10　在"H:|-[view1(<=80)]-[view2]-[view3 (view1)]-|"格式下，两个外部视图尺寸一致，有一个最大宽度值，使没有确定尺寸的 View 2 可以延伸并占据剩余空间

- 视图尺寸也能够表示优先级。在格式字符串"H:|-[view1(==250@700)]-[view2(==250@701)]-|"中，View 1 和 View 2 都请求宽度为 250 点。View 2 获胜(如图 4-11 所示)，因为它的请求有更高的优先级。
- 尽管可以很容易地在代码中使用乘数来创建表达相对尺寸的约束，但是无法在可视化约束中那么做。这是一个非法约束："H:|-[view1(==2*view2)]-[view2]-|"。如果想要说“View 1 宽度为 View 2 的两倍”，就需要在代码中实现。

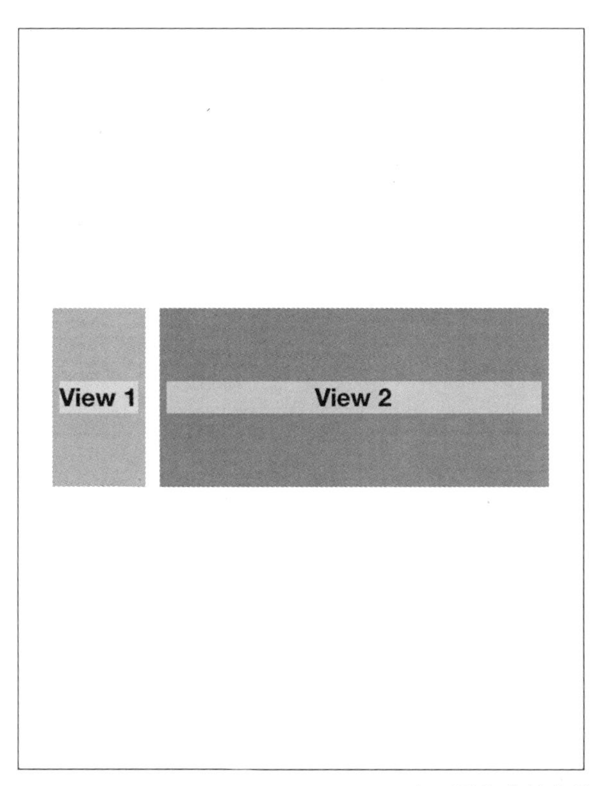

图 4-11　在"H:|-[view1(==250@700)]-[view2(==250@701)]-|"中，因为有较高的优先级，所以 View 2 的 250 点宽度请求获胜

4.10　格式字符串部件

表 4-2 总结了通过可视化格式创建布局约束时需要用到的一些部件。可以在使用逗号分隔的圆括号中将多个条件组合起来，例如(>=0, <=250)。

表 4-2　可视化格式字符串

类　型	格　式	示　例
水平或垂直放置	H: V:	V:[view1]-15-[view2] 将 View 2 放到其顶部距离 View 1 底部 15 点的位置
视图	[item]	[view1] 视图绑定字典将方括号所包围的名称同一个视图实例相匹配
父视图	|	H:|[view1]| 使 View 1 的宽度尺寸同父视图的一致
关系	== <= >=	H:[view1]-(>=20)-[view2] 使 View 2 的前缘距离 View 1 后缘至少 20 点

(续表)

<table>
<tr><th>类　型</th><th>格　式</th><th>示　例</th></tr>
<tr><td>度量</td><td>metric</td><td>H:[view1(<=someWidth)]V:[view1]-mySpacing-[view2]
度量是键。someWidth 和 mySpacing 必须在传递的度量字典中映射为 NSNumber 值</td></tr>
<tr><td>齐平对齐</td><td>[item][item]</td><td>H:[view1][view2]
使 View 1 的后缘同 View 2 的前缘齐平</td></tr>
<tr><td>灵活间隔</td><td>[item]-(>=0)-[item]</td><td>[view1]-(>=0)-[view2]
根据需要，视图可以伸展分离开，“至少分离 0 点”</td></tr>
<tr><td>固定间隔</td><td>[item]-gap-[item]</td><td>V:[view1]-20-[view2]
使 View 1 的底部距离 View 2 顶部 20 点</td></tr>
<tr><td>固定距离
(视图到视图)</td><td>[item]-[item]</td><td>[view1]-[view2]
在两个视图间留下一个小的固定空间(8 点)</td></tr>
<tr><td>固定宽度
或高度</td><td>[item(size)]
[item(==size)]</td><td>[view1(50)]
使 View 1 沿着某个坐标轴的范围刚好 50 点</td></tr>
<tr><td>最大和最小宽度/高度</td><td>[item(>=<i>size</i>)]
[item(<=<i>size</i>)]</td><td>[view1(>=50)][view1(<=50)]
限制 View 1 在某个坐标轴上的最大或者最小尺寸</td></tr>
<tr><td>同另一个视图匹配高度/宽度</td><td>[item(==item)]
[item(<=item)]
[item(>=item)]</td><td>[view1(==view2)]
使 View 1 沿着某个坐标轴的尺寸和 View 2 的一致</td></tr>
<tr><td>和父视图齐平对齐</td><td>|[item]
[item]|</td><td>V:|[view1]
使 View 1 的顶部和父视图顶部齐平</td></tr>
<tr><td>相对于父视图的 inset</td><td>|-[item]
[item]-|</td><td>|-[view1]
在某个坐标轴上，在父视图和 View 1 之间放置一个固定的间隔(20 点)</td></tr>
<tr><td>相对于父视图的自定义 inset</td><td>|-gap-[item]
[item]-gap-|</td><td>H:|-15-[view1]
将视图嵌入父视图，并使其距离父视图前缘 15 点</td></tr>
<tr><td>优先级
(从 0 到 1 000)</td><td>@value</td><td>[view1(<=50@20)]
设置 View 1 在某个坐标轴上的最大尺寸为 50 点，优先级为一个很低的值(20)</td></tr>
</table>

注意：

iOS 7 和 Xcode 5 引入了两个根据容器中的栏(状态栏、导航栏等)布局格式的属性。topLayoutGuide 和 bottomLayoutGuide 遵从 UILayoutSupport 协议，为视图可能延伸到栏下的视图控制器建立了偏移量。在写这本书的时候，必须将这些属性设为本地变量，才能在格式字符串中引用它们。

4.11 出错

Xcode 没有提供确保格式字符串有效性的编译器检查。一个糟糕的格式字符串会在运行时抛出异常。例如，可能忽略了一个冒号，如下所示：

```
2013-01-23 11:40:17.169 HelloWorld[35717:c07] *** Terminating app due to
uncaught exception 'NSInvalidArgumentException', reason: 'Unable to parse
constraint format:
Expected ':' after 'H' to specify horizontal arrangement
H|[view1]-[view2]
```

或者在视图声明后忘记闭合方括号了。在这种情况下，会出现一个较长的日志，试图尽可能地指导你如何修复错误，如下所示：

```
2013-01-23 11:41:35.897 HelloWorld[35750:c07] *** Terminating app due to
uncaught exception 'NSInvalidArgumentException', reason: 'Unable to parse
constraint format:
Expected a ']' here. That is how you give the end of a view.
H:|[view1-[view2]
```

常见的错误包括野字符或字符缺失、绑定字典中不存在的视图、度量值缺失、优先级无效。这些错误引起的异常说明了为什么要严格地全面检查和测试所有格式字符串。

4.12 NSLog 和可视化格式

在 NSLayoutConstraint 日志中任何可能的地方，Xcode 都添加了可视化格式表示。即使完全使用 IB 或者通过单独的约束实例创建约束，通过学习这种布局语言，你也会受益匪浅。下面是一个基于可视化格式的示例。我已经将可视化格式以及父视图竖线符(|)和它代表的视图(存储在内存地址 0x71c7f50 处)之间的绑定关系加粗显示：

```
2013-01-23 11:21:39.378 HelloWorld[35535:c07] <NSLayoutConstraint:
                                                        0x71cf290 H:|-
(55@20)-[TestView:0x71c8390] priority:20   (Names: '|':UIView:0x71c7f50)>
```

不是所有的约束都能使用可视化格式表示，即使那些可以表示的，也可能产生你意料之外的输出。考虑如下代码，它创建并打印了两个本质上完全相同的约束：

```
// This provides no visual format
NSLayoutConstraint *c = [NSLayoutConstraint
    constraintWithItem:view1
    attribute:NSLayoutAttributeBottom
    relatedBy:NSLayoutRelationEqual
    toItem:self.view
    attribute:NSLayoutAttributeBottom
    multiplier:1.0f constant:0.0f];
```

```
NSLog(@"%@", c);

// This basically identical constraint does.
c = [NSLayoutConstraint
    constraintWithItem:self.view
    attribute:NSLayoutAttributeBottom
    relatedBy:NSLayoutRelationEqual
    toItem:view1
    attribute:NSLayoutAttributeBottom
    multiplier:1.0f constant:0.0f];
NSLog(@"%@", c);
```

这两个约束的日志显示了不同之处。第一个日志显示了一个 *y R mx* + *b* 关系，第二个显示了一个可视化格式：

```
2013-01-23 11:55:08.961 HelloWorld[36083:c07] <NSLayoutConstraint:0x958c650
TestView:0x9566b30.bottom == UIView:0x9568790.bottom>
2013-01-23 11:55:08.962 HelloWorld[36083:c07] <NSLayoutConstraint:0x7565790
V:[TestView:0x9566b30]-(0)-|   (Names: '|':UIView:0x9568790 )>
```

预计在你的开发工作中会看到上述两种日志。为什么交换这两个视图的位置后会有所不同？这关系到 Apple 的具体实现，对我来说似乎有些不协调，可能你也这么觉得。

4.13 约束到父视图

可视化格式为视图回退条件提供了一个非常好的匹配，可以使用一系列的格式字符串代替代码来表示和实现那些边缘条件。可以在代码清单 4-1 中看到这一点，其中格式字符串增强了这些要求。

这个函数使用一个指定的优先级很简洁地将一个视图约束到它的父视图。for 循环在 4 个格式字符串中循环，每个字符串描述了一个视图边界：前两个保持视图在父视图的前缘和后缘之间，后两个使它在父视图的顶部和底部边缘之间。不等关系确保视图的边缘至少在那些边界之内，无须指定任何更进一步的位置。

这个函数使用相同的优先级添加了它的最小尺寸请求。你将这个最小尺寸作为函数的参数传入。例如，一个 40×40 或者 100×100 的视图在大多数界面中可以很容易地看到。

在调用该函数时，一般使用一个非常低的优先级，例如 1，为这个视图建立一组回退规则。这个函数命令这个视图必须出现在屏幕上，它必须要有一个容易看到的尺寸，那样视图便不会消失。你应当及早添加这些规则(例如在 loadView 或者 viewDidLoad 方法中)。

一个简单的 viewDidAppear:方法可以列出视图清单：

```
- (void) viewDidAppear:(BOOL)animated
{
    for (UIView *view in self.view.subviews)
        NSLog(@"View: %@", NSStringFromCGRect(view.frame));
}
```

你现在已经做好准备开始创建Auto Layout增强的界面，你不会遇到令很多Auto Layout新手烦恼的“视图丢失”问题。

代码清单 4-1　约束视图到它们的父视图

```
void constrainToSuperview(VIEW_CLASS *view,
    float minimumSize, NSUInteger priority)
{
    if (!view || !view.superview)
        return;

    for (NSString *format in @[
        @"H:|->=0@priority-[view(==minimumSize@priority)]",
        @"H:[view]->=0@priority-|",
        @"V:|->=0@priority-[view(==minimumSize@priority)]",
        @"V:[view]->=0@priority-|"])
    {
        NSArray *constraints = [NSLayoutConstraint
            constraintsWithVisualFormat:format options:0
            metrics: @{@"priority":@(priority),
                @"minimumSize":@(minimumSize)}
            views:@{@"view": view}];
        [view.superview addConstraints:constraints];
    }
}
```

4.14　视图拉伸

拉伸视图是另一个可通过可视化格式完成的常见的视图任务。代码清单 4-2 创建了一个函数，它将提供的视图向其父视图四周伸展，并保留一个指定的缩进。图 4-12 显示了由 4 个缩进层次依次递进的视图创建的界面。

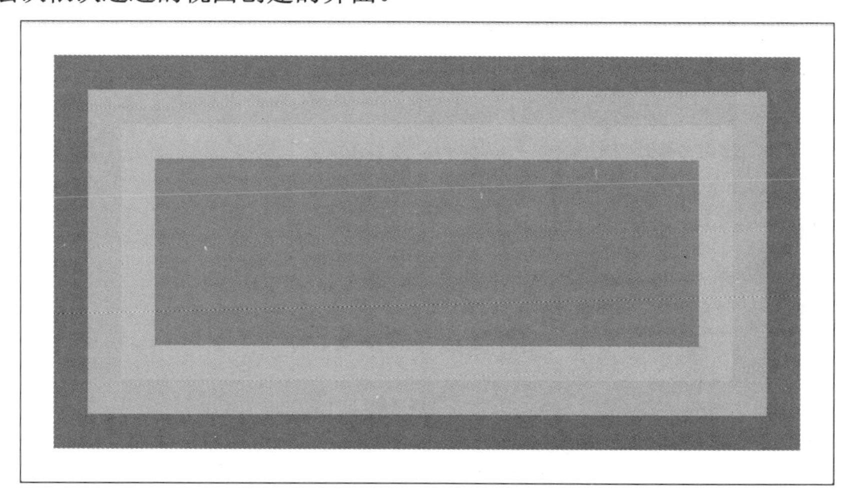

图 4-12　这些阶梯式视图通过可视化格式创建。阶梯式缩进表示将视图编号乘以 20 点值

像前面的示例一样，这个方法通过一个格式字符串数组创建约束，使用一个度量字典来指定缩进请求。尽管这个方法创建了垂直和水平拉伸规则，但也可以很容易地调整这个代码来适应每个坐标轴单独的请求。

代码清单 4-2　将视图向它们的父视图(边缘)拉伸

```
void stretchToSuperview(VIEW_CLASS *view,
    CGFloat indent, NSUInteger priority)
{
    for (NSString *format in @[
         @"H:|-indent-[view]-indent-|",
         @"V:|-indent-[view]-indent-|"
         ])
    {
        NSArray *constraints = [NSLayoutConstraint
            constraintsWithVisualFormat:format options:0
            metrics:@{@"indent":@(indent)} views:@{@"view": view}];
        for (NSLayoutConstraint *constraint in constraints)
        {
            constraint.priority = priority;
            [view.superview addConstraint:constraint];
        }
    }
}
```

4.15　约束尺寸

代码清单 4-3 使用可视化格式将一个视图约束为指定的尺寸值。可以选择一个范围从温和的建议一直到强烈的要求的优先级。这个方法添加了两个可视化约束并设置了它们准确的尺寸值。可以很容易地调整这个方法来支持最小和最大尺寸，只需要将两个字符串中的等值关系替换为不等值关系。如果要那么做，可以考虑创建一个私有的帮助函数来简洁地完成这项工作。这个代码对于所有 3 个任务都是相似的，即使有 3 个实体点，也只需要在一个地方创建它。如果想要获得一个完整的 API 经验，通常需要约束一个视图的宽度或者高度，而不影响其他方面。这个扩展留给读者作为一个练习。

代码清单 4-3　约束视图尺寸

```
void constrainViewSize(VIEW_CLASS *view,
    CGSize size, NSUInteger priority)
{
    NSDictionary *bindings =
        NSDictionaryOfVariableBindings(view);
    NSDictionary *metrics = @{
        @"width":@(size.width),
        @"height":@(size.height),
```

```
        @"priority":@(priority)};

    for (NSString *formatString in @[
        @"H:[view(==width@priority)]",
        @"V:[view(==height@priority)]",
        ])
    {
        NSArray *constraints = [NSLayoutConstraint
            constraintsWithVisualFormat:formatString
            options:0 metrics:metrics views:bindings];
        [view addConstraints:constraints];
    }
}
```

4.16　创建列或者行

代码清单4-4演示了如何通过一个视图数组创建一行或者一列(视图)。需要指定一个对齐选项、一个间隔和一个优先级。这个代码根据提供的对齐选项决定使用哪个坐标轴。对齐必定和坐标轴垂直，因此如果水平对齐，则垂直布局，诸如此类。

代码清单 4-4 中的函数创建了多对约束，依次迭代传入的视图数组。它根据计算的坐标轴和提供的间隔常量来创建布局。对于标准间隔，使用@"-"；对于没有间隔，使用@""。其他情况下，可以传入任何描述间隔该如何作用的字符串(例如@"->=15-")。

这个函数使用自定义的 install 方法，它在第 2 章中被第一次引入。它将每个约束安全地安装到它的固有目的地。

代码清单 4-4　将视图排成一条直线

```
#define IS_HORIZONTAL_ALIGNMENT(ALIGNMENT) \
    [@[@(NSLayoutFormatAlignAllLeft), @(NSLayoutFormatAlignAllRight),\
     @(NSLayoutFormatAlignAllLeading), @(NSLayoutFormatAlignAllTrailing),\
     @(NSLayoutFormatAlignAllCenterX)] containsObject:@(ALIGNMENT)]

void buildLineWithSpacing(NSArray *views, NSLayoutFormatOptions alignment,
    NSString *spacing, NSUInteger priority)
{
    if (views.count == 0)
        return;

    VIEW_CLASS *view1, *view2;

    // Calculate the axis and its string representation.
    // The axis is orthogonal to the requested alignment
    // eg, centerX alignment creates a column, and
    // trailing builds a row.
    BOOL axisIsH = IS_HORIZONTAL_ALIGNMENT(alignment);
    NSString *axisString = (axisIsH) ? @"H:" : @"V:";
```

```
    // Build the format
    NSString *format = [NSString
        stringWithFormat:@"%@[view1]%@[view2]",
        axisString, spacing];

    // Apply the format to view pairs
    for (int i = 1; i < views.count; i++)
    {
        view1 = views[i-1];
        view2 = views[i];
        NSDictionary *bindings =
            NSDictionaryOfVariableBindings(view1, view2);
        NSArray *constraints = [NSLayoutConstraint
            constraintsWithVisualFormat:format options:alignment
            metrics:nil views:bindings];
        for (NSLayoutConstraint *constraint in constraints)
            [constraint install:priority];
    }
}
```

4.17 匹配尺寸

代码清单 4-5 显示如何使用可视化格式来为一个视图数组中的所有成员匹配尺寸。它确保传入至少一个视图，然后将剩余的每个视图同第一个视图匹配。需要指定坐标轴，而函数应用可视化约束。

与代码清单 4-4 一样，这个函数使用第 2 章中的 install 方法，这是一种安装约束的安全方式。

代码清单 4-5 互相匹配视图尺寸

```
void matchSizes(NSArray *views,
    NSInteger axis, NSUInteger priority)
{
    if (views.count == 0)
        return;

    // Create the axis-appropriate format
    NSString *format = axis ?
        @"V:[view2(==view1@priority)]" :
        @"H:[view2(==view1@priority)]";

    // Iterate through the views
    VIEW_CLASS *view1 = views[0];
    for (int i = 1; i < views.count; i++)
    {
        VIEW_CLASS *view2 = views[i];
```

```
        NSArray *constraints = [NSLayoutConstraint
           constraintsWithVisualFormat:format options:0
           metrics:@{@"priority":@(priority)}
           views:NSDictionaryOfVariableBindings(view1, view2)];
        for (NSLayoutConstraint *constraint in constraints)
            [constraint install];
    }
}
```

4.18 为何不能分布视图

在当前约束系统下，无法沿着某个坐标轴等间隔地分布视图。添加一个"[A]-(>=0)-[B]-(>=0)-[C]"约束并不会如你所期望的那样，沿着某个坐标轴等间隔分布视图。基本的原因就在于每个约束同时只能引用两个视图。

等间隔或者分布规则必定至少引用 3 个对象。你不能说“View 1 和 View 2 之间的间隔等于 View 2 和 View 3 之间的间隔”，你也不能说明它们的前缘、顶端、中心或者其他几何属性的距离。在任何 NSLayoutConstraint 实例中不存在足够的引用来将规则包装成如下：

某种距离，类似 *A.center* + *distance* = *B.center* 和 *B.center* + *distance* = *C.center*

同样也不能声明使两个约束的 constant 属性相等的联立方程，例如：

```
A. center == B. center + spacer1;
B. center == C. center + spacer2;
spacer1 == spacer2
```

在 iOS 约束系统采用的 *y R mx* + *b* 格式中(*b* 偏移值必须已知，关系只存在于视图的属性之间)无法表示这些关系。你能做的最好的办法是计算你想让这些项相距多远，然后使用一个乘数和偏移值来手动地修正每个视图的位置。

然而，我提供了两个替代方案供你考虑。

4.18.1 伪分布视图(第 1 部分：等中心)

我的两个解决方案中的第一个是将父视图分为 *N* 个相等区域，*N* 代表视图的个数。它将每个视图的 center X 与它的区域中间对齐。

那正是一个很小的乘数发挥作用的地方。如代码清单 4-6 所示，使用一个函数计算沿着父视图延伸至(目标)区域中间的百分比面积，然后将它乘以(父视图的)“右边”属性(它等于沿着父视图的全距离)。

代码清单 4-6 通过等中心排列来分布视图

```
void pseudoDistributeCenters(
   NSArray *views, NSLayoutFormatOptions alignment,
```

```
    NSUInteger priority)
{
    if (!views.count)
        return;

    if (alignment == 0)
        return;

    // Check the alignment for vertical or horizontal placement
    BOOL horizontal = IS_HORIZONTAL_ALIGNMENT(alignment);

    // The placement is orthogonal to that alignment
    NSLayoutAttribute placementAttribute = horizontal ?
        NSLayoutAttributeCenterY : NSLayoutAttributeCenterX;
    NSLayoutAttribute endAttribute = horizontal ?
        NSLayoutAttributeBottom : NSLayoutAttributeRight;

    // Cast from NSLayoutFormatOptions to NSLayoutAttribute
    NSLayoutAttribute alignmentAttribute =
        attributeForAlignment(alignment);

    // Iterate through the views
    NSLayoutConstraint *constraint;
    for (int i = 0; i < views.count; i++)
    {
        VIEW_CLASS *view = views[i];

        // midway across each section
        CGFloat multiplier =
            ((CGFloat) i + 0.5) / ((CGFloat) views.count);

        // Install the item position
        constraint = [NSLayoutConstraint
                    constraintWithItem:view
                    attribute:placementAttribute
                    relatedBy:NSLayoutRelationEqual
                    toItem:view.superview
                    attribute:endAttribute
                    multiplier:multiplier
                    constant: 0];
        [constraint install:priority];

        // Install alignment
        constraint = [NSLayoutConstraint
                    constraintWithItem:views[0]
                    attribute:alignmentAttribute
                    relatedBy:NSLayoutRelationEqual
                    toItem: view
                    attribute:alignmentAttribute
                    multiplier:1
```

```
                    constant:0];
        [constraint install:priority];
    }
}
```

这个函数产生了一系列视图，它们的中心等同地分布。然而，视图之间的间隔却随每个视图的尺寸而不同。当所有视图尺寸一致时，产生等间隔的结果，看起来很不错，如图 4-13(a)所示。当尺寸不一致时，结果看起来有些奇怪，如图 4-13(b)的图像所示。视图到视图间的间隔不相等。

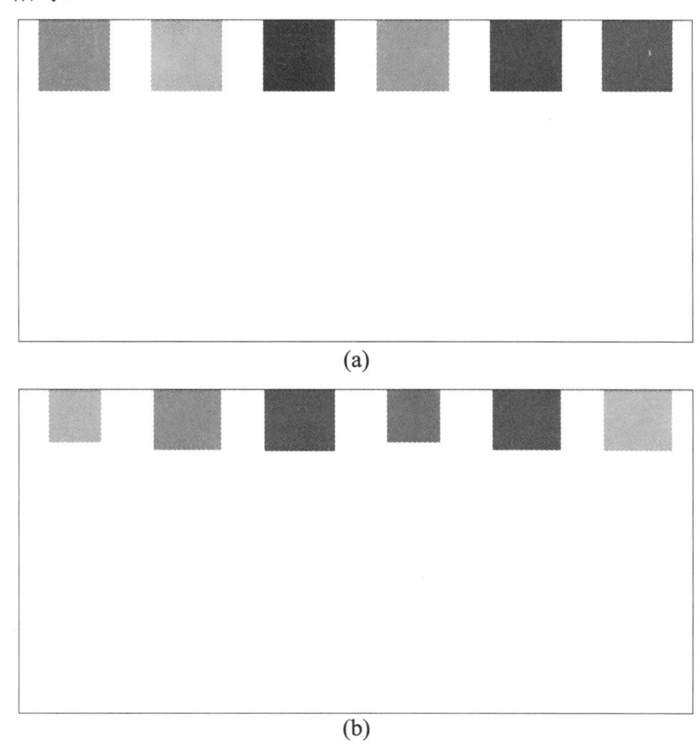

图 4-13　分布中心对于放置在整个共同父视图上的等尺寸视图效果还不错(a)。但当为不等尺寸视图分布中心时，间隔看起来变得有些奇怪(b)

这个代码使视图在父视图上完全地伸展开来。如果想要做些调整，则必须小心地处理乘数(设置一个不同的终点)和/或常量(设置起点)。这个关于数学的问题留给读者作为一个练习。

因此，为什么不直接使用 NSLayoutAttributeWidth？遗憾的是，只能关联一个位置属性和另一个位置属性。不能将它和一个尺寸属性关联，那样做会使应用程序崩溃，如下所示：

```
2013-01-26 23:45:59.739 HelloWorld[16073:c07] *** Terminating app due to
uncaught exception 'NSInvalidArgumentException', reason: '***
+[NSLayoutConstraint
constraintWithItem:attribute:relatedBy:toItem:attribute:multiplier:cons
tant:]: Invalid
pairing of layout attributes'
```

4.18.2 伪分布视图(第 2 部分：间隔视图)

一个比刚才所示更好的但是不太优雅的方案是在每个源视图间添加一系列的视图。如图 4-14 所示，它对于相同尺寸视图、不同尺寸视图，甚至那些第一个和最后一个成员已经被钉固到奇怪的地方的视图组都挺不错。通过添加间隔视图，便克服了前面描述的“没有关于间隔的规则”的问题。因为间隔本身是视图，所以可以增加建立视图间相似性的约束规则。

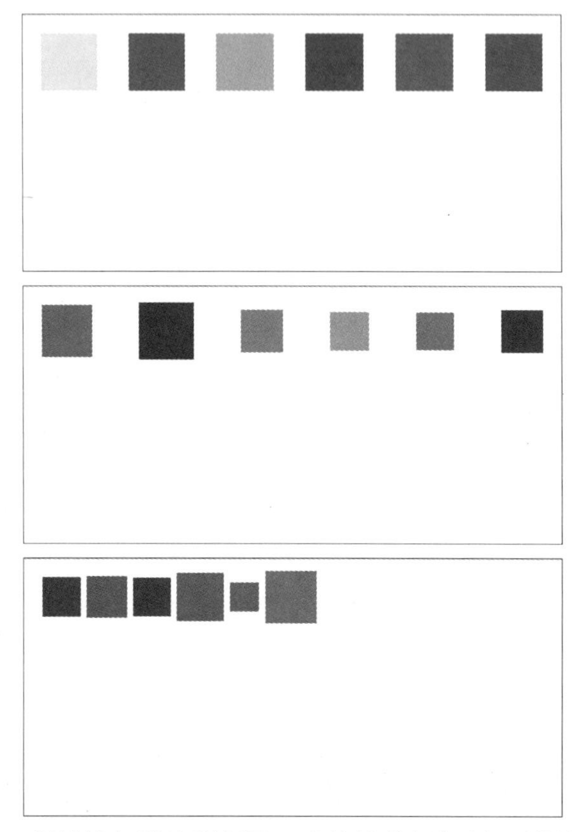

图 4-14 通过创建项间间隔视图，可以添加协调各个间隔的约束规则

代码清单 4-7 所示为增强该分布的代码。它创建了一个可任意处理的透明的视图间隔的数组。然后添加如下约束：

```
"[view1][spacer(==firstspacer)][view2]"
```

这些约束在每对视图之间添加间隔，匹配每个间隔视图的尺寸。这迫使每对视图之间分隔一个等量的间距。

该分布策略涉及一些应当在开发中思考的问题：

- 首先，布局是欠约束的。该函数未添加关于第一个和最后一个视图位置的规则。因此需要在代码的某个位置钉固那些视图。

- 其次，必须钉固第一个和最后一个视图。与代码清单 4-4 中有所不同，在最后一个视图钉固到合适位置前，这些间隔是部分指定的。
- 然后，它使用了很多需要跟踪的额外的视图。当设计在竖直和水平方向间改变或者需要重新布局视图时，这会变得特别令人讨厌。每个间隔视图扮演着一个特定的角色，不能只是随意地复用这些间隔。必须跟踪每个角色、跟踪实现它的间隔，以及将布局几何同特定的实例相关联。
- 最后，它天生比较脆弱。必须提供足够的空间来放置所有的视图，特别是当使用一个必需的优先级改变它们的尺寸大小时。如果所有视图和间隔的范围比可用的宽度(第一个视图的始边和最后一个视图的尾边之间)大，则 Auto Layout 就会替你打破约束。

通过调整约束优先级来解决脆弱问题。例如，如果视图可以调整尺寸占据宽松部分，就让它们这么做。如果视图是等尺寸的，那么可以通过向布局格式添加一个视图尺寸匹配规则，减少视图尺寸变化带来的影响：

```
"[view1][spacer(==firstspacer)][view2(==view1)]"
```

遗憾的是，如果视图尺寸不一致，则无法指定声明“调整每个视图到合适的尺寸大小”的规则。你必须接受一点，当遇到空间不足时，一些视图可能会出现明显、随机的收缩。

代码清单 4-7　添加间隔视图提供均等分布

```
void pseudoDistributeWithSpacers(
    VIEW_CLASS *superview, NSArray *views,
    NSLayoutFormatOptions alignment, NSUInteger priority)
{
    // Must pass views, superview, non-zero alignment
    if (!views.count) return;
    if (!superview) return;
    if (alignment == 0) return;

    // Build disposable spacers
    NSMutableArray *spacers = [NSMutableArray array];
    for (int i = 0; i < views.count; i++)
    {
        // Create a view, install it, and prepare for autolayout
        [spacers addObject:[[VIEW_CLASS alloc] init]];
        [spacers[i] setTranslatesAutoresizingMaskIntoConstraints:NO];
        [superview addSubview:spacers[i]];
    }

    BOOL horizontal = IS_HORIZONTAL_ALIGNMENT(alignment);
    VIEW_CLASS *firstspacer = spacers[0];

    // Structure format
    NSString *format = [NSString stringWithFormat:
```

```
        @"%@:[view1][spacer(==firstspacer)][view2]",
        horizontal ? @"V" : @"H"];

    // Lay out the row or column
    for (int i = 1; i < views.count; i++)
    {
        VIEW_CLASS *view1 = views[i-1];
        VIEW_CLASS *view2 = views[i];
        VIEW_CLASS *spacer = spacers[i-1];

        // Create bindings
        NSDictionary *bindings = NSDictionaryOfVariableBindings(
            view1, view2, spacer, firstspacer);

        // Build and install constraints
        NSArray *constraints = [NSLayoutConstraint
           constraintsWithVisualFormat:format
           options:alignment metrics:nil views:bindings];
        for (NSLayoutConstraint *constraint in constraints)
            [constraint install:priority];
    }
}
```

4.19 练习

阅读完本章后，通过下面的练习可以测试知识的掌握程度：

(1) 格式@"H:[view1]-[view2]"产生了多少约束？如果可选参数是NSLayoutFormatAlignAllBaseline，它产生多少约束？

(2) 格式@"H:[view1]"产生了多少约束？如果可选参数是NSLayoutFormatAlignAllTop，它产生多少约束？

(3) 已知格式字符串是@"H:[view1]-[view2]"。①将NSDictionaryOfVariable Bindings (view1, view2, view3, view4, view5)传给视图参数时会发生什么？②将NSDictionaryOfVariableBindings(view1, view3)传给视图参数时会发生什么？

(4) 如何请求一组视图对齐顶部和底部？

(5) 如何为垂直格式字符串(例如@"V:[view1][view2]")请求底部对齐？

(6) 可视化格式@"H:|-(50@100)-[view1(==320@200)]-(50@300)-|"在 320 点宽度的屏幕上的结果是什么？在 480 点宽度的屏幕上呢？

(7) 这个视图会有多宽：@"H:[view(>=20, <=10)]"？

(8) 描述一下约束@"H:|-(-20)-[view1(==50)]"产生的结果。

4.20　小结

本章介绍了 Auto Layout 基于文本的可视化格式语言。我们学会了这些格式的创建方式，看到了很多展现它们灵活性的示例。关于该技术在此还有一些最后的想法：

- 尽管可视化格式不如创建直接的 NSLayoutConstraint 实例那么细致，但是使用自解释的格式字符串，它们提供了简明表达的好处。可视化格式覆盖了足够多的主题，可以满足许多开发人员的轻量布局需求。
- 当对齐不是约束创建的必要部分时，它尽可能地帮助你压缩代码。当为可视化格式设置一个选项时，就建立了创建对齐约束所需的任何内容。
- 使用可视化格式创建的所有约束都有一个默认为 1 000(必需的)的优先级，除非你在文本中指定了其他值。如果发现由于仔细地对布局设定优先级，导致可读性下降，那么可以考虑切换到单个布局约束，来进行更直接的控制。
- 可视化约束在用于布局时更直观。相对于了解到文本框的前缘位于距离标签后缘右侧 8 点处，将这点转换为一个含若干个参数的调用，然后测试你是否一开始就得到了正确的参数顺序和常量的符号，指定@"H:[nameLabel]-[nameTextField]"要更容易一些。
- 可视化格式具有固有的灵活性，通常有若干种方法可以实现你的目标。正如在本章读到的，稍微不同的格式(例如-0-、-(0)-、-(==0)-)可以产生不同的约束，使你可以自定义个人风格的规则。

第 5 章

调 试 约 束

至此，你已经有所投入并且在项目里添加了约束。现在，事情要么不是朝着你所期望的方向发展，要么就是你看到了关于冲突约束的可怕错误。约束有时比较晦涩。你创建约束时使用的代码和界面文件并不易于细读。它只提供一些“有用的”Xcode 日志消息，这让一些开发者十分纠结。本章将专注并聚焦于底层约束。

你将深入地研究阅读日志、更容易地探究约束的各种全面透彻的方法。辅助函数将使你的代码更易于调试，并减少在诊断布局问题上的时间开销。你将发现一些新的思路，以减少检查、理解以及调试布局所带来的棘手问题。请继续阅读下面的内容，学习如何简化 Auto Layout 调试。

5.1 Xcode 反馈

Xcode 5 提供了贯穿界面创建始终的约束反馈。你将在开发、编译、运行期间收到重要的状态更新。你可以使用它们来诊断和修复布局问题。

5.1.1 开发反馈

在开发期间，Interface Builder(IB)提供了对故事板和 xib 布局状态的立即更新。如图 5-1 所示，画布和视图大纲中的约束颜色表示布局是如何起作用的。当看到橘黄色(歧义的)和红色(冲突的)项时，你就知道需要修复有问题的布局。你最终想要获得的目标颜色是蓝色。一个完全使用蓝色约束线绘制的界面是完全满足(约束)条件的。

在跳转栏的右上方，Issue Stepper(问题步进器)弹出列表列出当前的 Auto Layout 问题详情。图 5-1 中的列表警告该故事板中存在的框架问题和冲突约束。

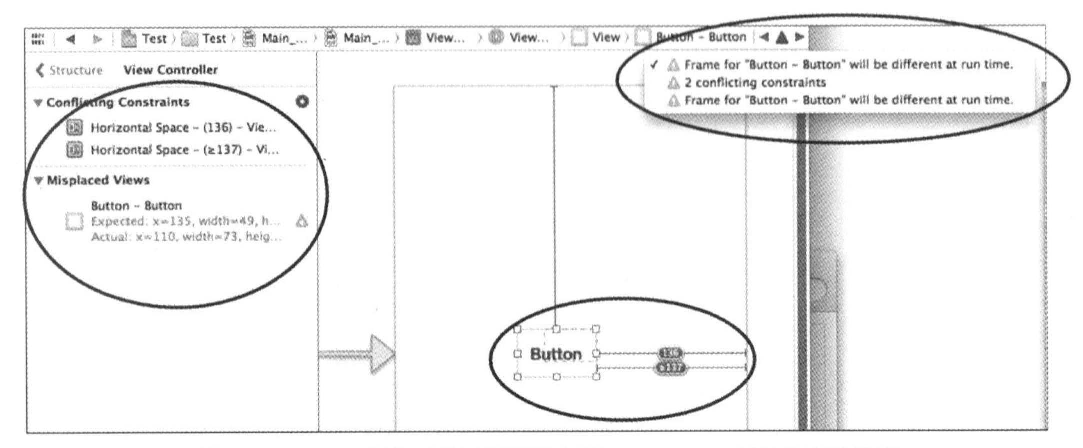

图 5-1　Xcode 5 提供了关于视图状态和 Auto Layout 下的约束的线索

每个故事板场景的问题窗格都会在大纲视图中呈现。可以通过单击与问题场景相关联的带圈箭头到达问题窗格。在此，IB 将逐一列出诸如冲突约束和错位视图之类的问题。

5.1.2　编译器反馈

如图 5-2 所示的问题导航器(Issue Navigator)列出了在编译期产生的错误和警告。在此，可以找到引起布局警告的各项。这些是在图 5-1 右上角的问题步进器中显示的设计时警告的镜像。

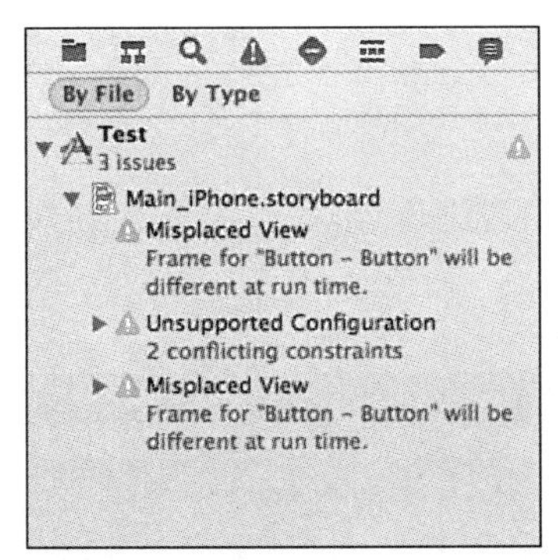

图 5-2　Xcode 的问题导航器列出了编译期的界面缺陷

选择一个警告，打开其关联的文件——在本例中是故事板，对于大多数警告，Xcode 在文件中都会高亮显示有问题的项。

5.1.3　运行时

在运行时，Xcode 工作区底部的调试控制台(如图 5-3 所示)提供了关于 Auto Layout 问题状态的实时反馈。在此，可以找到将源自故事板、xib 和基于代码的约束管理的问题高亮显示的更新。可以使用这些日志在应用中诊断和解决布局问题。

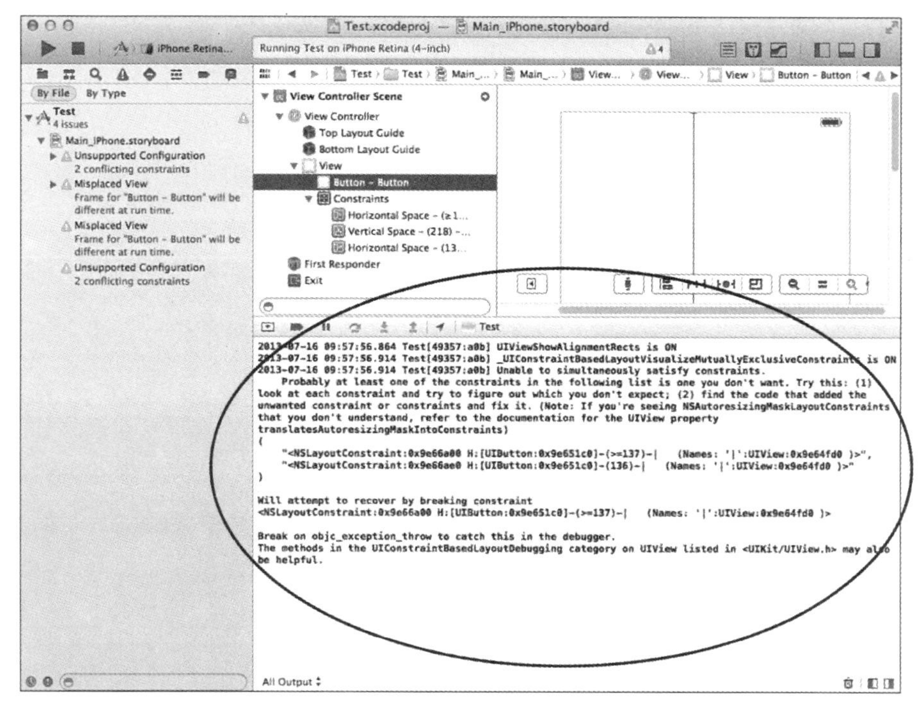

图 5-3　调试控制台显示运行时的 Auto Layout 反馈

5.2　阅读控制台日志

当使用编程方式添加约束时，遇到的最常见问题便是有歧义的和欠约束的布局。预计你会花些时间在 Xcode 调试控制台，当看到一大堆以“Unable to simultaneously satisfy constraints.”开头的输出信息时请不要惊讶。

Auto Layout 在运行时尽力让你知道哪些约束无法被满足，哪些约束它不得不打破以继续执行下去。它往往会提供一个建议的约束清单，你应当对其评估以确定是哪个项引起该问题的。

本节介绍两个常见的冲突情形，并解释控制台提供的信息。

5.2.1　示例：自动尺寸调整问题

示例 5-1 中的控制台输出，应当是一个可以在调试控制台中看到的典型示例。它显示了一个常见的 Auto Layout 消息。笔者已经加粗显示了有关部分。

示例 5-1　Autosizing 控制台输出

2013-01-31 08:57:42.184 HelloWorld[81805:c07] **Unable to simultaneously satisfy constraints.**
　　Probably at least one of the constraints in the following list is one you don't want. Try this: (1) look at each constraint and try to figure out which you don't expect; (2) find the code that added the unwanted constraint or constraints and fix it. (Note: If you're seeing

```
NSAutoresizingMaskLayoutConstraints that you don't understand, refer to the
documentation for the UIView property
translatesAutoresizingMaskIntoConstraints)
    (
        "<NSAutoresizingMaskLayoutConstraint:0x750f280 h=--& v=--&
H:[UIView:0x7507860(320)]>",
        "<NSAutoresizingMaskLayoutConstraint:0x750d860 h=--& v=--&
UILabel:0x7507c70.midX == + 50>",
        "<NSLayoutConstraint:0x7509c20 UILabel:0x7507c70.centerX ==
UIView:0x7507860.centerX>"
    )

    Will attempt to recover by breaking constraint
    <NSLayoutConstraint:0x7509c20 UILabel:0x7507c70.centerX ==
UIView:0x7507860.centerX>
    Break on objc_exception_throw to catch this in the debugger.

    The methods in the UIConstraintBasedLayoutDebugging category on UIView
listed in <UIKit/UIView.h> may also be helpful.
```

如下是这个输出信息的分段解说：

- 日志以一个抱怨开始。在本例中，问题是不可满足。Auto Layout 无法同时满足所有当前添加到系统的约束。
- 一个提供信息的消息告诉你该做些什么来解决该问题。这里，你被告知要去检查一个约束清单，并确定可能是哪个约束导致了问题。
- 接着，你会看到候选问题清单。每个约束的完整描述解释了其在界面中的作用。
- 有时候，Auto Layout 系统会采取动作。接下来的部分解释所采取的是哪个动作。在本例中，Auto Layout 企图通过打破某个约束来恢复。它告诉你哪个约束受到了影响。在本例中，是居中约束。
- 最后，你可以去查阅可能帮助你的任何更有用的文档或者 API。

5.2.2 解决方案：关闭自动尺寸调整转换

仔细查看有问题的约束的清单。在示例 5-2 中，有 3 个。笔者高亮显示了每项的开头，它们指定了项的类。其中的两个约束属于 NSAutoresizingMaskLayoutConstraint 类，另一个属于 NSLayoutConstraint 类。在此可以应用 Auto Layout 调试规则 1。

> **Auto Layout 调试规则 1**
>
> 当看到在控制台输出中列出 autoresizing 约束时，选中 translatesAutoresizingMaskIntoConstraints属性。你可能已经忘记为一个或多个视图关闭该设置了。

在示例 5-1 中，事实上，笔者向视图添加了一个 UILabel 实例，并使用 Auto Layout 约束居中，如下：

```
UILabel *label = [self createLabel]; // Create label
[self.view addSubview:label]; // Add to view
centerView(label, 1000); // Add Auto Layout centering
```

然而，笔者没有通过关闭 translation 属性来为 Auto Layout 做准备。translation 属性默认为 YES。Auto Layout 看到了这点，为标签创建了 Autosizing 约束。这被表达为一对布局约束(0x750f280 和 0x750d860)。

这些约束与笔者创建并添加的 Auto Layout 约束(0x7509c20)发生了冲突。这个视图企图同时存在于 Autosizing 和 Auto Layout 中。这就是问题发生的原因。为修复该情况，我关闭了 translate 属性：

```
label.translatesAutoresizingMaskIntoConstraints = NO
```

完成这一操作之后，应用恢复了，并且如所期望的那样运行。

你可能会发现使用一个 Auto Layout 准备宏会比较有用，当你创建一个新的视图时，便无须记住这么长的属性名字：

```
#define PREPCONSTRAINTS(VIEW) \
   [VIEW setTranslatesAutoresizingMaskIntoConstraints:NO]
```

5.2.3 示例：Auto Layout 冲突

规则冲突是另一个常见的 Auto Layout 场景。你的必需的约束可能相互冲突，如示例 5-2 所示。这个控制台输出显示两个布局约束间存在的一个不匹配，Auto Layout 打破其中一个使程序继续下去。

示例 5-2 冲突的约束规则

```
2013-01-31 09:35:26.157 HelloWorld[82130:c07] Unable to simultaneously
satisfy constraints.
        Probably at least one of the constraints in the following list is one
you don't want. Try this: (1) look at each constraint and try to figure out which
you don't expect; (2) find the code that added the unwanted constraint or
constraints and fix it. (Note: If you're seeing
NSAutoresizingMaskLayoutConstraints that you don't understand, refer to the
documentation for the UIView property translatesAutoresizingMaskIntoConstraints)
(
    "<NSLayoutConstraint:0x714e500 H:|-(80)-[UILabel:0x714bf30]   (Names:
'|':UIView:0x714bb20 )>",
    "<NSLayoutConstraint:0x714e200 H:|-(50)-[UILabel:0x714bf30]   (Names:
'|':UIView:0x714bb20 )>"
)

Will attempt to recover by breaking constraint
<NSLayoutConstraint:0x714e500 H:|-(80)-[UILabel:0x714bf30]   (Names:
'|':UIView:0x714bb20 )>

Break on objc_exception_throw to catch this in the debugger.
```

```
    The methods in the UIConstraintBasedLayoutDebugging category on UIView
listed in <UIKit/UIView.h> may also be helpful.
```

5.2.4 解决方案：调整优先级

Auto Layout 经常面临选择。当两个约束相冲突时，它可能要通过打破其中一个来恢复。在此可以应用 Auto Layout 调试规则 2。

> **Auto Layout 调试规则 2**
> 约束绝不能相互冲突。两个必需的约束无法要求 Auto Layout 同时去做不一致的事情。尝试移除约束或者调整优先级来解决该冲突。

示例 5-2 中的加粗项提示存在潜在的问题。在这个情景中，笔者添加了一个标签，然后告诉标签移到距离父视图前缘 50 点和 80 点的位置：

```
UILabel *label = [self createLabel]; // create label
[self.view addSubview:label]; // add it
pin(label, @"H:|-50-[view]"); // Place it 50 points in
pin(label, @"H:|-80-[view]"); // Place it 80 points in
```

钉固函数为每个约束添加了一个必需的(1000)优先级。这创建了一个不可满足的系统。所有规则都是必需的，但是它们相互冲突。你可以通过使用其中一种方式：原子法或者平衡规则，来满足这类冲突。

5.2.5 原子法

原子法是两种方式中较简单的一种。当两个约束相冲突时，可以将其中之一“杀死”。只要删除其中一个约束，就能立即解决不一致的问题。

这是在任何你不想让两个约束相互矛盾的界面上的最佳方案。例如，你可能遇到这种情形：你的代码与 IB 引入的布局发生抵触。或者你可能在调整你的代码时，忘记移除较早的布局请求。在这两种情形中，无关约束将摆脱你布局的控制。

约束应当时刻忠实地表述你当前的设计意图。你应当检查正在应用的约束，移除任何你找到的“野约束”。IB 生成的约束也并非神圣的东西。你可以坚定地、自信地删除任何挡在你和一个非常棒的界面之间的规则。

5.2.6 平衡法

第二种方法，平衡法，涉及更多的细微差别。当两个规则相互对立运行，并且都是必需的时，请移除需求，而不是移除规则。调整一个或者两个规则的优先级，直到得到满意的 Auto Layout。

在本例中，实际上是想让这个 50 点偏移量充当一个回退优先级。它的作用是确保标签会有一系列位置可以移动，假如 80 点的偏移值不存在。降低 50 点偏移值的优先级使所有规则和平相处，这样便解决了冲突问题。

如果约束同时都在适当的位置，可以通过移除将按钮钉固在 80 点偏移值位置的规则，使按钮动起来。当必需的约束不存在时，Auto Layout 表示另一个规则，按钮可以移动到一个明确的次要布局位置。

5.2.7 追踪歧义

Auto Layout 为 iOS 提供了一个未文档化的跟踪特性，它可以扫描整个视图层次结构来寻找歧义布局问题。_autolayoutTrace 方法沿着视图层次树向下，标记任何关心的项。你在主窗口(key window)上调用它(虽然它对层次结构上的几乎任何视图都可用)，然后它报告一个完整的歧义追踪。

你可以在代码中执行追踪，尽管原因显而易见，也不应当省略引用该方法的代码：

```
NSLog(@"%@", [[[UIApplication sharedApplication] keyWindow]
   performSelector:@selector(_autolayoutTrace)]);
```

或者在调试窗口中，可以使用如下代码：

```
(lldb) po [[UIWindow keyWindow] _autolayoutTrace];
$0 = 0x075795f0
*<UIWindow:0x7684a60>
|   *<UILayoutContainerView:0x8ab6300>
|   |   *<UINavigationTransitionView:0x8ab8bb0>
|   |   |   *<UIViewControllerWrapperView:0x719cd90>
|   |   |   |   *<UIView:0x7197c50>
|   |   |   |   |   *<UILabel:0x71980b0> - AMBIGUOUS LAYOUT
|   |   <UINavigationBar:0x8ab6590>
|   |   |   <_UINavigationBarBackground:0x8ab6250>
|   |   |   |   <UIImageView:0x8ab7110>
|   |   |   <UINavigationItemView:0x8ab96e0>
|   |   |   <UINavigationButton:0x719b0b0>
|   |   |   |   <UIImageView:0xea82380>
|   |   |   |   <UIButtonLabel:0x719bae0>
```

这个追踪可以很容易地找到示例 5-2 中潜在的、引起麻烦的标签。

5.3 检查约束日志

Auto Layout 控制台输出是自记录的，当你知道要寻找什么时可以使用它。这是另一个调试规则的基础。

> **Auto Layout 调试规则 3**
>
> 每个记录的约束都会告诉你它做了什么。你对日志了解得越充分，就越容易识别出约束并将它们与编码工作相关联。

下面几节提供了约束日志的示例，并解释了你通常会遇到的典型约束。

5.3.1 示例：对齐约束

示例 5-3 显示了一个基本的对齐约束。它是你可能在日志中遇到的典型的一种。

示例 5-3 一个约束日志

```
<NSLayoutConstraint:0x8a64de0 V:|-(0)-[UIView:0x8a64300]
    (Names: '|':UIView:0x8a422f0 )>
```

如下是当你看到这个控制台输出时，应当考虑的一些注意点：

- 每个列出的约束均以它的类名开始。直接创建的所有约束都属于 NSLayoutConstraint 类，尽管你可能会看到控制台输出中提及的其他类。当发生这种情况时，请尝试去找出为什么那些约束会被创建，为什么你的约束会和它们相冲突。
- 内存地址问题。内存地址帮助辨别实例，充当别的相似对象的内置名字。示例 5-3 中约束的地址为 0x8a64de0。
- 每个约束均提供了一个自我描述。这个示例使用一个可视化格式来解释它的作用，在此对它进行了加粗显示。这个格式揭示该约束将一个视图实例(0x8a64300)的顶部和它的父视图(0x8a422f0)齐平对齐。而一些自我描述是基于约束等式的。
- 日志的 Names 部分出现在圆括号中，紧跟在可视化格式之后。你将在父视图到视图的可视化描述中看到这一点。这个示例演示的是这个父视图(0x8a422f0)和它在可视化格式中的引用(‘|’)之间的一个绑定。
- Names 字典可能使 Auto Layout 开发新手感到困惑。它的存在是因为可视化格式中的单个竖线符无法将父视图同一个特定的实例，以及该实例的内存引用关联起来。字典添加在表示那个绑定的格式之后。

5.3.2 示例：标准间隔

NSSpace 实体(如示例5-4所示)指的是标准间隔，明确地说，就是父视图中20点的 inset 和视图间8点的边界。通过在格式中使用连字间隔来创建它，或在 IB 中选中 standard constant 来创建它。可以通过使用连字符支持的格式生成布局，便能亲眼见到这一点，例如“H:|-[view]”和“V:[view1]- [view2]”，然后记录返回的约束。

示例 5-4 一个源自 IB 的约束

```
<NSLayoutConstraint:0x10c3fbf0 H:[UIRoundedRectButton:0x10c3d530]-
    (NSSpace(20))-|(Names: '|':UIView:0x10c3bc20 )>
```

5.3.3 示例：基于等式的约束

不是所有的约束在记录时都提供一个可视化格式。以示例 5-5 为例，该约束将一个按钮和一个标签垂直居中对齐。这个关系无法使用一个可视化格式来表示，输出日志使用一个数学表示来代替。基于等式的约束列表不使用 Names 绑定字典。

示例 5-5　一个约束等式

```
<NSLayoutConstraint:0x10c3fc30
    UIRoundedRectButton:0x10c3d530.centerY ==
    UILabel:0x10c3e830.centerY>
```

5.3.4　示例：复杂等式

示例 5-6 向我们展示了一个约束的控制台输出，该约束将视图的宽度限制为它父视图宽度一半。正如你所见，它的描述包括了一点额外的数学知识，在等式中使用了一个乘数。

示例 5-6　一个带乘数的等式

```
<NSLayoutConstraint:0x7534dc0 UIView:0x7533780.width ==
    0.5*UIView:0x75334e0.width>
```

可以使用代码创建这个约束，但是无法在 IB 中创建一个与之相当的约束。IB 不提供乘数。这是一个源自代码的布局所提供的那种表示的示例。

无论何时与纵横比和比例尺寸打交道，都会遇到乘数。示例 5-6 中的约束来自一个笔者创建的，向视图添加格子挡板的函数，如图 5-4 所示。这些挡板由两个视图组成，每个都着上了浅灰色。一个视图覆盖父视图垂直方向上的左半侧，另一个覆盖水平方向上的下半侧。深灰色部分显示的是两个视图的重叠区域。

图 5-4　示例 5-6 中所示的约束数学使得两个重叠的背景视图构成一个栅格。两个子视图分别延伸至父视图水平方向和垂直方向上的一半区域。一个视图出现左半屏，而另一个出现下半屏。它们重叠的区域呈深灰色

每个背景视图均被设为紧贴父视图的边缘(分别为左边和底边)，在一个方向上(分别为垂直和水平方向)完全伸展，在另一个方向上伸展到一半。乘数(multiplier)，在某些文档中也叫系数(coefficient)，限制着与其他视图的关联。

5.3.5 示例：乘数和常数

我不愿在尚未演示一个常数的示例(它也是打印出的等式一部分的)的时候，就结束这部分的讲解。调整示例 5-6 中的约束即可创建示例 5-7 的控制台输出。在此，已向创建比例尺寸的规则添加了一个 20 点的间隔。这些结果和图 5-4 中的那些结果没有实质性的差别，除了左边背景的宽度比右侧的略微宽一点之外。

示例 5-7　一个带乘数和常数的约束

```
<NSLayoutConstraint:0x754d2c0 UIView:0x754cd10.width ==
   0.5*UIView:0x754b390.width + 20>
```

说实话，应当提及一点：需要在约束中包含一个乘数和常数的情况非常少。提出一个使用这种方式进行最佳描述的物理布局示例即耗时又困难。这点相当正确，因为就父视图的属性而言，无法描述常数。因此，尽管你可能只想将半个尺寸视图横放在父视图上四分之一的位置，但为此，你仍需要添加两个约束：一个设置它的尺寸大小，另一个定位它的边缘。

如果你想到了一个合理的应用(我能够想到的最好的应用是使用多个前缘与父视图之间有一个固定填充的子视图)，请务必给我写一封信，让我知道。

5.4 布局数学中的一个注意点

苹果公司建议尽可能使用可视化格式是有原因的。在此有一个演示为何这么做的示例。先来看一下这个可视化格式：@"V:[view1]-50-[view2]"。现在，请尽快作答，在如下 4 个规则中，哪个规则描述了相同的约束？

答案 1：

```
[NSLayoutConstraint
   constraintWithItem:view1
   attribute:NSLayoutAttributeBottom
   relatedBy:NSLayoutRelationEqual
   toItem:view2
   attribute:NSLayoutAttributeTop
   multiplier:1 constant:50]
```

答案 2：

```
[NSLayoutConstraint
   constraintWithItem:view1
   attribute:NSLayoutAttributeBottom
   relatedBy:NSLayoutRelationEqual
   toItem:view2
   attribute:NSLayoutAttributeTop
   multiplier:1 constant:-50]
```

答案3：

```
[NSLayoutConstraint
   constraintWithItem:view2
   attribute:NSLayoutAttributeTop
   relatedBy:NSLayoutRelationEqual
   toItem:view1
   attribute:NSLayoutAttributeBottom
   multiplier:1 constant:50]
```

答案4：

```
[NSLayoutConstraint
   constraintWithItem:view2
   attribute:NSLayoutAttributeTop
   relatedBy:NSLayoutRelationEqual
   toItem:view1
   attribute:NSLayoutAttributeBottom
   multiplier:1 constant:-50]
```

答案2和3是正确的。它们都描述了View2的顶部开始于View1底部末端处50点之后的地方。正如在第2章中讨论的，如果想让常数始终为正值，需要使leading、left或top属性项作为firstItem，使trailing、right或bottom属性项作为secondItem。

在直接处理项时，由于不直观的流程，会出现一个常见的问题——符号错误。无论何时，尽可能为视图布局使用可视化格式。如果必须使用项，可以开发和调试一个可复用函数或方法，或者可以实现那个布局的宏。这引出了另一个调试规则。

> **Auto Layout 调试规则 4**
>
> 当使用项替代格式创建布局时，请务必严格检查数学逻辑。这是很容易改变常数符号的做法。如果可能，就使用格式吧。

5.5 约束等式字符串

为提高个人日志的清晰度，笔者喜欢能够随时按需创建任意约束的字符串表示。我偏好使用一个和每个约束的description或者debugdescription没有关联的描述，以及一个可以根据需要再次利用的描述。

代码清单5-1将约束实例转换为简单、整洁的数学表示。它的stringValue方法描述了存储在每个约束实例中的代数学，以创建一个解释性的字符串。如下是一些示例：

```
<UIView:0x987a640>.leading == <UIButton:0x987a530>.trailing + 8.0
<UIButton:0x987a530>.centerY <= <UIView:0x987a640>.centerY
<UIView:0x714a040>.height == 20.0
<UIView:0x8b50f80>.width == <UIView:0x8b50ce0>.width * 0.5
```

这些描述的创建很机械。类方法将属性和关系属性转换为字符串。stringValue 方法使用这些字符串，拼接任何乘数和常数。最后，你得到了一个每个约束的、易读的、可随时获取的描述。

代码清单 5-1　以字符串的形式描述约束关系

```
// Transform the attribute to a string
+ (NSString *) nameForLayoutAttribute: (NSLayoutAttribute) anAttribute
{
    switch (anAttribute)
    {
        case NSLayoutAttributeLeft: return @"left";
        case NSLayoutAttributeRight: return @"right";
        case NSLayoutAttributeTop: return @"top";
        case NSLayoutAttributeBottom: return @"bottom";
        case NSLayoutAttributeLeading: return @"leading";
        case NSLayoutAttributeTrailing: return @"trailing";
        case NSLayoutAttributeWidth: return @"width";
        case NSLayoutAttributeHeight: return @"height";
        case NSLayoutAttributeCenterX: return @"centerX";
        case NSLayoutAttributeCenterY: return @"centerY";
        case NSLayoutAttributeBaseline: return @"baseline";
        case NSLayoutAttributeNotAnAttribute:
        default: return @"not-an-attribute";
    }
}

// Transform the relation to a string
+ (NSString *) nameForLayoutRelation: (NSLayoutRelation) aRelation
{
    switch (aRelation)
    {
        case NSLayoutRelationLessThanOrEqual: return @"<=";
        case NSLayoutRelationEqual: return @"==";
        case NSLayoutRelationGreaterThanOrEqual: return @">=";
        default: return @"not-a-relation";
    }
}

// Represent the constraint as a string
- (NSString *) stringValue
{
    if (!self.firstItem)
        return nil;

    // Establish firstView.firstAttribute
    NSString *firstView = self.firstView.objectName;
    NSString *firstAttribute = [NSLayoutConstraint
        nameForLayoutAttribute:self.firstAttribute];
```

```
    NSString *firstString = [NSString stringWithFormat:@"<%@>.%@",
        firstView, firstAttribute];

    // Relation
    NSString *relationString =
        [NSLayoutConstraint nameForLayoutRelation:self.relation];

    // Handle Unary Constraints
    if (self.isUnary)
        return [NSString stringWithFormat: @"%@ %@ %0.01f",
                firstString, relationString, self.constant];

    // Establish secondView.secondAttribute
    NSString *secondView = self.secondView.objectName;
    NSString *secondAttribute = [NSLayoutConstraint
        nameForLayoutAttribute:self.secondAttribute];
    NSString *secondString = [NSString stringWithFormat:
        @"<%@>.%@", secondView, secondAttribute];

    // Initialize right-hand side string
    NSString *rhsRepresentation = secondString;

    // Add multiplier
    if (self.multiplier != 1.0f)
        rhsRepresentation = [NSString stringWithFormat:
            @"%@ * %0.1f", rhsRepresentation, self.multiplier];

    // Initialize constant
    NSString *constantString = @"";

    // Positive constant
    if (self.constant > 0.0f)
        constantString =
            [NSString stringWithFormat:@"+ %0.1f", self.constant];

    // Negative constant
    if (self.constant < 0.0f)
        constantString =
            [NSString stringWithFormat:@"- %0.1f", fabs(self.constant)];

    // Append constant
    if (self.constant != 0.0f)
        rhsRepresentation = [NSString stringWithFormat:@"%@ %@",
            rhsRepresentation, constantString];

    return [NSString stringWithFormat:@"%@ %@ %@",
        firstString, relationString, rhsRepresentation];
}
```

5.6 添加名称

使用内存地址是一种古老而又快速的方式，特别是当它们是唯一识别你当前正在使用的是哪个对象的途径时。遗憾的是，iOS 不支持 NSUserInterfaceItemIdentification 协议。这是一个 OS X 独有的特性，它可以给任何对象添加一个自定义的标识属性。它支持你为来自代码或者 IB 的对象贴上标签，正如第 3 章中讨论的那样，增强 Auto Layout 控制台反馈。

自定义创建的对象名称标签提供了另一种注释对象的方式，以便更轻松地追踪和查看，并且它们是跨平台的。代码清单 5-2 显示了一个 NSObject 类别，添加了开发者提供的、简单的、基于字符串的名称。它使用关联引用创建，这是一个在 OS X10.6/iOS 5 中首次引入的特性。关联的对象无须修改那个类的原始声明，就能向一个现有类添加键-值存储(key-value storage)。它们通过创建一个 Objective-C 对象和一个唯一的 void 指针类型的键来实现这一点。你可以指定一个存储策略，例如 retain，copy 或者 assign，并确定指派是否是 atomic 的(也即是，线程安全的，但是会有性能损失)。

将这些方法添加到一个自定义类别(Nametags)，使代码清单 5-2 从根本上扩展了所有 NSObject 的行为。

代码清单 5-2　添加对象名称标签

```
@implementation NSObject (Nametags)
// Nametag getter
- (id) nametag
{
    return objc_getAssociatedObject(self, @selector(nametag));
}

// Nametag setter
- (void)setNametag:(NSString *) theNametag
{
    objc_setAssociatedObject(self, @selector(nametag),
        theNametag, OBJC_ASSOCIATION_RETAIN_NONATOMIC);
}

// Return 'Class description : hex memory address'
- (NSString *) objectIdentifier
{
    return [NSString stringWithFormat:@"%@:0x%0x",
        self.class.description, (int) self];
}
```

5.6.1 使用名称标签

在为约束贴标签时，我以不同于依靠 OS X 的 identifier 属性的方式来使用名称标签。我不提供单独的标识，而是使用名称标签创建了一些类别，它们根据任务将相关项分组，例如建立一个视图的尺寸或者设置它的位置之类的任务。

对于很多工作，可以用多个规则标识单一的设计目标。一个完全指定的视图尺寸定义了宽度和高度。将视图约束至父视图涉及至少 4 个用于限制视图位置和范围的规则。为约束分组时，名称标签将它们看成是以引用、获取、移除和更新为目的的一致的单元。

以下是该基本原理实践中的一个示例。这个方法获取了匹配某个视图参数的所有位置约束。然后它将每个 constant 值更新为指定的点偏移值。名称标签可帮助该代码以最小的代价获得并更新约束。

```
- (void) repositionView: (UIView *) view atPoint: (CGPoint) point
{
    NSArray *constraints = [self.view
        constraintsNamed:@"Position Constraint" matchingView:view];
    for (NSLayoutConstraint *constraint in constraints)
    {
        if (constraintIsHorizontal(constraint))
            constraint.constant = point.x;
        else
            constraint.constant = point.y;
    }
}
```

通过名称获取约束一般遵循如下 3 种模式：

- 修改所获取的集合中的 constant 值，就像这里所做的那样。这个约束更新方法对于动画和直接操纵任务特别友好，当希望调整位于适当位置的视图时，那么视图便能根据需要移动或者改变尺寸。你将在第 6 章和第 7 章中看到更多关于这一内容的介绍。
- 移除整个不再需要的约束组。这会使界面返回至一个回退布局，因此可以“关闭”一个抽屉视图或者粉碎一个加载了 spring 的文件夹图标。
- 移除一个约束组，用一组新的约束代替它。这对于任何涉及属性而不是 constant 的修改非常重要。在处理已设置好的约束(即已经被添加到 Auto Layout 系统中，在“当前”视图中表示的约束)时，不能更新其他属性。我希望能戏称“可修改属性”为 constant，才不会让你困惑。

5.6.2 命名视图

名称标签不限于约束。它们还允许你为视图贴上有助于别人理解的标签——当然，比约束日志(例如，UIButton:0x987a530 或者 UIView:0x714a040)产生的默认描述更加有意义。这些标识由视图类和视图的内存地址产生。

为视图使用名称标签，仅需将一个字符串赋给一个属性。如下便是一个简单的示例：

```
self.view.nametag = @"RootView"
```

该赋值为基本视图控制器赋予了一个用于自定义描述的、易于辨别的标识。接下来的约束输出更好地标识了所涉及的视图——本示例中涉及的是根视图和一个被加载用于提供可视化合挡板的“对照视图”：

```
<RootView:0x7534660>.bottom >= <ContrastView:0x7534a50>.bottom
```

你可以像在代码中那样简单地在 IB 中添加自定义名称标签。标识检查器(Identity Inspector，通过 View | Utilities | Show Identity Inspector 打开)提供了一个 User Defined Runtime Attributes 工具(如图 5-5 所示)。添加一个 nametag 键路径，将它的类型设置为 String，并将它设置为任何你想使用的值。

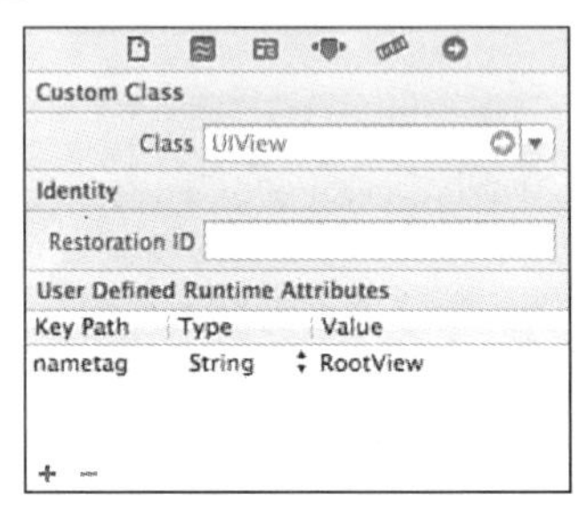

图 5-5　运行时属性提供了一个为 IB 设计的视图添加自定义名字标签的简单解决方案

5.7　描述视图

界面的布局不限定于 NSLayoutConstraint 实例。每个视图都可能通过它的吸附(hugging)优先级、压缩阻力优先级以及内在内容尺寸生成它自身的约束。因此，描述视图和描述约束同样重要。代码清单 5-3 给出了一个生成报告的方法的实现细节，它用于创建一个视图描述和列出那个视图的约束。

我使用这个方法来描述我用代码创建的视图。在理解我在 IB 中创建好的布局时，它对我的帮助很大。加载一个故事板或者 xib 文件，然后请求一个视图报告：

```
UIViewController *c = [[UIStoryboard storyboardWithName:@"Storyboard"
    bundle:[NSBundle mainBundle]] instantiateInitialViewController];
NSLog(@"%@", [c.view viewLayoutDescription];
```

代码清单 5-3 显示的是主要的报告方法。它忽略了若干辅助项，例如 readableFrame 方法和平台敏感的 SIZESTRING、hug 和 resistance 宏(可以在本章的示例中找到它们)。你会发现一些我因为篇幅原因忽略了的更多的视图描述(例如，可读的对齐矩形和视图祖先)。即便将它们删除了，代码清单 5-3 仍是一个巨大的、丑陋的方法。

如下是关于这个主题的最后一些注意点：

- 内容模式只影响 UIView 实例；它们不是 OS X 的一部分。内容模式表明一个视图如何根据视图的边界来布局内容。例如，视图可以使用内容模式按比例或者不按比例地拉伸它们的内容，或者定位它的中心，将它钉固到顶部、左侧等。编译器指令保护这个显示视图的内容模式的调用，将它局限于 iOS 部署。

- 内在内容尺寸默认为(-1，-1)。当你看到了一对-1 时，你就知道这个视图不表示一个自然尺寸(也就是没有内在内容尺寸)。

代码清单 5-3 视图报告

```
// Create view layout description
- (NSString *) viewLayoutDescription
{
    NSMutableString *description = [NSMutableString string];

    // Specify view address, class, and superclass
    [description appendFormat:@"<%@> %@ : %@",
        self.objectName, self.class.description,
        self.superclass.description];

    // Test for Autosizing and Ambiguous Layout
    if (self.translatesAutoresizingMaskIntoConstraints)
        [description appendFormat:@" [Autosizes]"];
    if (self.hasAmbiguousLayout)
        [description appendFormat:@" [Caution: Ambiguous Layout!]"];
    [description appendString:@"\n"];

    // Show description for autoresizing views
    if (self.translatesAutoresizingMaskIntoConstraints &&
        (self.autoresizingMask != 0))
        [description appendFormat:@"Mask...........%@\n",
            [self maskDescription]];

    // Frame and content size
    [description appendFormat:@"Frame:.........%@\n",
        self.readableFrame];
    [description appendFormat:@"Content size...%@",
        SIZESTRING(self.intrinsicContentSize)];

    // Add content mode, but only for iOS
    #if TARGET_OS_IPHONE
    if ((self.intrinsicContentSize.width > 0) ||
        (self.intrinsicContentSize.height > 0))
        [description appendFormat:@" [Content Mode: %@]",
            [UIView nameForContentMode:self.contentMode]];
    #endif
    [description appendFormat:@"\n"];

    // Content Hugging
    [description appendFormat:@"Hugging........[H %d] [V %d]\n",
        (int) HUG_VALUE_H(self), (int) HUG_VALUE_V(self)];

    // Compression Resistance
    [description appendFormat:@"Resistance.....[H %d] [V %d]\n",
        (int) RESIST_VALUE_H(self), (int) RESIST_VALUE_V(self)];
```

```
    // Constraint count
    [description appendFormat:@"Constraints....%d\n",
        (int) self.constraints.count];

    // Constraint listings
    int i = 1;
    for (NSLayoutConstraint *constraint in self.constraints)
    {
        BOOL isLayoutConstraint = [constraint.class isEqual:
            [NSLayoutConstraint class]];

        // List each constraint
        [description appendFormat:@"%2d. ", i++];

        // Display priority only for layout constraints
        if (isLayoutConstraint)
            [description appendFormat:@"@%4d ", (int) constraint.priority];

        // Show constraint
        [description appendFormat:@"%@", constraint.stringValue];

        // Add non-standard classes
        if (!isLayoutConstraint)
            [description appendFormat:@" (%@)",
                constraint.class.description];

        [description appendFormat:@"\n"];
    }

    return description;
}
```

5.8 示例：意外的填充

以示例 5-8 中的视图报告为例，它由代码清单 5-3 中的报告代码生成，提供了很多你通常需要知道的，关于一个视图和它的约束的信息。这个详细的报告描述了图 5-6 中所示的视图。它说明了这个视图为什么这么呈现。

示例 5-8 一个图像视图报告

```
<UIImageView:0x8c33c20> UIImageView : UIView
Frame:.........(110 202; 100 100)
Content size...{64, 64} [Content Mode: Center]
Hugging........[H 50] [V 50]
Resistance.....[H 750] [V 750]
Constraints....4
1. @ 250 <UIImageView:0x8c33c20>.width == 100.0
```

```
2. @ 250 <UIImageView:0x8c33c20>.height == 100.0
3. <UIImageView:0x8c33c20>.width == 64.0 (NSContentSizeLayoutConstraint)
4. <UIImageView:0x8c33c20>.height == 64.0 (NSContentSizeLayoutConstraint)
```

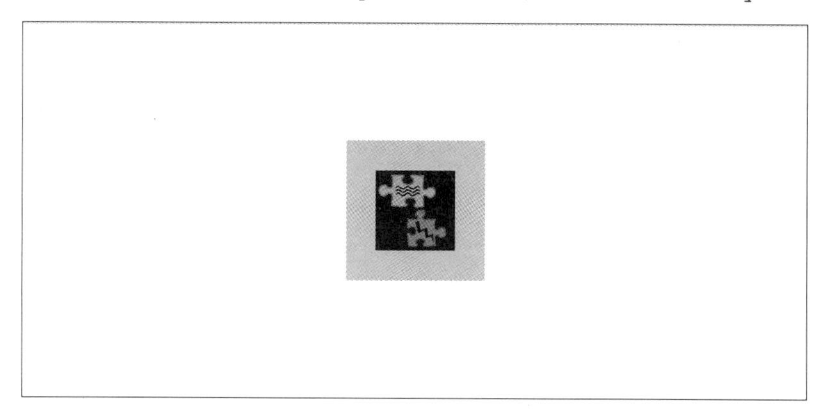

图 5-6 一个意外填充的图像视图

这个视图的类和超类在报告中的第一行列出。这个视图是UIImageView类的一个成员。它的框架是(110 202; 100 100)，它的内容尺寸为 64×64 点。现在将你的注意力集中到图像视图的那片醒目的浅色背景，它标明了图像视图的框架所覆盖的完全的范围。这片背景延伸到了图像视图显示的图像区域的外部。在这个视图中发生了什么情况导致了这种差异呢？

这个框架在两个方向上的尺寸都是 100 点，和视图的内在内容尺寸(每边都是 64 点)相对应。为什么这个图像没有占据整个框架？视图的内容模式告诉了我们其原因所在。它使用一个 center 模式，确切地说是 UIViewContentModeCenter。这个模式将内容定位到视图边界(确定的范围)的中心，限制比例匹配原始数据。64×64 的源图不能延伸至视图的边缘。

约束继续完成剩余的事情。沿着每个坐标轴的内容吸附优先级都是 50。因此视图限制填充的要求被约束 1 和 2 所湮没。这两个优先级设为更高值(250)的约束越过内在内容尺寸，拉伸了视图的宽度和高度。

甚至由系统生成的两个尺寸约束(3 和 4)都不能影响这个布局。这两个约束没有列出指定的优先级，是因为类的实现是苹果公司内部的，一般来说，披露的值没有什么意义。实际的优先级通过你赋给每个坐标轴的吸附和阻力数值来设定。

这些优先级内在地表示为 NSContentSizeLayoutConstraint 实例，并且被注入到支撑 Auto Layout 的满足线性代数的系统中。

5.9 示例：图像吸附

本例讲述的是一个和刚才验证的相反问题。如图5-7所示的是一个图像视图，其尺寸约束为100×100点，其内容模式允许其依比例填充可用空间。有什么问题吗？正如示例5-9

中的截图和报告所表明的，该视图的尺寸仍然是64×64点。为什么呢？

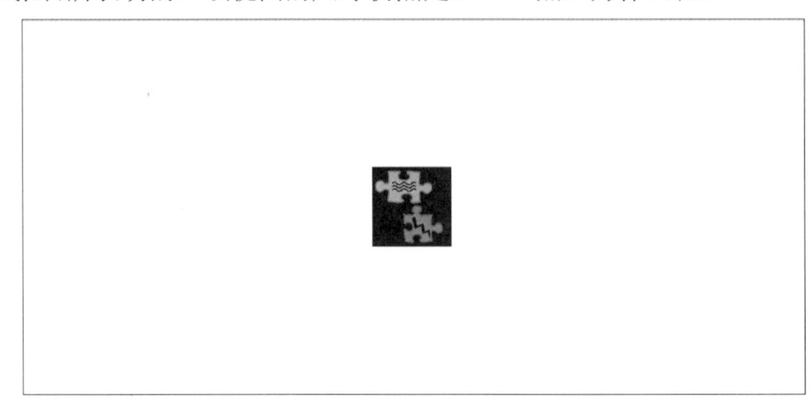

图 5-7　该图像视图比它请求的尺寸小得多

示例 5-9　一个小的图像视图报告

```
<UIImageView:0x8d3bd80> UIImageView : UIView
Frame:.........(131 223; 64 64)
Content size...{64, 64} [Content Mode: Scale Aspect Fill]
Hugging........[H 750] [V 750]
Resistance.....[H 750] [V 750]
Constraints....4
 1. @ 500 <UIImageView:0x8d3bd80>.width == 100.0
 2. @ 500 <UIImageView:0x8d3bd80>.height == 100.0
 3. <UIImageView:0x8d3bd80>.width == 64.0 (NSContentSizeLayoutConstraint)
 4. <UIImageView:0x8d3bd80>.height == 64.0 (NSContentSizeLayoutConstraint)
```

问题还是在于相关的优先级。本例将所有坐标上的吸附优先级提高到了 750。约束 1 和 2 的优先级是 500，它们被约束 3 和 4 否决。

该框架想要沿着每个维度正好展开 100 点，但是该请求只有 500 优先级。它也希望吸附尺寸正好为 64×64 点的内在内容。后一个愿望更强烈。750 优先级的吸附请求胜过了 500 优先级的尺寸请求。最终的框架就仅表示为一个 64×64 点的尺寸。

要注意的是，Auto Layout 调试规则 5 讲明了这点。

Auto Layout 调试规则 5

内容压缩阻力和内容吸附是 AutoLayout 中的种子选手。它们的优先级可以影响整个布局约束。当调试布局时，不要忘记检查这些值。

5.10　示例：视图居中

在前面两个报告中，落了一件重要的事。在那些列出的清单中，报告没有描述它们的图像视图是如何在父视图中定位中心的。这个报告中列出的约束中也没有提及视图的位置，代码清单 5-3 中的歧义警告并没被触发。那是因为位置约束总是安装于比该视图更高层次视图中。看一下父视图的报告，如示例 5-10 所示，马上就能揭开谜底。它的父视图拥有两个引用该图像视图并指定其中心位置的约束。

位置约束总是被添加到父视图。你不能通过直接安装到那个视图的约束来表述该视图的位置。

示例 5-10 查看父视图的约束

```
<RootView:0x8c33970> UIView : UIResponder
Frame:.........(0 0; 320 504)
Hugging........[H 250] [V 250]
Resistance.....[H 750] [V 750]
Constraints....2
1. @1000 <UIImageView:0x8c33c20>.centerX == <RootView:0x8c33970>.centerX
2. @1000 <UIImageView:0x8c33c20>.centerY == <RootView:0x8c33970>.centerY
```

获取引用约束

引用一个视图的约束可以存在于几乎任何的视图祖先中，从视图本身一路向上到层次结构的根节点。这引出了 Auto Layout 调试规则 6。

> **Auto Layout 调试规则 6**
>
> 调试时，必须考虑视图参与的所有约束，不仅仅只是直接在视图本身设置的约束。约束引用可能存在于任何祖先视图，而位置引用总是存在于祖先视图中。

牢记这个规则，再来查看代码清单 5-4 中的方法。它们可获取一个引用任何给定视图的完整的约束数组：

- 第一个方法是 refreshToView：。这是一个返回布尔值的约束方法。它指示传入的视图是否作为约束的第一项或者第二项。
- 第二个方法是referencingConstraintsInSuperviews。这是一个视图方法，它沿视图树回溯，寻找父视图中所有包含一个指向给定视图的引用(firstItem或者secondItem)的约束。当应用于示例 5-9 的图像视图时，它可以很容易地找到安装到它父视图的这两个约束。
- 第三个方法是 referencingConstraints。这也是一个视图方法，它将任意来自父视图的引用和在自身中找到的引用联合起来。不要忘记你将兄弟约束安装到了一个父视图中。一个视图可能包含完全不引用自身的约束。测试每个约束使你可以选择那些提供具体引用的项。

referencingConstraints 返回的联合数组和你在 IB 的 Size Inspector 中为任意选中视图找到的相当。它为给定视图的已安装约束列出一个完整清单。

所有方法都不考虑那些不直属于 NSLayoutConstraint 类的约束。这包括了 Autosizing 约束和系统生成的吸附和阻力尺寸约束。

代码清单 5-4　彻底地查找引用约束

```
// (NSLayoutConstraint) Test for view reference
- (BOOL) refersToView: (VIEW_CLASS *) theView
{
    if (!theView)
        return NO;
    if (!self.firstItem) // shouldn't happen. Illegal
        return NO;
    if (self.firstItem == theView)
        return YES;
    if (!self.secondItem)
        return NO;
    return (self.secondItem == theView);
}

// (View) Return referencing constraints from superviews
// The superviews property is a custom class extension and does not
// ship with UIView/NSView by default
- (NSArray *) referencingConstraintsInSuperviews
{
    NSMutableArray *array = [NSMutableArray array];
    for (VIEW_CLASS *view in self.superviews)
    {
        for (NSLayoutConstraint *constraint in view.constraints)
        {
            if (![constraint.class isEqual:
                [NSLayoutConstraint class]])
                continue;

            if ([constraint refersToView:self])
                [array addObject:constraint];
        }
    }
    return array;
}

// (View) Return all constraints that reference this view
- (NSArray *) referencingConstraints
{
    NSMutableArray *array =
        [self.referencingConstraintsInSuperviews mutableCopy];
    for (NSLayoutConstraint *constraint in self.constraints)
    {
        if (![constraint.class isEqual:
            [NSLayoutConstraint class]])
            continue;

        if ([constraint refersToView:self])
            [array addObject:constraint];
```

```
    }
    return array;
}
```

5.11 向下遍历报告

通常，你想要为每个参与给定层次结构中的视图提供一个报告。这使你可以看到界面的全览，可以检查你的布局，搜索任何潜在的问题。

代码清单 5-5 提供了一个你可能如何处理该问题的示例。这个方法从视图层次结构自顶向下，为树结构中的每个视图创建报告。

代码清单 5-5 迭代视图的子视图

```
- (void) showViewReport: (BOOL) descend
{
    // Print view layout description for this view
    printf("%s\n", self.viewLayoutDescription.UTF8String);
    if (!descend) return;

    // Continue down the hierarchy?
    // This is described for Listing 5-6, which follows
    for (Class class in [self skippableClasses])
        if ([self isKindOfClass:class])
            return;

    // Recurse on children
    for (VIEW_CLASS *view in self.subviews)
        [view showViewReport: descend];
}
```

然而，在进行全面的向下遍历时，存在一个问题。一些自定义子视图被苹果公司用来创建系统提供的视图类(例如按钮、开关以及导航栏)，你不希望对它们进行向下遍历。这些类复杂且精细。同时，大多数情况下，它们也不是作为开发者的你所关心的内容。

代码清单 5-6 提供了一个解决方案。无论在何处，只要它找到了一个“不要再继续下去”的类，它就停止向下遍历。这为你提供了一种将注意力集中到你的视图和实现细节的方法，无须再追踪任何视图创建的界面类。

罗列在 skippableClasses 方法中的类是完全随意的。你可以随意地编辑、调整，或者替换整个列表。当你的日志向下遍历路径太深时，你可以根据需要在其中设置新的项。你也可以移除不希望留在那里的项。关于这个列表没有什么神奇之处。如果你有任何特别的改进建议，请联系我，让我知道。

遗憾的是，检查 UI 和 NS 前缀在此不起作用。向标准类实例添加子视图的做法有很多好的理由。举个最显而易见的示例，你希望向下遍历至 UIView 实例内部，而不是把它们当作终点。

代码清单 5-6　在检查视图时，避免完全的向下遍历

```
- (NSArray *) skippableClasses
{
#if TARGET_OS_IPHONE
    return @[
             [UIButton class], [UILabel class], [UISwitch class],
             [UIStepper class], [UITextField class],
             [UIScrollView class], // Includes tables & collections
             [UIActivityIndicatorView class], [UIAlertView class],
             [UIPickerView class], [UIProgressView class],
             [UIToolbar class], [UINavigationBar class],
             [UISearchBar class], [UITabBar class],
             ];
#elif TARGET_OS_MAC
    // Left as an exercise for the reader
    return @[];
#endif
}

- (void) displayViewReports
{
    printf("%s\n", self.viewLayoutDescription.UTF8String);

    for (Class class in [self skippableClasses])
        if ([self isKindOfClass:class])
            return;

    for (VIEW_CLASS *view in self.subviews)
        [view displayViewReports];
}
```

5.12　示例：歧义

示例 5-11 检查歧义问题。图 5-8 显示了所涉及的界面。这个截图由一个带正方形子视图的父视图组成。视图部分离屏的事实提供了潜在问题的一个线索。

图 5-8　本例中的子视图是欠约束的。它的垂直位置未知

这是 Auto Layout 调试规则 7 发挥作用的地方。

> **Auto Layout 调试规则 7**
> 常见的欠约束视觉特征包括视图丢失，只显示部分视图和位置随机。

在本例中，子视图的垂直位置事实上是不确定的。正因为如此，子视图才有一个歧义的布局。在它的父视图中只有一个描述该视图位置的约束。在本例中是左边缘偏移量约束。为修复该问题，可添加一个定位中心或者定位边缘的约束来修复垂直位置。

注意：

未定义内在内容尺寸的视图报告{-1，-1}作为它们的 intrinsicContentSize 属性。UIKit 提供对应的 UIViewNoIntrinsicMetric 常量。

苹果公司写道，“注意不是所有的视图都有一个 intrinsicContentSize。UIView 的默认实现是返回(UIViewNoIntrinsicMetric, UIViewNoIntrinsicMetric)。内在内容尺寸只关心视图本身中的数据，而不是其他视图中的数据。”

示例 5-11 检查父视图的约束

```
<RootView:0x71331c0> UIView : UIResponder
Frame:.........(0 0; 320 504)
Content size...{-1, -1}
Hugging........[H 250] [V 250]
Resistance.....[H 750] [V 750]
Constraints....1
1. @1000 <V0:0x7133370>.left == <RootView:0x71331c0>.left + 211.0

<V0:0x7133370> UIView : UIResponder  [Caution: Ambiguous Layout!]
Frame:.........(211 -25; 50 50)
Content size...{-1, -1}
Hugging........[H 250] [V 250]
Resistance.....[H 750] [V 750]
Constraints....2
1. @1000 <V0:0x7133370>.width == 50.0
2. @1000 <V0:0x7133370>.height == 50.0
```

5.13 示例：控制台输出的扩展

想象你现在处于开发一个应用的中期。你运行一个测试，Xcode 抱怨冲突的约束，产生如下的控制台输出(已将有关的部分加粗显示)：

```
    2013-01-29 12:14:23.336 HelloWorld[54631:c07] Unable to simultaneously
satisfy constraints.
            Probably at least one of the constraints in the following list is one
you don't want. Try this: (1) look at each constraint and try to figure out which
you don't expect; (2) find the code that added the unwanted constraint or constraints
```

```
and fix it. (Note: If you're seeing NSAutoresizingMaskLayoutConstraints that
you don't understand, refer to the documentation for the UIView property
translatesAutoresizingMaskIntoConstraints)
    (
        "<NSLayoutConstraint:0x755f2a0 H:|-(100)-[UIView:0x755e510](LTR)
(Names: '|':UIView:0x755e260 )>",
        "<NSLayoutConstraint:0x755ef70 H:|-(118)-[UIView:0x755e510](LTR)
(Names: '|':UIView:0x755e260 )>"
    )

    Will attempt to recover by breaking constraint
    <NSLayoutConstraint:0x755ef70 H:|-(118)-[UIView:0x755e510](LTR)   (Names:
'|':UIView:0x755e260 )>

    Break on objc_exception_throw to catch this in the debugger.
    The methods in the UIConstraintBasedLayoutDebugging category on UIView
listed in <UIKit/UIView.h> may also be helpful.
```

这个输出包含了很多信息，但是很清楚的一点是，某个视图(0x755e510)想要远离它的父视图左侧边缘 100 点和 118 点(缩略词 LTR 指的是从左到右布局)。它是哪个视图呢？

可以试着使用标准的调试工具来追踪视图，或者可以快速地细读示例 5-12 中的报告，将地址与你赋予的名称相关联。这个报告提供了额外的详情，显示了冲突的约束安装的位置(具体而言，在根视图上)和引起问题的视图(v0)。

注意示例 5-12 中的 v0 视图未警告歧义。这个报告在 Auto Layout 自动破坏约束 1 后才生成。这个约束仍然附属于父视图，但是它对布局已经不产生影响了。

示例 5-12　控制台输出扩展

```
<RootView:0x755e260> UIView : UIResponder
Frame:.........(0 0; 320 504)
Content size...{-1, -1}
Hugging........[H 250] [V 250]
Resistance.....[H 750] [V 750]
Constraints....3
1. @1000 <V0:0x755e510>.left == <RootView:0x755e260>.left + 118.0
2. @1000 <V0:0x755e510>.top == <RootView:0x755e260>.top + 124.0
3. @1000 <V0:0x755e510>.left == <RootView:0x755e260>.left + 100.0

<V0:0x755e510> UIView : UIResponder
Frame:.........(100 124; 50 50)
Content size...{-1, -1}
Hugging........[H 250] [V 250]
Resistance.....[H 750] [V 750]
Constraints....2
1. @1000 <V0:0x755e510>.width == 50.0
2. @1000 <V0:0x755e510>.height == 50.0
```

5.14　可视化约束

为 OS X 开发时，可以根据需要可视化约束。可向任何窗口发送一个请求，并添加一系列希望看到的约束。图 5-9 显示了这样做后的可能结果。

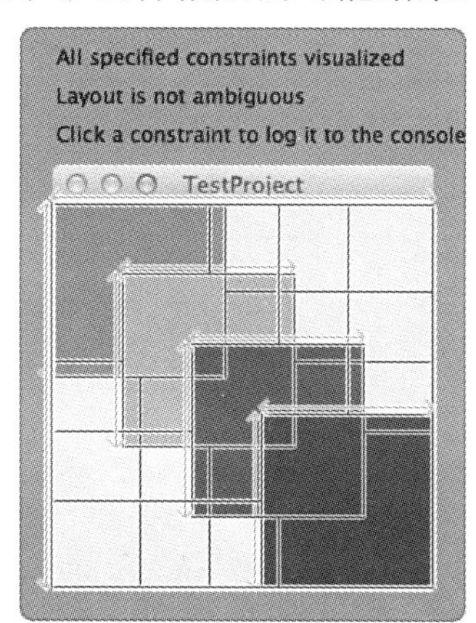

图 5-9　可视化后，可单击的约束线将出现在窗口上

单击任何约束将它记录到控制台中。当很多约束显示在相同区域时，Xcode 会列出任何可能适用于你的单击的约束。如示例 5-13 所示，OS X 约束反馈和 iOS 反馈有些不同。AppKit 的输出一般更详尽一些。

示例 5-13　来自可视化约束的输出

```
2013-01-31 13:01:24.997 TestProject[85253:303] Clicked on overlapping
visualized constraints: (
    "<NSLayoutConstraint:0x100138980 H:[TestView:0x1001379d0(100)]>
        (Actual Distance - pixels):100",
    "<NSLayoutConstraint:0x100139570 V:|-(>=0)-[TestView:0x1001379d0]
        (Names: '|':NSView:0x100510800 )> (Actual Distance - pixels):80",
    "<NSLayoutConstraint:0x10013a6b0 V:|-(80@501)-[TestView:0x1001379d0]
        priority:501   (Names: '|':NSView:0x100510800 )>
       (Actual Distance - pixels):80"
)
```

自动可视化

在 OS X 中，可以很容易地在开发过程中，将约束可视化和一个菜单项关联起来。代码清单 5-7 提供了一个示例，它是一个用于切换约束开启和关闭的适用于 IB 的方法。将它和一个菜单项关联起来，就可以随意地切换约束可视化了。

代码清单 5-7　切换约束

```
// Toggle constraint view on and off
- (IBAction)toggleConstraintView:(id)sender
{
    // allConstraints returns an exhaustive recursive collection
    // of constraints from self and subviews
    [_window visualizeConstraints:
        alreadyShowingConstraints ? nil : [self.view allConstraints]];
    alreadyShowingConstraints = !alreadyShowingConstraints;
}
```

在图 5-9 中，该布局是无歧义的，所有约束都相互友好相处。更常见的是，当布局不能被满足时，你希望你的视图仍然能被约束。这存在一个有趣的选择，可以在每次运行时显示重叠或者使用一个菜单项切换显示。另外，你也可以告诉你的 OS X 应用无论何时发生冲突，都自动地显示。一个称为 NSConstraintBasedLayoutVisualizeMutuallyExclusiveConstraints 的简单启动参数为相冲突的调试构建(conflicted debug builds)提出了约束重叠。

5.15　启动参数

Xcode 的模式编辑器使你可以添加启动参数，这些参数将作为默认设置传递给你的应用。这些参数是未文档化的，通常是调试构建特有的。此外，它们有改变的倾向，苹果公司可能在任何时候移除它们。

启动参数使你可以添加运行时条件或者可视化屏上项，这意味着它们提供了自定义你的测试环境的有价值的方法。如下是你将它们添加到一个项目的基本过程：

(1) 选择 Product | Scheme | Edit Scheme(也可以使用编辑器左上方 stop 按钮右边的弹出菜单。确保下拉展开的是项目名，而不是选中的平台)。

(2) 当模式编辑器打开后，选择 Run 模式，打开 Arguments 选项卡。

(3) 通过单击 Arguments Passed on Launch | +新增一个参数，或者选中一个参数，然后单击-号来删除它。注意，参数以连字符开始，后面跟随参数的名字(例如，AppleTextDirection)，接着是一个值，通常是 YES 或 NO。

(4) 进行修改，然后单击 OK，关闭模式编辑器。

图 5-10 显示的是一个你可能添加的各种项的示例。复选框选中项应用于启动时，未选中项将被忽略。当应用启动时，特别是在 iOS 上，你可能会看到控制台对于接受参数的确认信息。例如：

```
2013-01-29 12:41:53.467 HelloWorld[55067:c07] UIViewShowAlignmentRects is
ON
```

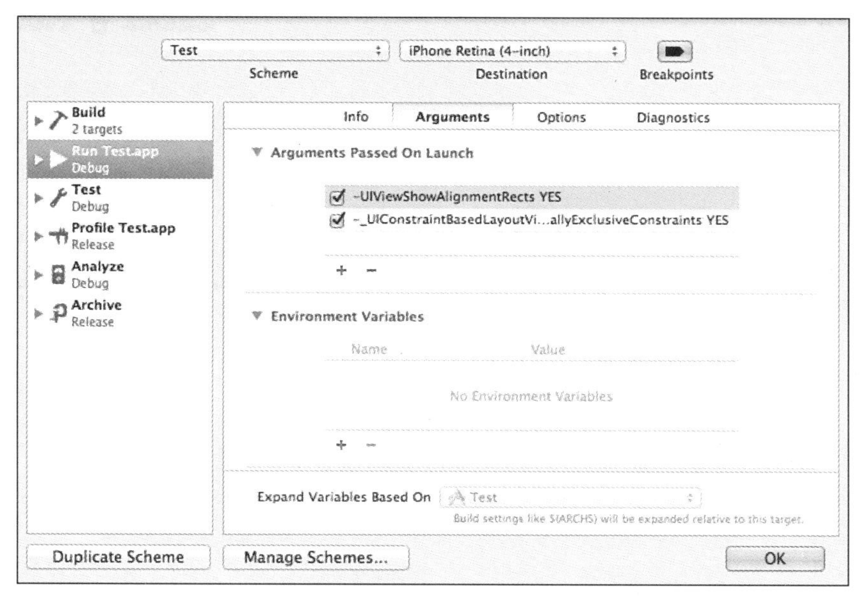

图 5-10 在 Xcode 的模式编辑器中添加自定义运行时参数

当在 OS X 上添加“visualize automatically”另外的启动选项时，将假定如果发生任何冲突时，都会自动出现紫色重叠区域。其他有用的启动参数使你可以为你的视图可视化对齐矩形并测试多语言环境。表 5-1 提供了一个高度不合理的启动参数列表和它们的效果。

表 5-1 启动参数

参　数	系　统	值	效　果
NSShowAllViews	OSX	YES	在窗口中的每个视图周围添加一个轮廓
NSViewShowAlignmentRects	OSX	YES	在视图上显示对齐矩形
UIViewShowAlignmentRects	iOS	YES	在视图上显示对齐矩形
NSDoubleLocalizedStrings	iOS，OSX	YES	强制字符串重复，国际化的时候要严格测试
AppleTextDirection 和 NSForceRightToLeftWritingDirections	OSX	YES YES	强制从右到左显示，忽略系统语言设置
NSConstraintBasedLayoutVisualize MutuallyExclusiveConstraints	OSX	YES YES	遇到布局冲突时，自动可视化约束

在框架中提及的，但是似乎没有被实现(至少对于开发者并没有什么意义)的其他项列举如下：

- UIConstraintBasedLayoutEngageNonLazily 和 NSConstraintBasedLayoutEngageNonLazily 这些可能和 requiresConstraintBasedLayout 调用有关，该调用强制视图使用基于约束的布局。

在这个方法的头文件中，苹果公司写道，“当某人尝试使用它时(例如，将一个约束添加到一个视图)，基于约束的布局‘懒惰’地参与进来。如果你在 updateConstraints 中进行所有约束的设置工作，但又没人创建一个约束，你可能永远都不会收到 updateConstraints 消息。为修复这个先有鸡还是先有蛋的问题，如果你的视图需要窗口使用基于约束的布局”，那么就覆盖这个方法，使其返回 YES。

- UIConstraintBasedLayoutPlaySoundWhenEngaged、UIConstraintBasedLayoutPlaySoundOnUnsatisfiable、NSConstraintBasedLayoutPlaySoundWhenEngaged 和 NSConstraintBasedLayoutPlaySoundOnUnsatisfiable
- UIConstraintBasedLayoutVisualizeMutuallyExclusiveConstraints
  这可能是正在使用中的 OS X 参数的 iOS 副本。
- UIConstraintBasedLayoutLogUnsatisfiable 和 NSConstraintBasedLayoutLogUnsatisfiable

注意这些选项中的一些，当以下划线为前缀时，似乎是“可使用的”，但除此之外没有什么事发生。这个控制台输出显示 Xcode 至少已经响应了两个选项：

```
    2013-01-26 21:41:48.844 HelloWorld[13704:c07]
_UIConstraintBasedLayoutVisualizeMutuallyExclusiveConstraints is ON
    2013-01-26 21:45:25.100 HelloWorld[13806:c07]
_UIConstraintBasedLayoutPlaySoundWhenEngaged is ON
```

5.16 国际化

可以使用两套语言参数来压力测试你在世界范围部署的应用。它们是字符串加倍和界面翻转。第一个存在于 iOS 和 OS X 系统中。第二个只工作于 OS X，但是你将在接下去章节中学到一种与它有关的方法。

5.16.1 加倍的字符串(iOS/OS X)

将 NSDoubleLocalizedStrings 添加到你的调试计划中，用于加倍在任何的本地化项目中显示的文本。在早期开发中，当你还没有翻译你的字符串时，这非常有用。

加倍字符串有助于你为词组较长的地区制订计划。英文的“Car Info”可能变成德文的“Information zum Auto”。那些字符串出现时，可能没有足够的准备时间来计算它的最大范围。字符串加倍正是解决这种情况的办法，它提供了检查尺寸异常值的直接方法。

国际化文本时，通常使用 NSLocalizedString()方法加载本地化的文本，正如本例中所示：

```
    [buttonsetTitle:NSLocalizedString(@"changelabel", nil)
forState:UIControlStateNormal];
```

启动参数将处理其余的事，加倍每个处于适当位置的本地化字符串。图 5-11 显示了一个简单的界面，分别为单倍字符串和加倍的字符串。

图 5-11(a)中“足够好”的界面在加倍的文本下，很快就被破坏了，结果如右边图像所示。按钮非常大，标签的裁剪混乱，值文本框则完全消失了。对这个图形用户界面(GUI)重新评估的时机已成熟。

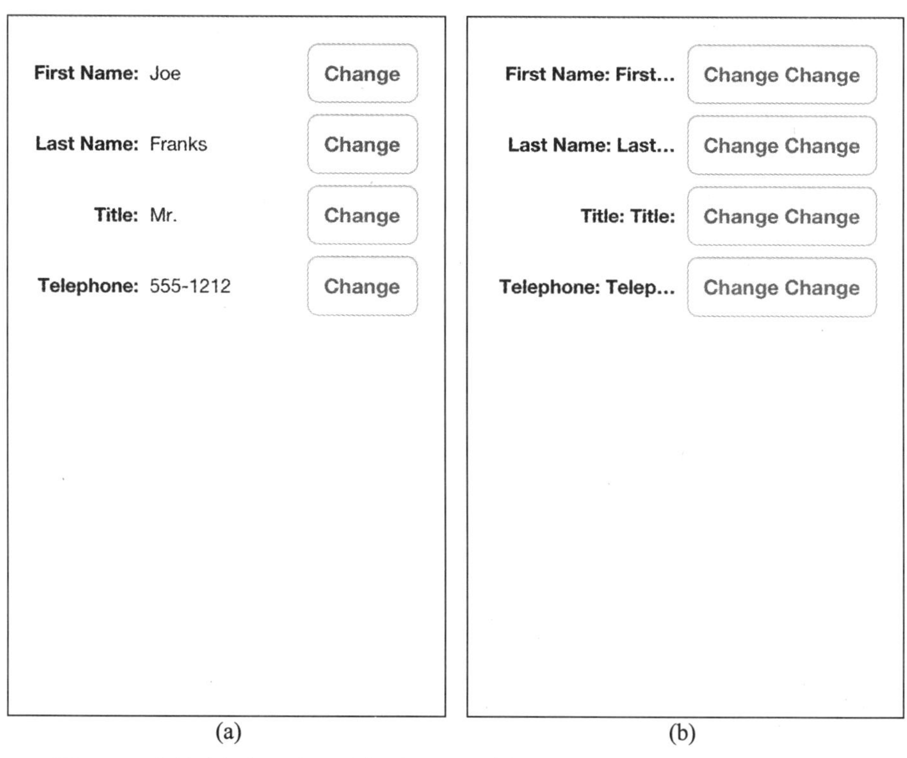

图 5-11　字符串加倍压力测试你的界面，使你可以在获得翻译文件前测试布局

加倍的文本提供了一个很有价值的工具，通过立即向整个界面加压，寻找布局脆弱之处。可以通过在模式编辑器中取消选中或者删除参数项来禁用该参数。

5.16.2　翻转界面(OS X)

在 OS X 中，可以很容易地翻转界面来测试从右到左的布局，而无须改变系统语言。在模式启动参数(如图 5-12 所示)中，将 AppleTextDirection 和 NSForceRightToLeftWritingDirection 设置为 YES。

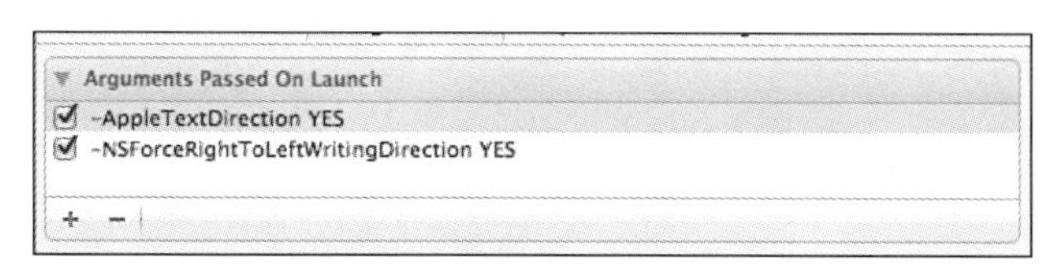

图 5-12　翻转文本方向，测试在从右到左语言地区的部署

这些参数保持开发语言不变；它们不会改变地区。它们使你可以看到，在将布局部署到类似沙乌地阿拉伯或者以色列地区时，如何响应左/右翻转。

这就是你遇到左侧/前缘或者右侧/后缘困惑的地方。左和右总是指的是屏幕的物理的左侧边界和右侧边界。你使用那些约束放置用户拖入项。前缘和后缘指的是逻辑上的界面流向。运用它们时，你以用户眼睛实际扫描的方式放置视图。一个从右到左的书写方向只影响前缘和后缘约束。右侧和左侧约束则不受影响。

5.16.3 翻转界面(iOS)

iOS 目前支持两套从右到左的语言：阿拉伯语和希伯来语。如果要测试界面翻转，可将 ar.lproj 或 He.lproj 本地化文件添加到项目，测试该语言下的界面。

接下来的指南将为你介绍语言选择过程。这些步骤被设计用在 iOS7 中，不考虑当前所选的语言，那样你就不会被日语和法语所困，找不到如何返回英语界面的方式。请注意这些步骤在 iOS6 之后有所改变。

这个指南假定你正在模拟器上测试，但是同样的步骤也可以应用于设备测试：

(1) 如果正在运行一个应用，可同时按下 Command、Shift 和 H 键(Hardware | Home)或者按下 Home 按钮。

(2) 选择 Settings(设置)：一个银色图标，带有一系列齿轮、经常出现在模拟器图标的第一页。

(3) 选择 General。它在 iPhone 中的主设置界面，位于平板电脑的左列。它显示为一个较小的齿轮图标，向上和向下滑动主页时，应该很容易找到它。

(4) 选择 International。这个比较难找到。在 iOS7 中，它往往出现在从下往上的倒数第三个组中。从屏幕的底部开始，一路向上，你先找到了一个单独的 Reset 区域。在此之上，你会找到 iTunes Wi-Fi Sync、VPN 和 Profile(如果使用模拟器，这个组可能不会出现)。在这个分组之上的最后一项便是 International，选中它(在 iOS6 上，它是 General 设置中从上往下顺数的第三项。它出现在第二组选项的中间)。

图 5-13 显示的是 iOS7 中 International 的位置。

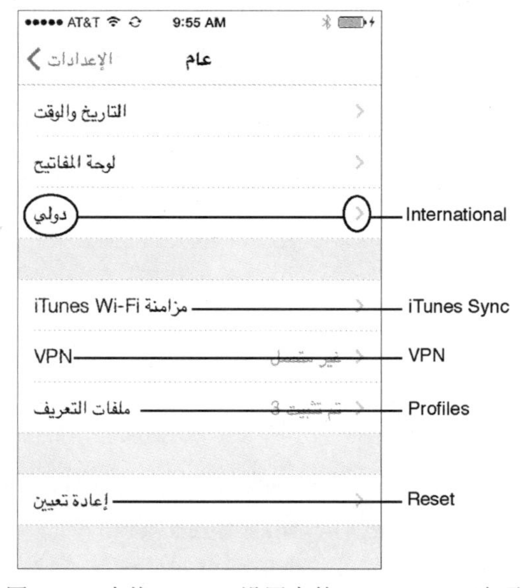

图 5-13　查找 General 设置中的 International 选项

(5) 在 International 设置中，选择第一组(如图 5-14 所示)中的第一项。该选项支持你选择一个特定的语言。

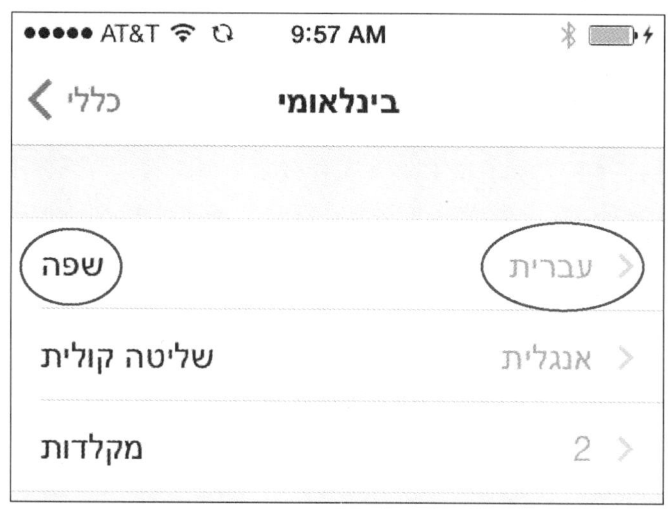

图 5-14　选择第一项，然后选择新的语言

(6) 从弹出列表中选择任意语言。每种语言均以它的源语言形式显示，因此你可以很容易地认出英语。轻击右上角的按钮(如图 5-15 所示)，确认你的修改。然后屏幕返回，设备更新，来匹配该选择。单击左上角的按钮即可取消。

图 5-15　右上角的按钮是 Done，Cancel 位于左上角

在 iOS 设置中应用从左到右的语言后，就可以测试左侧/前缘或者右侧/后缘约束，确保它们的运行如设计的那样。

注意：

如果不希望为应用包含一个合适语言的 lproj，应用将回到 English 布局，忽略系统设置。

5.17 概要分析 Cocoa 布局

Instrument 提供了 OS X 独有的 Cocoa 布局概要分析工具。可以像添加其他工具(例如泄漏监测或者内存分配追踪)一样将它加进来。打开 Product | Profile，选择 Cocoa Layout 模板(如图 5-16 所示)。

图 5-16　Cocoa 布局模板概要分析 Auto Layout

Instrument追踪你的布局，显示何处以及何时你的约束被添加到视图上或从视图上移除，以及何时约束被修改。你可以在图 5-17 中看到这些信息，它显示了一个进行中的会话。

当快速地移动项和改变窗口的尺寸时，若干约束受到了影响，迫使界面更新。你可以在追踪中看到这个反射。约束相关的事件出现在右边的堆栈追踪(stack trace)中。这些是笔者自己安装的实用工具实例，用于在拖曳时将约束从系统中移除。概要分析工具(profiler)追踪所有参与 Auto Layout 的约束，包括 Autosizing 和内容尺寸项。

说实话，这个工具功能有限，至少在它当前的版本中是如此。假如将来该工具的功能向 iOS 平台倾斜，我好奇苹果公司会如何处理它，我也好奇该工具的功能何时会向 iOS 平台倾斜。

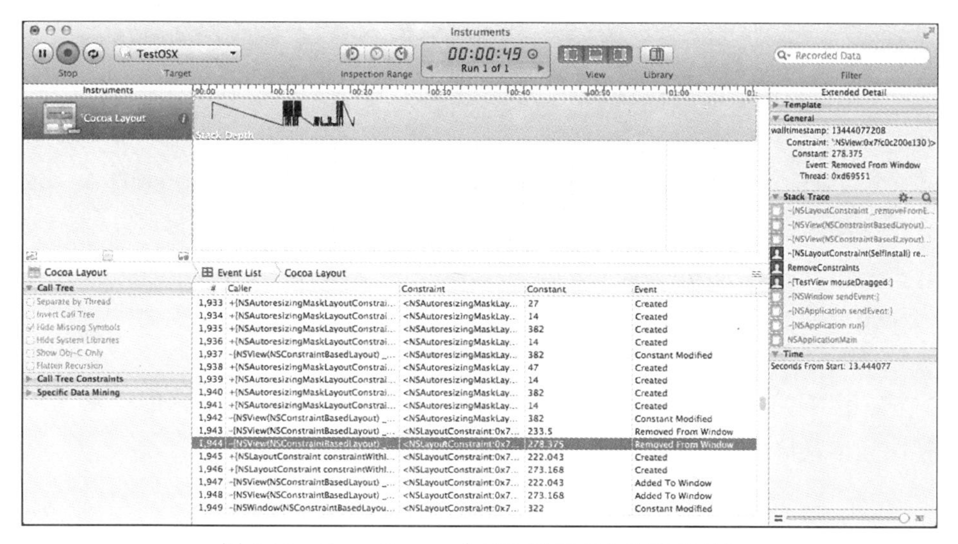

图 5-17　Cocoa Layout 会话监视界面中的约束变化

5.18　调试中的 Auto Layout 规则

如下是本章早前提到过的一些调试规则的总结。这里的列表可能并不完整：

- 当看到控制台输出中的 autoresizing 约束时，请检查 translatesAutoresizingMaskIntoConstraints 属性。你可能在一个或多个视图中忘记关闭该设置了。
- 必需的约束决不能互相冲突。两个必须的约束无法使 Auto Layout 同时做不一致的事情。尝试通过移除约束或者调整优先级来解决冲突。
- 每一个记录的约束都告诉你它做了什么。你越清楚你的日志，就越容易辨别出约束以及将它们同你的编码工作联系起来。
- 当使用项(item)代替格式创建布局时，请务必严格检查你的计算。常数(constant)的符号很容易反转。同时，如果可以，请尽量使用格式。
- 内容压缩阻力和内容吸附是 Auto Layout 中的重要角色。它们的属性可以影响布局约束。调试布局时，请不要忘记检查这些值。
- 调试时，必须考虑视图参与的所有约束，不仅仅是直接安装到视图本身的约束。约束引用可能存在于任何祖先视图，而位置引用则总是存在于祖先视图中。
- 欠约束布局的常见特征包括视图丢失、只显示部分视图和位置随机。

5.19　练习

阅读完本章后，通过下面的练习可以测试知识的掌握程度：

(1) IB 在设计和编译时发现 Auto Layout 问题。为什么还要操心运行时和控制台呢？

(2) 乘数在约束中发挥什么作用？

(3) 一个图像视图看似已被裁减，只显示出垂直方向上大概一半的内容。这可能是出了什么问题？

(4) 一个视觉约束在 item1 和 item2 之间留下了 20 点垂直间隔(V:[item1]-20- [item2])。这个格式产生的约束中的常数符号是什么？为什么？如果你将这个常数乘以-1，这个布局会发生什么变化？

(5) IB 报告某个布局完全满意且无歧义。但是在运行时，一个或多个视图表示歧义。为什么会这样？

(6) 在使用阿拉伯作为所在地来测试应用之前，视图一直处于正确的位置。在阿拉伯文下，视图的位置却发生了水平反转。为什么会这样？

5.20 小结

本章介绍了很多方法，可以用于检查、理解和修正形成界面的约束。这里还有些最后的想法：

- 标签和标识是你的朋友，而不是你的敌人。使用任何你可用的资源来帮助你理解，为每个视图和约束贴上标签。你越清楚布局，便越能更好地调试布局。你会在第 6 章中发现，为约束组贴上标签会非常有用。
- 正是因为 IB 为你的请求添加了一个约束才致使布局错误。因此无歧义并不表示就是正确的。移除任何与界面视觉不一致的约束，调整那些剩余的约束来匹配设计目标。调试过程中的最大问题是追踪什么项拦在你和一个完善的应用之间。
- 增量式设计。出问题的事越少，你对控制台的担心才会更少。
- 不要害怕冲突约束。添加多个覆盖相同范围的规则是可行的。只需要调整优先级，那么你的界面就会表现你想要的行为，而不会让 Auto Layout 罢工。

第 6 章

使用 Auto Layout 创建

对 Auto Layout 的设计改变了创建界面的方式。Auto Layout 是一个描述性的系统，它远离了准确的度量，例如 frame 和 center。你可以将注意力放在视图间的关系上，它描述了屏幕上一些项是如何跟随另一项的。通过基于约束的规则，你在设计中揭示了这种自然关系，并详细描述了它们。

作为回报，你的界面获得了灵活性。Auto Layout 清楚地表达了更多的条件，不仅仅类似“允许这个视图拉伸”和“钉固这条边”。它的设计词汇表超越了 Autosizing 的 spring 和 strut，提供了一种更灵活和更认真细致的视觉结构语言。

本章介绍 Auto Layout 设计的表达，聚焦于它的基本原则，并提供了一些展示它特性的示例。

6.1 Auto Layout 的基本原则

准确的度量，例如 width、height、origin 和 center，是传统布局的特点。在 Auto Layout 之前，你可能会创建一个视图，设置它的 frame，调整它的 resizing mask，然后将它添加到父视图。在 Auto Layout 中，焦点转移到了关系上。你使用新的方式创建关系，关系描述了视图间相互关联的方式。下面这些关于 Auto Layout 的注意点需要牢记：

- Auto Layout 是声明性的——你向系统添加规则来表达界面布局。运行时系统为你实现了那些规则。
- Auto Layout 最小化了计算——你指定的是布局，而不是点和像素。
- Auto Layout 设计是非直接的，但是它也很灵活——视图为已改变的窗口几何请求更少的更新，而且它们很容易分解为可维护的布局组件。
- Auto Layout 由几何驱动——它的基本术语都是自然的几何属性，例如 edge、center 和 size。

- Auto Layout 聚焦于关系——你使用几何上的等量和非等量关系，将视图相互关联起来，从绝对术语切换到相对术语。
- Auto Layout 允许，甚至鼓励冲突的规则——带优先级的规则是 Auto Layout 的一个必要组件。它们使你可以添加低优先级的回退条件和高优先级的边界限制，来创建精确的界面。
- Auto Layout 表现自然内容——内在视图内容驱动尺寸设置和对齐，让内容成为布局中的一个关键角色。
- Auto Layout 寻找最佳方案——在考虑你提供的规则、尺寸大小易变的内容和容器的情况下，它决定它自己可达到的最佳布局。
- Auto Layout 是分布式的——它天然分散的布局支持简洁实现，组件间只有少许的依赖关系。

6.2 布局库

日常开发中两个常见的挑战：冗余和密集，可通过创建布局库解决。创建可复用的代码库，有助于你和这两个天然障碍作斗争。

Auto Layout 代码十分冗余。你经常需要反复执行同样的任务：定位这个视图的中心，拉伸那个视图到父视图(的边缘)，或者将这些视图排为一行或者一列。你为一个应用创建的布局往往也适用于其他的应用。没有理由不重复使用你已经调试过且在多个项目中细化过的代码。

最自然形式下的 Auto Layout 代码非常密集，啰嗦得近乎有些难以辨别。请看示例 6-1 中的代码。这些方法只不过是创建一个视图，设置其尺寸大小(100×80 点)，将其中心定位到父视图。这个片段突出显示了使用约束调用时，常见的、令人沮丧的事情：检查、确认以及自文档化的困难。只是完成这么一件小事，特别是对于如此简单的布局，这里却使用了一段非常长的代码。

示例 6-1　Auto Layout 代码密度

```
UIView *childView = [[UIView alloc] initWithFrame:CGRectZero];
[parentView addSubview:childView];

// Prepare for Auto Layout
childView.translatesAutoresizingMaskIntoConstraints = NO;

// Width is 100
constraint = [NSLayoutConstraint
    constraintWithItem:childView
    attribute:NSLayoutAttributeWidth
    relatedBy:NSLayoutRelationEqual
    toItem:nil
    attribute:NSLayoutAttributeNotAnAttribute
```

```
    multiplier:1
    constant:100];
[parentView addConstraint:constraint];

// Height is 80
constraint = [NSLayoutConstraint
    constraintWithItem:childView
    attribute:NSLayoutAttributeHeight
    relatedBy:NSLayoutRelationEqual
    toItem:nil
    attribute:NSLayoutAttributeNotAnAttribute
    multiplier:1
    constant:80];
[parentView addConstraint:constraint];

// Center X
constraint = [NSLayoutConstraint
    constraintWithItem:childView
    attribute:NSLayoutAttributeCenterX
    relatedBy:NSLayoutRelationEqual
    toItem:parentView
    attribute:NSLayoutAttributeCenterX
    multiplier:1
    constant:0];
[parentView addConstraint:constraint];

// Center Y
constraint = [NSLayoutConstraint
    constraintWithItem:childView
    attribute:NSLayoutAttributeCenterY
    relatedBy:NSLayoutRelationEqual
    toItem:parentView
    attribute:NSLayoutAttributeCenterY
    multiplier:1
    constant:0];
[parentView addConstraint:constraint];
```

创建库

许多开发者为约束动作创建库。这些库将 Auto Layout 从一种令人费解的东西变为一个必要的开发工具。对比示例 6-1 和示例 6-2。这两个示例在功能上是相当的，执行完全一样的任务，但是后者利用了一个宏定义的库。它更短，更容易理解，并且本质上它是自文档化的。

示例 6-2　简单宏

```
UIView *childView = [[UIView alloc] initWithFrame:CGRectZero];
[parentView addSubview:childView];
PREPCONSTRAINTS(childView);
CONSTRAIN_SIZE(childView, 100, 80);
```

```
CENTER(childView);
```

很多约束表达式只是一行调用。宏非常好地匹配了这些表达式。约束经常仅是将一个视图约束到它的父视图，或者在两个视图之间，使用可选的偏移量，将中心或者边缘排成一直线。这些请求很容易封装，只需暴露一个或者两个参数即可。

尽管示例 6-2 比示例 6-1 更容易阅读和理解，但同时它也有更多的限制。这些宏以单一优先级安装约束，未向人们展示那些约束任何形式的注释和类别。换句话说，这些宏为简单父视图布局提供了一个最佳方案。这个方法马上会在精密设计中显示出局限性。

示例 6-3 可能不像示例 6-2 那样易读，但是它为受控的布局添加了优先级和注释特征。通过这个示例中的宏调用能够获得更好的设计表达。

示例 6-3　微调后的宏

```
UIView *childView = [[UIView alloc] initWithFrame:CGRectZero];
[parentView addSubview:childView];
PREPCONSTRAINTS(childView);
INSTALL_CONSTRAINTS(1000, @"Centering",
   CONSTRAINTS_CENTERING(childView));
INSTALL_CONSTRAINTS(750, @"Sizing",
   CONSTRAINTS_SETTING_SIZE(childView, 100, 80));
```

宏不是强制的。如果你不是很熟悉宏，可以使用 Objective-C。示例 6-4 从宏中脱离出来，通过函数实现布局。正像这之前的示例，这些调用创建了一个视图，将它的尺寸设为 100×80，然后在父视图中定位它的中心。在复杂性和可读性方面，这个示例介于示例 6-2 和示例 6-3 之间。这些函数支持优先级，但不支持注释——尽管你可以很容易地创建支持注释的调用。

示例 6-4　函数

```
UIView *childView = [[UIView alloc] initWithFrame:CGRectZero];
[parentView addSubview:childView];
childView.translatesAutoresizingMaskIntoConstraints = NO;
CenterViewInParent(childView, 100);
ConstrainViewSize(childView, CGSizeMake(100, 80), 750);
```

相对于宏，函数具有明显的优势，特别是当任务不能简单地用一两行语句描述时。它们同时满足了标准编程和便利性。可以从任何类中调用它们。这使你可以开发一个独立于任何指定视图或者应用实现的布局库。

示例 6-5 实现了与前面相同的尺寸设置和中心定位的功能，但是这次使用的是方法。因为方法没有函数那么便捷，因此示例 6-5 中的方法被添加到了一个视图类类别中，允许任何来自视图子类的调用。方法调用比函数调用更加自文档化(self-documenting)。它们更适合日常的 Objective-C 最佳实践。它们为大多数开发提供了标准的方向。

不过，这个特定的解决方案具有实现类别的所有标准风险。你必须小心地为你的类别和它们的成员创建命名空间，避免与苹果公司未来的开发相冲突。一个过于简单的方法或者类别名称可能最终会和苹果公司提供的库相冲突。

注意：

本书中的示例不使用开发人员特定的前缀，但是我鼓励你在自己的代码中使用前缀。在本书示例中，我选择了易读性而不是实践性。

示例 6-5　方法

```
UIView *childView = [[UIView alloc] initWithFrame:CGRectZero];
[parentView addSubview:childView];
childView.translatesAutoresizingMaskIntoConstraints = NO;

NSArray *constraints;
constraints = [UIView constraintsCenteringViewInParent:childView
    withPriority:1000];
[parentView addConstraints:constraints];

constraints = [UIView constraintsSettingSize:CGSizeMake(100, 80)
    forView:childView withPriority:750];
[parentView addConstraints:constraints];
```

针对我自己的开发工作，我已经将很多常见的布局任务打包进各类函数、方法和宏的集合。你可能也希望这么做。创建约束工具库提供了若干优势：

- 库调用极大地提升了可读性，将样板布局变为可立即识别的组件。
- 库调用向我们展示了简化的参数。瞥一眼你便知晓这个布局的作用，你可以根据需要调整参数。
- 库最小化了复杂度。借助于已建立的关系，例如视图到父视图的关系或者前缘到后缘位置的关系，可以减少你需要提供的信息。
- 库使你只需调试一次，然后就可以根据需要使用调试结果。

你可以自行决定使用哪种库：宏、函数、方法、类类别，或者一个借助部分或者所有这些的混合体。忽略实现方法，在创建你的解决方案前，请考虑如下问题的答案：

- **你的库需要返回约束实例吗？**如果是的话，你会安装它们吗？如果不是，如何处理优先级？
- **你需要直接设置优先级(推荐)，还是更接受替你设置优先级的便利调用？**请自问是否会遇到任何需要优先级的临界条件。如果不会，那么可让你的库为将各项排成行和列或者使用标准的、固定的优先级来定位视图的中心，这非常完美。
- **你需要分组或者标注所创建的约束吗？**如果你有特定于横向或者纵向布局的约束，或者你是否为了易于获取和更新，想为约束贴上标签，你的库该如何支持创建这些分组？

编程时，我发现自己使用了这些示例中所示的所有方法。有时候你需要手动创建约束，有时你可以依靠千篇一律的布局来获取快速可靠的解决方案，有时你需要更多的精细的处理。无论你使用何种方法，无论你如何创建你的库，都会从中受益。当创建应用时，在布局库中投入时间意味着将你的注意力从实现细节转换到更宏大的设计工作中。

6.3 界面设计

当布局界面时，你应当时刻评估设计需求。先来看如下主题。如下问题的回答有助于你在 Auto Layout 中建立规则：

- **评估几何**——你的应用会发生几何变化？如果是，何时会发生变化？原因是什么？例如，在 OS X 上，你可以创建用户可改变尺寸的窗口。在 iOS 上，几何随设备而变化，包括平板、3.5 英寸和 4 英寸的手机。你的应用支持多个方向？尤其是在 iOS 上，界面经常在横向和纵向之间变换。在制定界面前可列举出你的几何规格。
- **列出边缘条件**——你的视图会遇到什么样的边缘条件？边缘条件包括极端的尺寸大小或者位置许可，多个视图竞争同一个空间，以及文字的边缘条件，例如一个视图碰到了父视图或者窗口。是由于用户交互引起这些边缘条件，还是由于父视图或者窗口限制引起的？头脑风暴一下，想出尽可能多的边缘条件。
- **探测冲突**——将边缘条件作为探测冲突规则的基础。当一个视图碰到了它的父视图的边缘，父视图是否应当改变尺寸大小？或者它应当抵制子视图，迫使它保持在当前边界之内。是否存在视图不能跨越的固定边界。如果存在，应该怎么办？将这些冲突列举出来，解释它们为什么会发生。然后，将焦点放在如何解决它们上，确定哪些视图应当以及为何胜出。
- **枚举回退**——在缺少高优先级规则时，回退建立界面应该表现的最起码的行为。你可以开发何种备份系统来支持基本图形用户界面(GUI)，这样一来，各项便有一个可以恢复的自然的位置状态？列出尽可能多的回退规则。“我的视图至少应该这么大”，“所有视图至少应位于它们父视图的边界内”，以及“如果不存在控制这个视图的其他规则，它应当回到这个位置”都描述了可以通过低优先级来实现的健壮的默认行为。
- **寻找自然分组**——布局越集中，就越能更好地将你的应用模块化。自然分组使你可以将界面元素划分成固定的低维护性(low-maintenance)组件。尽可能地寻找具有紧密耦合布局需求的元素，并将它们封装起来。
- **探测分组的布局**——分组使你可以执行比单个视图更加全面的布局。根据你的分组，考虑可能的几何形状。一个并排的横向布局是否变为了一个上下的垂直布局？或者你需要进一步分解以容纳布局的几何？使用分组取代视图，作为基本的执行者，再评估你的边缘条件和冲突。规则是否需要改变？
- **为规则设定优先级**——当勘察你的布局时，界面中最重要的规则是什么？将你开发的规则分类，以描述哪些最具影响力。哪些是必定会发生的？哪些是你希望发生的？哪些规则可以被“打破”？它们何时会那么做？深入理解你的布局，有助于你将规则的重要性转换成约束的优先级。

- 考虑内容——不要忘记规则并不局限于布局约束。考虑内容吸附和压缩阻力的贡献，如第 2 章中所讨论的。例如，描述性标签通常拥有高的阻力优先级，使你的界面保持为可理解的状态。检查那些影响内容尺寸的功能，例如，字体选择和图像嵌入，将它们纳入你的设计考虑中。

6.4　模块化创建

你的界面越模块化，它同 Auto Layout 交互便越容易。图 6-1 显示了一个由一对简单的窗格(一个设置窗格和一个信用窗格)组成的界面屏幕。这些窗格显示在各种设备方向和几何规格中。这两个窗格在 Interface Builder(IB)中创建，在基本视图控制器中实例化。

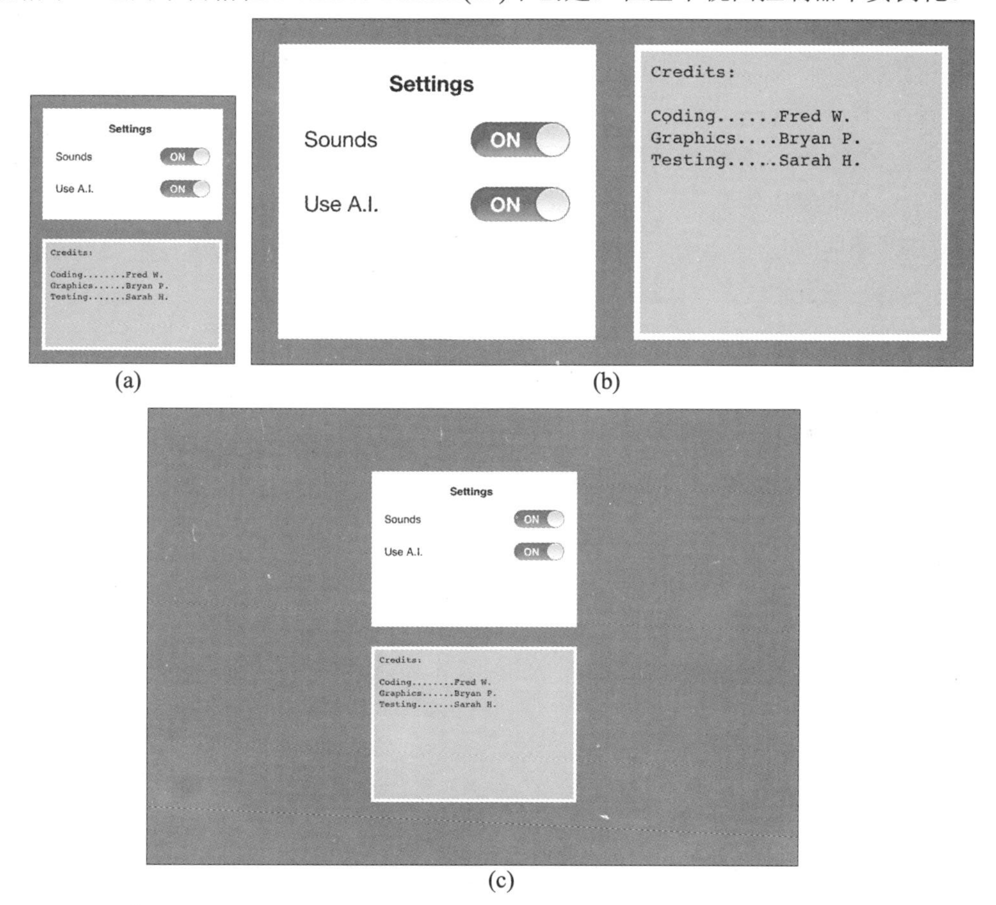

图 6-1　设计模块化界面在 Auto Layout 中十分有用。这个应用使用基于组件的布局，支持 3.5 英寸 iPhone(a)，4 英寸 iPhone(b)，以及 iPad(c)。这个示例并没有分别为 iPad 和 iPhone 家族使用不同的 nib 文件，尽管它可以很容易这么做

如下是从它们的 nib 文件中加载这两个视图的代码：

```
// Load Settings View
settingsView = [[[UINib nibWithNibName:@"Settings"
    bundle:[NSBundle mainBundle]]
    instantiateWithOwner:self options:0] lastObject];

// Load Credits View
creditsView = [[[UINib nibWithNibName:@"Credits"
    bundle:[NSBundle mainBundle]]
    instantiateWithOwner:self options:0] lastObject];

// Add to the view controller
for (UIView *view in @[settingsView, creditsView])
{
    [self.view addSubview:view];
    view.translatesAutoresizingMaskIntoConstraints = NO;
}
```

指定所有者，如这个示例所做的那样，允许 IB 指定的 outlet 和 action 恰当地关联。设置视图中的这两个开关控件随时可用；切换时，它们将回调视图控制器。

这个示例界面需要至少 6 个场景，具体来说是 3.5 英寸、4 英寸横向和纵向的 iPhone 和 iPad 上。苹果公司的 iOS 设备系列可能会在将来进一步扩大。

本例中使用的模块化设计和加载提供了布局的灵活性。与将注意力集中到开关、标签和文本的细节不同的是，代码清单 6-1 把每个面板都作为一个连贯的组件来处理。根据视图的几何规格，它创建了左/右或者顶/底的放置。这大大简化了设计任务。

代码清单 6-1　几何驱动的布局

```
if (IS_IPAD)
{
    // Align centers horizontally
    for (UIView *view in @[settingsView, creditsView])
        CENTER_H(view);

    // Build column
    CONSTRAIN(@"V:|-[spacerTop(==spacerBottom)]\
        [settingsView(==creditsView)]-30-[creditsView][spacerBottom]-|",
        settingsView, creditsView, spacerTop, spacerBottom);

    // Constrain widths
    CONSTRAIN_WIDTH(settingsView, 320);
    MATCH_WIDTH(settingsView, creditsView);
    CONSTRAIN_HEIGHT(settingsView, 240);
    MATCH_HEIGHT(settingsView, creditsView);
}
else if (layoutIsPortrait)
{
    // Stretch horizontally
    for (UIView *view in @[settingsView, creditsView])
```

```
        STRETCH_H(view, AQUA_INDENT);

    // Build column
    CONSTRAIN(@"V:|-[spacerTop(==spacerBottom)]\
        [settingsView(==creditsView)]-30-[creditsView][spacerBottom]-|",
        settingsView, creditsView, spacerTop, spacerBottom);
}
else
{
    // Stretch vertically
    for (UIView *view in @[settingsView, creditsView])
        STRETCH_V(view, AQUA_INDENT);

    // Build row
    CONSTRAIN(@"H:|-[spacerLeft(==spacerRight)]\
        [settingsView(==creditsView)]-30-[creditsView][spacerRight]-|",
        settingsView, creditsView, spacerLeft, spacerRight);
}
```

这个示例考虑 3 个场景：iPad、纵向的 iPhone 系列和水平的 iPhone 系列。对于 iPad，它创建了一列，挤压它的尺寸大小，将它全部在水平方向上居中排列。纵向布局和此非常相似，但它不是挤压视图，而是让视图拉伸到每条边。横向布局则创建一行，并垂直地拉伸。

正如你在代码中所见，只有相对较少的设计需要考虑，因为设置和信任视图隐藏了它们的内部细节。视图所分解的模块化元素越多，布局就会越简单、越干净。

注意：

本章中若干示例，包括你刚看到的代码，都使用了间隔填充，这使你可以将复杂布局浮动到视图中间。你可以在第 7 章中阅读到更多关于这个小窍门的内容。

6.5　更新约束

当设备旋转、窗口改变尺寸时，视图约束都可能失效。你需要在updateConstraints (UIView和NSView)和/或updateViewConstraints(UIViewController)方法中更新约束。代码清单 6-1 中的代码应该算是一个updateViewConstraints实现。这些实现遵循一定流程：

(1) 调用 super(例如，[super updateViewConstraints])。务必不能忘记这一步。

(2) 清除任何失效的约束。为了让你的已更新布局从一个清洁的状态开始，可能需要移除卷入无效约束的有效约束。

(3) 添加约束，表现新界面。

代码清单6-2显示的便是一个关于此流程的示例，琐碎得让人难以置信。它为我们展示了一个只有单个视图的界面，该视图在纵向上顶部居中对齐，在横向上右侧居中对齐。它列举了每个必需的步骤，以调用updateViewConstraints超类实现开始。

接着，它从父视图祖先中移除引用样本视图的约束。这捕捉到了所有设置该视图位置的约束。因为保留了所有直接安装到该视图的约束，所以它的尺寸不会被已更新布局所影响。如果这个视图加载自 IB，同代码清单 6-1 中的约束所采用的方法，将约束搜索范围限制为父视图，那么也会同样地保留每个视图的子视图的布局。

最后，它重建这个视图布局，根据当前设备方向排列该视图——纵向或者横向。

代码清单 6-2 更新视图约束

```
- (void) updateViewConstraints
{
    // Always call super
    [super updateViewConstraints];

    // Remove constraints referencing exampleView
    // These methods were introduced in Chapters 2 and 5
    for (NSLayoutConstraint *constraint in
        exampleView.referencingConstraintsInSuperviews) // C05
        [constraint remove]; // C02

    // Re-establish position constraints using
    // self-explanatory layout macros
    BOOL layoutIsPortrait =
        UIDeviceOrientationIsPortrait(self.interfaceOrientation);
    if (layoutIsPortrait)
    {
        ALIGN_CENTERTOP(exampleView, AQUA_INDENT);
    }
    else
    {
        ALIGN_CENTERRIGHT(exampleView, AQUA_INDENT);
    }
}
```

6.5.1 调用更新并以动画形式显示变化

处理视图时可调用 setNeedsUpdateConstraints(在 OS X 上是 setNeedsUpdate Constraints:)指出：某个视图在下一个布局传递时要加以重视。一般在设置(viewWillAppear:)和响应旋转回调时，可使用视图控制器直接调用 updateViewConstraints 方法。

代码清单 6-3 演示了如何在 iOS 中实现这一点，该示例使用了一种没有移植到 OS X 上的方法。这个解决方案在重定向时，使布局更新以动画形式表现(使用重定向动画调速)。这协调了两个更新，所以它们同时完成，且更新只吸引很少的注意力。视图在屏幕上稍微滑动，而整个视图已经在旋转中，因此更新实际上并没有吸引多少注意力。

在 iOS 上，你通过在一个动画块中嵌入一个对 layoutIfNeeded 的调用，使约束更新以动画形式呈现，如代码清单 6-3 所示。始终确保在父视图上调用 layoutIfNeeded，正像这个示例中做的那样。这个调用迫使子视图进行布局，并使动画中包含那些更新。如果你跳过该调用，变化就会从前值跳到后值，而没有一个平滑的过渡。

代码清单 6-3 在旋转时以动画形式呈现约束更新

```
- (void) willAnimateRotationToInterfaceOrientation:
    (UIInterfaceOrientation)toInterfaceOrientation
    duration:(NSTimeInterval)duration
{
    [UIView animateWithDuration:duration animations:^{
        [self updateViewConstraints];
        [self.view layoutIfNeeded];
    }];
}
```

6.5.2 以动画形式显示 OS X 上的约束变化

OS X 约束动画使用一个稍微不同的方法，该方法基于 NSAnimatablePropertyContainer 协议。与直接改变一个约束的常量不同的是，在 animator 代理(proxy)上执行这个变化。animator 代理为更新的属性执行动画步骤。如下是一个将多个视图收集到一个垂直堆栈中的 OS X 方法的示例，演示了一个基本的约束动画方法。

```
- (IBAction)stackViews:(id)sender
{
    [NSAnimationContext beginGrouping];
    NSAnimationContext.currentContext.duration = 0.3f;
    for (int i = 0; i < views.count; i++)
    {
        // Retrieve position constraints
        NSArray *constraints = [self.view
            constraintsNamed:@"Dragging Position Constraint"
            matchingView:views[i]];

        // Find the horizontal one, and update its constant
        for (NSLayoutConstraint *constraint in constraints)
        {
            CGFloat c = IS_HORIZONTAL_ATTRIBUTE(
                constraint.firstAttribute) ? 0 : 100 * i;
            [constraint.animator setConstant:c];
        }
    }
    [NSAnimationContext endGrouping];
}
```

6.5.3 渐褪变化

代码清单 6-4 提供了一个截然不同的办法，来解决设备旋转期间更新约束的挑战。它让旧布局逐步消失，在旋转期间更新约束，随后淡入新的布局。

笔者对这个解决方案持保留意见。首先，它会闪一下。其次，执行所需时间大约为代码清单 6-3 的两倍。然而，它提供了一个强大的视觉方法。淡出，重新组织内容，然后淡入。优势是不会看到视图在屏幕上摸索爬行，跳跃(没有动画)或者滑行(有动画)到新的位置。渐褪为更新过程提供了自然的中断点，这样就将变化前后的状态分隔开来。

代码清单 6-4　淡入淡出约束更新

```
- (void)willRotateToInterfaceOrientation:
    (UIInterfaceOrientation)toInterfaceOrientation
    duration:(NSTimeInterval)duration
{
    // Fade away old layout
    [UIView animateWithDuration:duration animations:^{
        for (UIView *view in @[settingsView, creditsView])
            view.alpha = 0.0f;
    }];
}

- (void) didRotateFromInterfaceOrientation:
    (UIInterfaceOrientation)fromInterfaceOrientation
{
    // Update the layout for the new orientation
    [self updateViewConstraints];
    [self.view layoutIfNeeded];

    // Fade in the new layout
    [UIView animateWithDuration:0.3f animations:^{
        for (UIView *view in @[settingsView, creditsView])
            view.alpha = 1.0f;
    }];
}
```

注意：

笔者移除了本书第 1 版中出现在此的关于特定方向文本布局的讨论。在 iOS 7 下，标签回流(label reflow)[①]不需要指定具体的布局宽度。进一步而言，标签现在支持动态文本更新以响应用户产生的设置变化。

6.6　边缘条件设计

图 6-2 显示了一个用于锁定和解锁界面的自定义控件。用户通过从左向右拨动滑块拨块来打开这把锁。如果这个拨块滑过了 75%的标记，则解锁成功，发出代理通知，然后将它自身从屏幕上移除。

---

① 回流，这里指的是重新布局时，控件位置和尺寸大小调整的过程。

图 6-2　约束限制拨块在它父视图轨道中的行程

这个视图由 4 项组成：一个灰色的后挡板，一个锁图像，一个轨道(track)图像(水平圆角矩形)和一个拨块(thumb)图像(轨道中的浅色圆圈)。这个控件完全使用约束创建，包括布局和用户交互。因为约束常量易于更新和制作动画，所以它们为许多直接维护元素提供了一个优秀的解决方案。

代码清单 6-5 实现了约束这个易于用户操作的拨块规则。这些规则按如下方式建立：

- 拨块垂直地位于父视图内。这个规则在必需的(1000)优先级下，因此在不破坏界面的情况下，该放置不会发生改变。
- 拨块不得到达它的父视图的水平边缘。约束在拨块和它的父视图的始端和尾部之间添加了一个强制性的间隙。间隙为拨块图像的一半宽度。这些规则来自绝对的边界，有一个必需的优先级(1000)。
- 规则以一个 500 的优先级将拨块放在父视图的前缘。因为边缘约束已经描述，它无法到达边缘，因此它只能尽可能地靠近。为易于引用和在用户交互期间更新，这个放置约束已被命名(通过 THUMB_POSITION_TAG)。

代码清单 6-5　创建边缘条件

```
// Layout Thumb Constraints

// Center the thumb vertically on its parent
centerViewY(thumbView, 1000);

// Do not allow the thumb to reach the horizontal edges
```

```
CGFloat thumbInset = thumbView.image.size.width / 2;
for (NSString *format in @[
    @"H:|-(>=inset)-[view]",
    @"H:[view]-(>=inset)-|",
    ])
{
    NSArray *constraints = [NSLayoutConstraint
        constraintsWithVisualFormat:format
        options:NSLayoutFormatAlignAllCenterY
        metrics:@{@"inset":@(thumbInset)}
        views:@{@"view":thumbView}];
    for (NSLayoutConstraint *constraint in constraints)
        [constraint install:1000];
}

// Add an initial position constraint
constraint = CONSTRAINT_POSITION_LEADING(thumbView, 0);
constraint.nametag = THUMB_POSITION_TAG;
[constraint install:500];
```

因为这些初始化约束清楚地定义了边缘规则，所以在控制轨迹方法中只剩下少许内容要实现。代码清单 6-6 显示了约束如何简单地响应用户的触摸。

代码清单 6-6 中，跟踪方法首先检查触屏(touch)，看它是否偏离了。如果是，就将拨块的位置重置回 0，并取消追踪。由于低优先级，拨块位置约束无法到达 0，但是拨块会尽可能接近 0 的位置。动画块优雅地将拨块移回到合适的位置。

如果跟踪继续，拨块的位置将更新至匹配用户触屏在父视图中的位置。这个代码并不担心触屏是否到达了父视图的末端，它也不考虑触屏在 Y 轴上的位置。较高的优先级约束照看这些细节。“不要太靠左/右”约束否决了“随你向左/右滑动”约束，因此，拨块的位置同时适应用户的触屏和边缘条件。

确保你在测试本章代码仓库中的示例项目时，使用了现实世界的触屏来感受这个行为。

代码清单 6-6　使用约束平衡触屏

```
- (BOOL)continueTrackingWithTouch:(UITouch *)touch
    withEvent:(UIEvent *)event
{
    // Strayed too far out?
    CGPoint touchPoint = [touch locationInView:self];
    CGRect largeTrack = CGRectInset(trackView.frame, -20.0f, -20.0f);
    if (!CGRectContainsPoint(largeTrack, touchPoint))
    {
        // Reset on failed attempt
        [UIView animateWithDuration:0.2f animations:^(){
            NSLayoutConstraint *constraint =
                [trackView constraintNamed:THUMB_POSITION_TAG];
            constraint.constant = 0;
            [trackView layoutIfNeeded];
```

```
        }];
        return NO;
    }

    // Track the user movement by updating the thumb
    touchPoint = [touch locationInView:trackView];
    [UIView animateWithDuration:0.1f animations:^(){
        NSLayoutConstraint *constraint =
            [trackView constraintNamed:THUMB_POSITION_TAG];
        constraint.constant = touchPoint.x;
        [trackView layoutIfNeeded];
    }];
    return YES;
}
```

6.7　创建一个视图抽屉

图 6-3 显示一个用户可以通过拖曳来打开和合上的抽屉。在它的基本实现中，它提供了另一个边缘条件的示例。在本例中，抽屉无法上升到比图 6-3(a)所示的更高的位置，也无法下降到比图 6-3(b)所示的更低的位置。手柄始终保持可见。

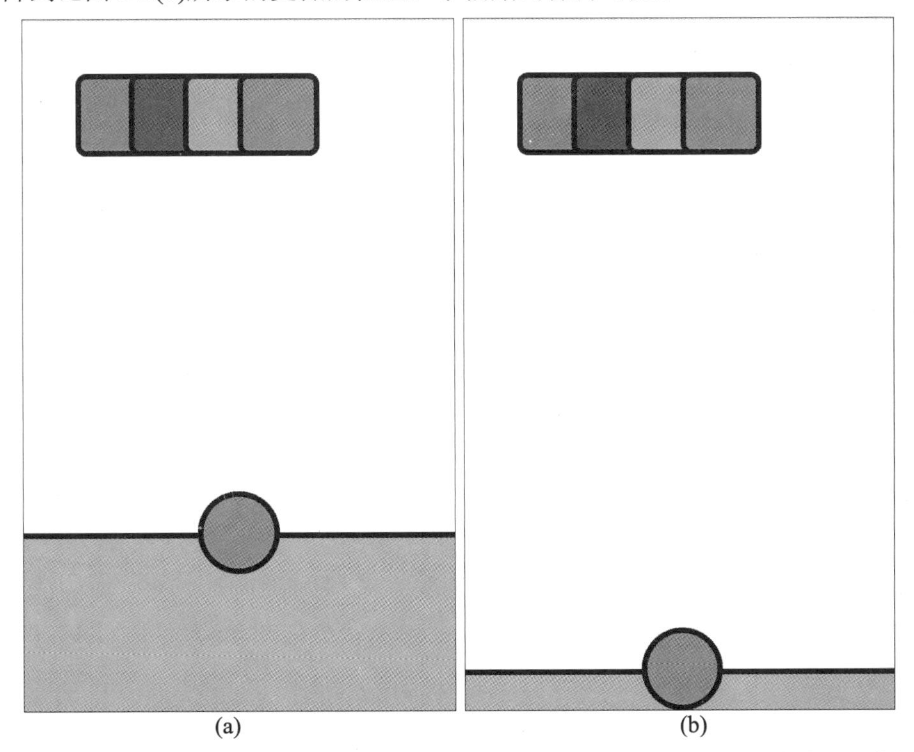

图 6-3　用户通过操纵圆形手柄，拖曳来打开(a)和合上(b)的抽屉。抽屉不能进一步地打开或者合上，其最低的位置即是显示完整的手柄

和锁控件一样，这个行为也是通过一对创建抽屉顶部边界的最小和最大位置约束来设

置。手柄视图管理了一个较低优先级的约束，以匹配这个抽屉的偏移量和用户的触屏。到现在为止，这个实现和锁没有太大的区别。

更有趣的情况涉及显示在视图顶部的可移动项目。在这个实现里有 4 项。用户可以将它们移至屏幕上的任何位置，包括抽屉里。它们是视图控制器的视图的子视图。

一旦它们被移动到抽屉里，抽屉视图就接管它们。如图 6-4 所示，抽屉中的项目总是均匀地从左到右排列。用户可以将它们拖回主区域或者可以滑动抽屉合上，隐藏它们。它们的放置位置相对于抽屉保持固定。

这个行为通过三重方法实现。被拖入或拖出抽屉的项目被添加到抽屉的管理视图集和从其中移除。其他类可以查询抽屉，问它当前是否对给定的视图负责。

```
- (void) removeView: (UIView *) view;
- (void) addView: (UIView *) view;
- (BOOL) managesViewLayout: (UIView *) view;
```

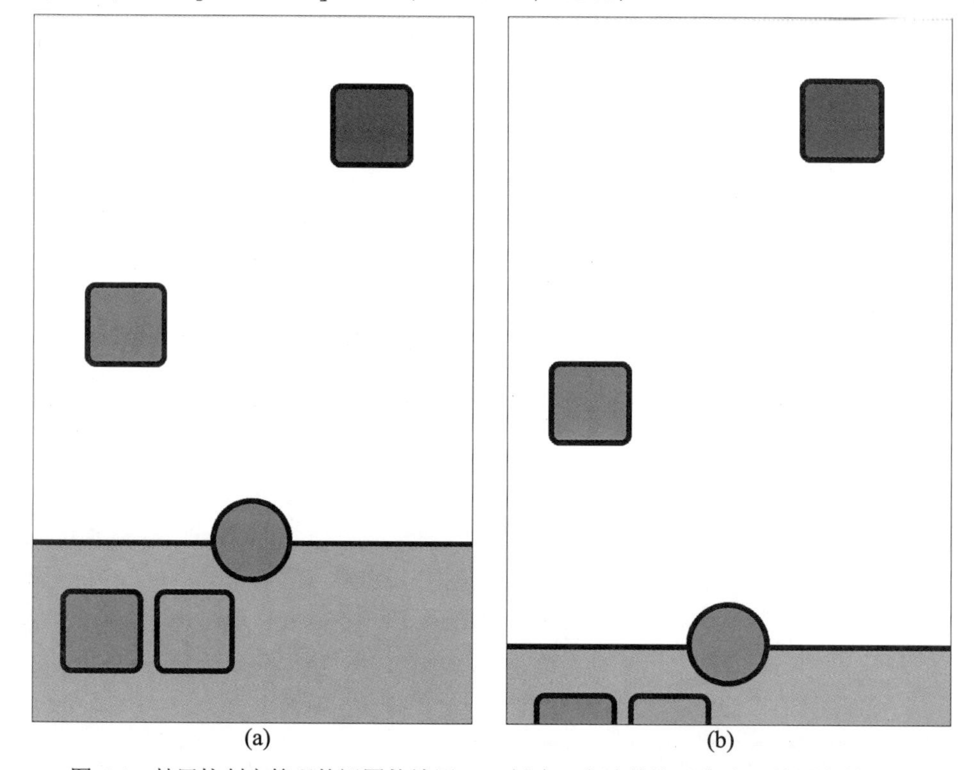

图 6-4　抽屉控制它管理的视图的放置(a)，创建一个随着抽屉移动(b)的固定的布局

挑剔地说，抽屉需要一种引用任何设置视图位置的外部约束的方法。当抽屉接管时，它必须移除这些约束，用自己的约束取代它们。它使用的是一个竞争约束名称的数组。

```
@property (nonatomic, retain) NSArray *competingPositionNames;
```

反过来，它公布用于定位它的视图的名称，那么当抽屉放弃它们时，其他类就可以接管：

```
+ (NSArray *) originatedPositionNames;
```

代码清单 6-7 显示了 3 个管理方法的实现。正如你所见，这些方法涉及的只有向视图数组添加项和从视图数组中移除项，然后调用 setNeedsUpdateConstraints。实际的布局工作发生在 updateConstraints 方法中。

代码清单 6-7　添加和放弃视图管理

```
// Is the view's layout managed by the drawer?
- (BOOL) managesViewLayout: (UIView *) view
{
    return [views containsObject:view];
}

// Remove view from drawer management
- (void) removeView: (UIView *) view
{
    [views removeObject:view];

    // Animate any changes
    [UIView animateWithDuration:0.3f animations:^{
        [self setNeedsUpdateConstraints];
        [self.window layoutIfNeeded];
    }];
}

// Add view to drawer management
- (void) addView: (UIView *) view
{
    if (!views)
        views = [NSMutableArray array];
    [views removeObject:view];
    [views addObject:view];

    // Animate any changes
    [UIView animateWithDuration:0.3f animations:^{
        [self setNeedsUpdateConstraints];
        [self.window layoutIfNeeded];
    }];
}
```

6.7.1　创建抽屉布局

updateConstraints 方法用于评估和更新约束设置。无论何时，在当前的布局无效时，都可以调用 setNeedsUpdateConstraints 方法，就像在抽屉的 addView:和 removeView:方法中所做的那样。代码清单 6-8 显示了实现抽屉布局的实际方法。

它由布局整个抽屉的两部分约束组成。第一部分建立限制抽屉在父视图上上下移动的最大和最小边界。注意抽屉不会被压扁。它的底部边界并没系到任何点，因此整个抽屉可上下移动，确保任何在它内部显示的视图与它的顶部和底部均保持一个固定的距离。

第二部分布局管理的视图。这部分首先移除已存在的位置约束和任何外部管理的、用于抽屉中的每项的约束。这为新的约束创建了一个全新的舞台。

该布局包括以下几部分：将第一项钉固到前缘，将视图在抽屉中垂直居中，以及创建一横行，将各项在该行间隔摆放开来。这些规则创建了一个表现良好的布局。

注意这些项是视图的兄弟而不是它的孩子。这些视图仍然属于主视图控制器的视图。这使得这些视图可以通过拖曳取消而无须重定父视图。这是抽屉管理的唯一视图布局。顺便提一句，手柄也是兄弟，允许它接受不被剪裁的整个范围上的触屏。抽屉主框架外的手柄上的触屏也可以被识别出来。约束将手柄与抽屉绑定，使这两者表现一致，就像单个单元格那样。

代码清单 6-8　布局该抽屉

```
- (void) updateConstraints
{
    [super updateConstraints];

    NSLayoutConstraint *constraint;

    // MinMax Layout
    // Remove prior constraints
    for (NSLayoutConstraint *constraint in
        [self constraintsNamed:MINMAX_NAME])
        [constraint remove];

    // Maximum Ascent
    constraint = [NSLayoutConstraint
        constraintWithItem:self
        attribute:NSLayoutAttributeBottom
        relatedBy:NSLayoutRelationGreaterThanOrEqual
        toItem:self.superview
        attribute:NSLayoutAttributeBottom
        multiplier:1 constant:0];
    constraint.nametag = MINMAX_NAME;
    [constraint install:750];

    // Minimum Ascent
    constraint = [NSLayoutConstraint
        constraintWithItem:self
        attribute:NSLayoutAttributeTop
        relatedBy:NSLayoutRelationLessThanOrEqual
        toItem:self.superview
        attribute:NSLayoutAttributeBottom
        multiplier:1
        constant: - _handle.bounds.size.height / 2.0f];
    constraint.nametag = MINMAX_NAME;
    [constraint install:1000];

    // View layout
```

```
    for (UIView *view in views)
    {
        // Remove prior constraints
        for (NSLayoutConstraint *constraint in
            [view constraintsNamed:LINE_BUILDING_NAME
                matchingView:view])
            [constraint remove];

        // Remove competing constraints
        for (NSString *name in _competingPositionNames)
            for (NSLayoutConstraint *constraint in
                [view constraintsNamed:name matchingView:view])
                [constraint remove];
    }

    if (views.count)
    {
        // Pin the first view to the drawer's leading edge
        UIView *view = views[0];

        constraint = [NSLayoutConstraint
            constraintWithItem:view
            attribute:NSLayoutAttributeLeading
            relatedBy:NSLayoutRelationEqual
            toItem:self
            attribute:NSLayoutAttributeLeading multiplier:1
            constant:AQUA_INDENT];
        constraint.nametag = LINE_BUILDING_NAME;
        [constraint install:LayoutPriorityFixedWindowSize + 2];
    }

    for (UIView *view in views)
    {
        // Center each view vertically in the holder drawer
        constraint = [NSLayoutConstraint
            constraintWithItem:view
            attribute:NSLayoutAttributeCenterY
            relatedBy:NSLayoutRelationEqual
            toItem:self
            attribute:NSLayoutAttributeCenterY
            multiplier:1 constant:0];
        [constraint install:LayoutPriorityFixedWindowSize + 2];
        constraint.nametag = LINE_BUILDING_NAME;
    }

    // Layout the views as a line
    buildLine(views, NSLayoutFormatAlignAllCenterY,
        LayoutPriorityFixedWindowSize + 2);
}
```

6.7.2 管理被拖曳视图的布局

当一个用户拖曳任何项时，代码清单 6-8 的布局都会故意“打破”，强制进行一次更新。如果一个视图被拖出了抽屉中部，任何其右侧的视图均会运动到并填充这个视图移开的位置。被拖曳对象发送的消息实现了这种行为。代码清单 6-9 显示了拖曳的起始和结束的更新。

离开抽屉的视图将回到外部布局管理中。然而，最终留在抽屉中的视图是被重新添加的。因为被拖曳的视图总是会离开它们原来排成一行的位置，当它们被放回到抽屉里时，它们会运动到末端。

代码清单 6-9 更新抽屉布局

```
// Check the start of drag
[[NSNotificationCenter defaultCenter]
    addObserverForName:DRAG_START_NOTIFICATION_NAME
    object:nil queue:[NSOperationQueue mainQueue]
    usingBlock:^(NSNotification *note)
{
    // Remove dragged objects from the drawer
    UIView *view = note.object;
    [holder removeView:view];
}];

// Check the end of drag
[[NSNotificationCenter defaultCenter]
    addObserverForName:DRAG_END_NOTIFICATION_NAME
    object:nil queue:[NSOperationQueue mainQueue]
    usingBlock:^(NSNotification *note)
{
    // Test dragged objects for position, adding
    // to the drawer when overlapped
    UIView *view = note.object;
    if (CGRectIntersectsRect(view.frame, holder.frame))
        [holder addView:view];
    else
        [holder removeView:view];
}];
```

6.7.3 被拖曳的视图

这个实现的最后部分为用户在屏幕上拖曳的视图。这些视图由 UIView 实例组成。它们包含一个拖曳手势识别器和一个良好定义的约束集。代码清单 6-10 显示的是支持视图移动的方法。

方法 moveToPosition:的作用类似于一个位置依赖的 updateConstraints 实现。它移除前面的位置约束，建立起匹配新位置的约束。与 updateConstraints 不同的是，对它的调用更频繁些，具体而言，尤其是在拖曳手势识别器更新时更加频繁。它并不会处理整个布局，而只是更新视图的位置。

代码清单6-10揭示的是为代码清单6-9提供支持的通知。当手势识别器开始(UIGestureRecognizerStateBegan)和结束(UIGestureRecognizerStateEnded)时，会发出通知。这些通知会启用代码清单6-9中使用的检查，使视图可以进入和离开抽屉的管理。

代码清单 6-10　通过手势识别器移动视图

```
- (void) moveToPosition: (CGPoint) position
{
    NSArray *array;

    // Remove previous location constraints for view
    array = [self.superview constraintsNamed:POSITIONING_NAME
        matchingView:self];
    for (NSLayoutConstraint *constraint in array)
        [constraint remove];

    // Remove participation from competing position groups
    for (NSString *name in _competingPositionNames)
    {
        array = [self.superview constraintsNamed:name
            matchingView:self];
        for (NSLayoutConstraint *constraint in array)
            [constraint remove];
    }

    // Create new constraints and add them
    array = constraintsPositioningView(self, position);
    for (NSLayoutConstraint *constraint in array)
    {
        constraint.nametag =  POSITIONING_NAME;
        [constraint install:LayoutPriorityFixedWindowSize + 1];
    }
}

- (void) handlePan: (UIPanGestureRecognizer *) uigr
{
    // Store offset and announce drag
    if (uigr.state == UIGestureRecognizerStateBegan)
    {
        origin = self.frame.origin;
        [self notify:DRAG_START_NOTIFICATION_NAME];
    }

    // Perform movement
    CGPoint translation =
        [uigr translationInView:self.superview];
    CGPoint destination = CGPointMake(origin.x + translation.x,
        origin.y + translation.y);
```

```
    [self moveToPosition:destination];

    // Check for end / announcement
    if (uigr.state == UIGestureRecognizerStateEnded)
        [self notify:DRAG_END_NOTIFICATION_NAME];
}
```

6.8 窗口边界

为圆满完成本章，笔者想要添加一个 OS X 特定的示例，因为窗口尺寸变化对边缘条件和规则平衡都提供了一个非常好的匹配。图 6-5 显示了一个应用，它的窗口尺寸取决于它内部视图的放置。

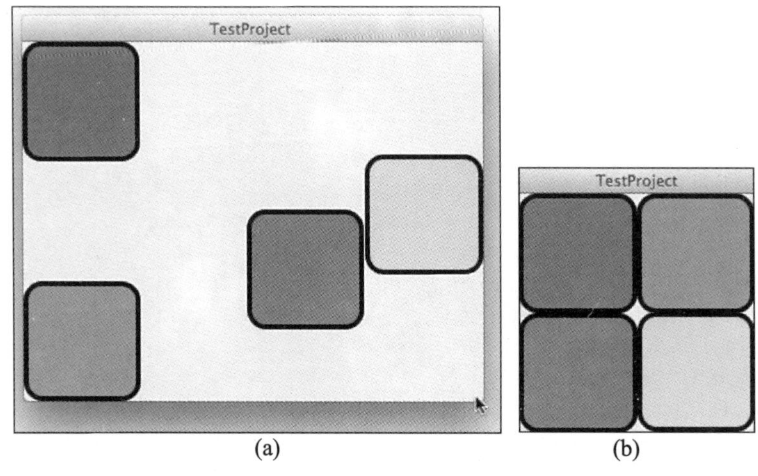

图 6-5　在这个应用中，窗口的尺寸通过位于它上面的、可拖曳的视图设置

注意图 6-5(a)图像右下方的光标。这不是一个调节窗口大小的光标(双向箭头)，因为不能直接改变这个窗口的大小。由于应用的限制约束，窗口尺寸大小根据子视图的放置而变化。

这个内容视图表现为竞争约束。它必须完全显示位于它里面的视图。同时它也希望尽可能地收缩到最小。结果便得到了一个“吸附”其内容子视图的窗口——无论这些视图是如何放置的。

代码清单 6-11 显示了这个规则中的吸附(hugging)部分。它的约束企图将窗口缩小到没有，也就是尺寸大小(0, 0)。这些规则使用一个固定的窗口尺寸优先级(使用标准的 NSLayoutPriorityWindowSizeStayPut 约束等级)。这个窗口希望变得尽可能小，除非这被否决。

代码清单 6-11　限制尺寸的窗口约束

```
// Request zero content size at a fixed window priority
_view = _window.contentView;
constrainViewSize(_view, CGSizeMake(0, 0),
    NSLayoutPriorityWindowSizeStayPut);
```

另一部分则是在代码清单 6-12 中创建的视图。它们由用户可拖曳的、以一个必需的优先级(1000)固定尺寸大小的正方形组成。constrainToSuperview 方法在第 4 章中首次引入，确定视图必须放在父视图内。同时，这些方法强制规定固定尺寸的视图完全位于它们父视图内。

代码清单 6-12　阻止视图剪裁的约束

```
TestView *view = [TestView randomView];
[self.view addSubview:view];
constrainToSuperview(view, 100, LayoutPriorityRequired);
[view enableDragging:YES];
```

代码清单 6-13 阐释了最后的效果。其中，可以看到实现视图拖曳的方法。每次视图移动，位置约束都会以一个“NSLayoutPriorityWindowSizeStayPut + 1”优先级设置新的位置。在固定尺寸、保持位于父视图内的需求和位置的优先级水平之间，视图特定的规则总是胜过父视图中将尺寸设为(0，0)的约束。尽管父视图会尽可能地缩小，但是内容视图总是胜出，当视图移出时，边缘间的距离还是会逐步增加。结果得到一个这样的窗口：吸附其内容，但是允许内容根据需要调整尺寸。

代码清单 6-13　影响窗口尺寸的可拖动视图

```
- (void) mouseDragged:(NSEvent *) event
{
    if (!allowDragging) return;

    CGPoint pt = [event locationInWindow];
    CGFloat dx = pt.x - touchPoint.x;
    CGFloat dy = pt.y - touchPoint.y;

    // Find the destination point and move to it
    CGPoint destination = CGPointMake(origin.x + dx,
        (self.superview.frame.size.height - self.frame.size.height)
        - (origin.y + dy));
    [self moveToPosition:destination];
}

- (void) moveToPosition: (CGPoint) position
{
    NSArray *array;

    // Remove previous location for view
    array = [self.superview
        constraintsNamed:@"Dragging Position Constraint"
        matchingView:self];
    for (NSLayoutConstraint *constraint in array)
        [constraint remove];
```

```
        // Create new constraints and add them
        array = constraintsPositioningView(self, position);

        // The increased priority enables window resizing
        // If you want a different result, e.g. no resizing,
        // adjust the priority downwards
        for (NSLayoutConstraint *constraint in array)
        {
            constraint.nametag = @"Dragging Position Constraint";
            [constraint install: NSLayoutPriorityWindowSizeStayPut + 1];
        }
    }
```

6.9 练习

阅读完本章后，通过下面的练习可以测试知识的掌握程度：

(1) 一个视图有两个约束。一个的优先级为 300，规定这个视图应当吸附父视图的顶部边界；另一个的优先级为 301，规定这个视图应当在父视图内垂直居中。这两个规则的结果是什么？

(2) 一个视图有两个约束。一个的优先级为 300，规定将这个视图的垂直中心位于父视图的顶部边界；另一个的优先级为 301，规定这个视图必须至少距离父视图顶部 50 点。这两个规则的可能结果是什么？

(3) 图 6-1 演示了模块化布局，其中视图被分解为两个子视图。如果使用 Autosizing 将内容放到子视图中，需要禁用 translatesAutoresizingMaskIntoConstraints 吗？如果需要，什么时候禁用？如果不需要，为什么？

(4) 何时你可能在兄弟间而不是使用父-子关系添加 Auto Layout 规则？为什么本章抽屉示例使用的是一个兄弟手柄？

(5) 图 6-5 中的窗口尺寸变化示例如何与 iOS 相关联？

(6) 何时可以跳过实现 updateViewConstraints 和 updateConstraints？

6.10 小结

成功实现 Auto Layout 设计经常取决于在着手为方案编写代码前，思考问题的努力程度。在打开 Xcode 前，可以通过在纸上仔细地评估边缘条件、冲突和优先级来解决棘手的问题。以下是一些本章最终的想法：

- 不能夸大创建和使用约束库的功用。Auto Layout 的性质意味着你可以一次性创建这些约束，然后多次使用。尽管你不能(也不应该)预测到会在开发中使用的所有约束，但肯定可以覆盖许多常见布局元素的基础。

- 简洁是一个良好设计的界面的特点。如果你的代码正在变大、变复杂，不妨往后回退一步，然后试着去找到指导你的布局和通过约束表达的基本原则。当你让更高优先级的边缘条件支配低优先级的一般行为时，一些代码行会显著地缩短。
- 正如你在本章可以断定的，我是一个酷爱给约束添加标签的人。这个行为使你只需最少的代码并且也可以让你的烦恼最少，便可以找到、微调、移除或者替换约束。它同时也是一种自注释的形式，解释了约束在界面中的作用。如果这种方法对你不可用，那么请考虑创建 Outlet 集合或者按功能对相关约束分组的数组属性。
- Auto Layout 使用一种你在 spring 和 struct 中不会遇到的方式，从早期规划设计中获益。如果习惯于快速 IB 原型，应当在预定计划表中为布局分析规划额外的时间。尽管在策略上 Auto Layout 要求额外的投资，但是你创建的界面会更健壮、更灵活以及更可靠。
- 无论何时，都要尽可能地分解你的界面。不要忘记任何自包含的、使用 Auto Layout 布局子视图的视图应当实现 requiresConstraintBasedLayout 类方法并返回 YES。

第 7 章

布局解决方案

本书前面章节关注于基础知识和原理。本章将介绍解决方案。你已经学习了各种现实世界的挑战，以及 Auto Layout 是如何为日常开发工作提供切实可行的方案的。这些主题就像一个百宝锦囊，展示了开发人员通常会提出的请求。

7.1 表单元格

与谣传相反，Auto Layout 并不是表单元格的敌人。图 7-1 显示一个由基于约束的表创建的应用。每个表单元格项，包括歌曲标题、相册图片、价格按钮和回放指示器，都使用 Auto Layout 来设置位置和尺寸大小。你会在表中的第二行看到一个回放指示器的示例。表单元格布局设计在代码中创建，它使用了一个自定义的表视图单元格子类。

图 7-1　这个表的单元格使用 Auto Layout 创建

Auto Layout 开发新手经常在试图将约束与表视图单元格绑定时遇到一些问题。如果正在经历与 Auto Layout 有关的断言错误(assertion failure)，如下所示，可往回退一步并重新评估你的方法：

```
    2013-02-01 18:55:49.125 HelloWorld[506:c07] *** Assertion failure in
-[CustomCell layoutSublayersOfLayer:],
/SourceCache/UIKit_Sim/UIKit-2380.17/UIView.m:5776
    2013-02-01 18:55:49.126 HelloWorld[506:c07] *** Terminating app due to
uncaught exception 'NSInternalInconsistencyException', reason: 'Auto Layout
still required after executing -layoutSubviews. CustomCell's implementation of
-layoutSubviews needs to call super.'
```

基于约束的表单元格获得成功依赖于两件事。首先，要跟随约束布局和约束更新的标准Auto Layout最佳实践。其次，需要将你的自定义子视图添加到表单元格的contentView上；不要将子视图直接添加到表单元格上。否则，会将Auto Layout单元格当成使用Autosizing创建的。

代码清单 7-1 给出了隐含在图 7-1 中表视图背后的关键方法。在你自己的实现中，以下一些注意点需要牢记：

- 创建一个自定义表单元格子类——当从头开始时，它的效果最佳。子类化 UITableViewCell 比将基于 Auto Layout 的子视图添加到标准表单元格的效果更好。
- 实现 requiresConstraintBasedLayout:方法——从这个类方法中返回 YES，因为你的表单元格依赖 Auto Layout。
- 添加子视图——代码清单 7-1 在类初始化器中创建并添加它的子视图，以调用 setNeedsUpdateConstraints 结束一个方法。它不执行任何布局；它只是返回一个新初始化的表单元格实例。
- 集中你的布局——使用通常的方式建立 updateConstraints。以调用父视图的实现开始。接着，将任何陈旧或者无效的约束移除。最终，布局该视图。

代码清单 7-1　创建 Auto Layout 表单元格

```
// Require Auto Layout
+ (BOOL) requiresConstraintBasedLayout
{
    return YES;
}

// Lay out the view
- (void) updateConstraints
{
    // Always call super
    [super updateConstraints];

    // Clean up stale or invalid constraints
    for (UIView *view in self.contentView.subviews)
```

```
    {
        NSArray *constraints = [self.contentView
            constraintsReferencingView:view];
        for (NSLayoutConstraint *constraint in constraints)
            [constraint remove];
    }

    // Lay out Track Label
    HUG(customLabel, 750);
    ALIGN_CENTER(customLabel);

    // Lay out Album Image
    HUG(customImageView, 750);
    ALIGN_CENTERRIGHT(customImageView, 8);

    // Lay out Buy Button
    HUG(_buyButton, 750);
    ALIGN_CENTERLEFT(_buyButton, AQUA_SPACE);

    // Lay out Playback Progress
    LAYOUT_V(progressImageView, 4, _buyButton);
    CONSTRAIN_SIZE(progressImageView, 20, 20);
}

// Initialize a new cell instance
- (instancetype) initWithStyle:(UITableViewCellStyle)style
    reuseIdentifier:(NSString *)reuseIdentifier
{
    self = [super initWithStyle:style
        reuseIdentifier:reuseIdentifier];
    if (!self) return self;

    // Add general styling
    self.contentView.backgroundColor = AQUA_COLOR;
    self.selectionStyle = UITableViewCellSelectionStyleNone;

    // Add Track Label
    customLabel = [[UILabel alloc] init];
    customLabel.numberOfLines = 0; // Enable wrapping
    customLabel.textAlignment = NSTextAlignmentCenter;
    customLabel.preferredMaxLayoutWidth = 150;
    [self.contentView addSubview:customLabel];
    PREPCONSTRAINTS(customLabel);

    // Add Album Image View
    customImageView = [[UIImageView alloc] init];
    [self.contentView addSubview:customImageView];
    PREPCONSTRAINTS(customImageView);

    // Add Buy Button
```

```
    _buyButton = [UIButton buttonWithType:UIButtonTypeRoundedRect];
    [self.contentView addSubview:_buyButton];
    PREPCONSTRAINTS(_buyButton);

    // Add Progress Image View
    progressImageView = [[UIImageView alloc] init];
    [self.contentView addSubview:progressImageView];
    PREPCONSTRAINTS(progressImageView);

    // Mark for refresh
    [self setNeedsUpdateConstraints];
    return self;
}
```

Auto Layout 和多高度表单元格

含有多种高度的单元格的表，如图 7-2 所示，便是一个 Auto Layout 挑战。因为表单元格一般存在于父视图之外。支持你计算布局尺寸(systemLayoutSizeFittingSize:)的一般窍门不一定对表单元格视图有效。

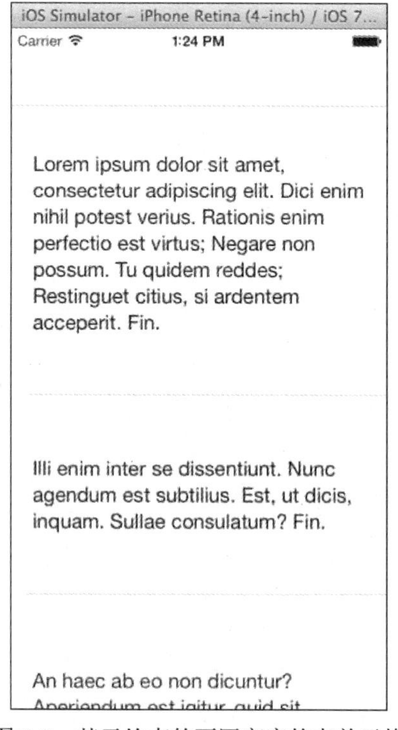

图 7-2　基于约束的不同高度的表单元格

可考虑按更传统的方式计算表单元格高度，如代码清单 7-2 所示，即使在你的单元格使用 Auto Layout 创建时也是如此。虽然存在很多种达到同样目的的方法，遗憾的是，适合的尺寸通常会引起内部的一致性错误。

代码清单 7-2　计算表单元格高度

```
+ (CGFloat) heightForString: (NSAttributedString *) aString
   inTableView: (UITableView *) tableView
{
   CGRect r = [aString boundingRectWithSize:
         CGSizeMake(tableView.bounds.size.width ¨C
            4 * AQUA_INDENT, CGFLOAT_MAX)
      options:NSStringDrawingUsesLineFragmentOrigin
      context:nil];
   r.size.height += 4 * AQUA_INDENT;
   aString.nametag = @(r.size.height).stringValue;
   return r.size.height;
}

- (CGFloat) tableView:(UITableView *)tableView
   heightForRowAtIndexPath:(NSIndexPath *)indexPath
{
   NSAttributedString *aString = array[indexPath.row];
   if (aString.nametag)
      return [aString.nametag floatValue];
   return [CustomTableViewCell heightForString:aString
inTableView:tableView];
}
```

7.2　保存图像纵横比

一个视图的内容模式不可能保存它的实际图像纵横比。那是因为内容模式在一个视图尺寸大小改变时，控制它显示内容的方式。一个内容模式，例如UIViewContentModeScaleToFill，允许内容完全地填满一个视图，但是不提供内容如何缩放的保证。

Auto Layout 提供一种管理实际图像纵横比的简易方式。使用原始的纵横比作为乘数，安装一个使视图宽、高相关联的约束。代码清单 7-3 演示了这种方法。

在代码清单 7-3 中，方法 addImageView:加载一个 UIImage 实例。它使用图像的 size 属性，通过将它的 width 除以 height 来创建一个实际的纵横比。这个方法创建一个约束来保存这个纵横比，并以一个高优先级安装它。这是一个罕见的示例，在该示例中一个合法的约束将一个坐标轴上的项(width，水平方向)同另一个坐标轴上的项(height，垂直方向)关联。

然后，该方法会降低压缩阻力优先级，使图像视图更容易地改变尺寸大小。它以添加一个任意的缩放模式结束，使内容填满任何可用的空间。

总之，这些规则用于建立易于被 Auto Layout 调整尺寸，但同时维护自身固有纵横比的图像视图。图 7-3(a)的图像显示的是由代码清单 7-3 创建的结果。

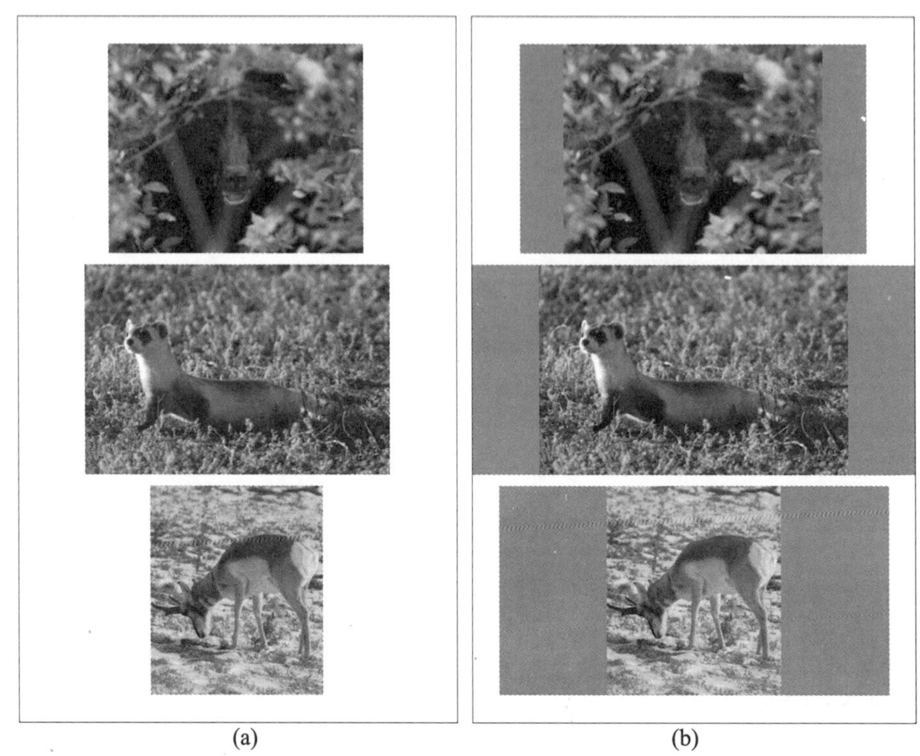

图 7-3 (a)忽略缩放，每个视图维护它所显示的图像的实际纵横比。(b)视图范围不受应用适宜纵横比的内容模式的影响。(国家公园服务管理处公共领域图像许可)

你可能会好奇为什么代码清单7-3不使用UIViewContentModeScaleAspectFit。该内容模式显示整个图像，并将图像缩放到适应该视图的尺寸，并维持固有纵横比。图7-3(b)中的图片说明了这个答案。

和代码清单 7-3 中创建的约束的纵横比不同，内容模式不影响视图布局。每个视图的真实范围，在此均由纯色(如果阅读的是本书的彩色电子书，此处显示为蓝色)的后挡板高亮显示，并未保持与内在内容一致的大小。请添加一个纵横比约束，迫使视图尺寸大小匹配它的内容，忽略自身的比例。

代码清单 7-3　使用约束维护纵横比

```
- (void) addImageView: (NSString *) source
{
    NSLayoutConstraint *constraint;

    // Load the image into a new image view
    UIImage *image = [UIImage imageNamed:source];
    UIImageView *imageView = [[UIImageView alloc] initWithImage:image];
    [self.view addSubview:imageView];
    PREPCONSTRAINTS(imageView);

    // Limit aspect at high priority
    CGFloat naturalAspect =
```

```
        image.size.width / image.size.height;
    constraint = [NSLayoutConstraint
        constraintWithItem:imageView
        attribute:NSLayoutAttributeWidth
        relatedBy:NSLayoutRelationEqual
        toItem:imageView
        attribute:NSLayoutAttributeHeight
        multiplier:naturalAspect
        constant:0];
    [constraint install:1000];

    // Lower down compression resistance priority
    RESIST(imageView, 250);

    // Enable arbitrary image scaling
    imageView.contentMode = UIViewContentModeScaleToFill;

    [views addObject:imageView];
}
```

7.3　等宽尺寸

图 7-4 演示一个常见的布局样式。你创建一排垂直的(或者水平的)从一边伸展到另一边的视图。每个视图宽度相同，不考虑空闲空间的大小。为了匹配，视图的宽度必须伸展或者收缩相同的量，来为每个元素提供一致的尺寸大小，很像是手风琴的折层。

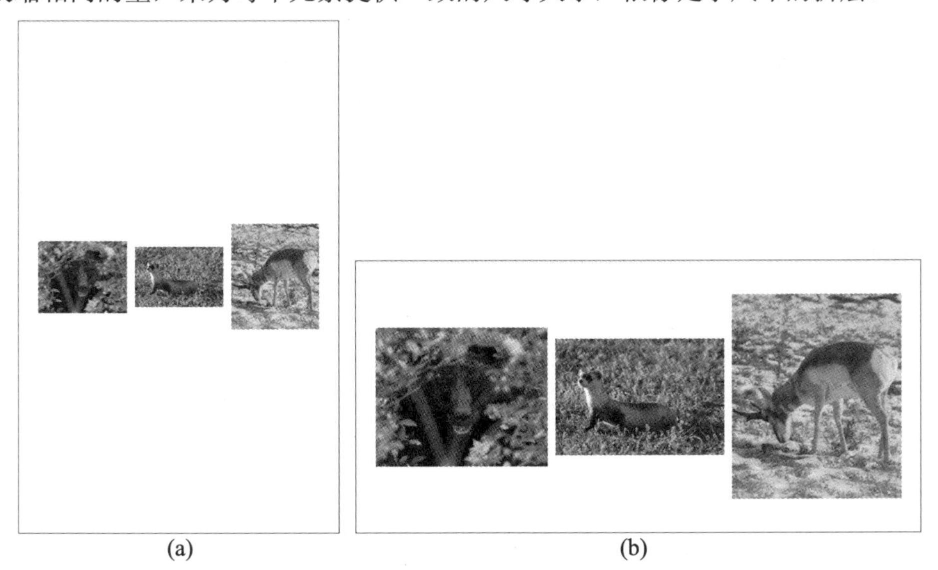

图 7-4　等宽风格的约束，允许图像在确保每个视图占据相同水平空间时适当地伸展。尽管(a)纵向放置使用的空间比(b)中横向放置使用的空间更少，但是每个图像间的关系仍保持不变。(国家公园服务管理处公共领域图像许可)

使用可视化格式非常容易实现这个样式。代码清单 7-4 显示所有你所需要做的事是创建一个格式，它将一项放在另一项之后，并将后续的每个视图与第一项相匹配。

所有剩余的空间都是固定的：在父视图和第一项、最后一项之间，每对视图之间。这些间隔规则移除了所有歧义，允许视图一齐改变尺寸大小。

代码清单 7-4　匹配多视图宽度

```
- (void) loadView
{
    self.view = [[UIView alloc] init];
    self.view.backgroundColor = [UIColor whiteColor];

    views = [NSMutableArray array];

    [self addImageView:@"bear.jpg"]; // Listing 7-3
    [self addImageView:@"ferret.jpg"];
    [self addImageView:@"pronghorn.jpg"];

    NSArray *constraints = [NSLayoutConstraint
        constraintsWithVisualFormat:
            @"H:|-[view1]-[view2(==view1)]-[view3(==view2)]-|"
        options:NSLayoutFormatAlignAllCenterY
        metrics:nil
        views:@{
            @"view1":views[0],
            @"view2":views[1],
            @"view3":views[2]}];
    for (NSLayoutConstraint *constraint in constraints)
        [constraint install:750];

    // Align first view to remove placement ambiguity
    CENTER_V(views[0]);
}
```

7.4　滚动视图

理想情况下，滚动视图应该会无缝地融入 Auto Layout。它们会提供一个公开的、随时可用的 contentView，其子视图将使用标准的 Auto Layout 规则放置。在这个理想状态中，contentView 会紧密地配合滚动视图的 contentSize，让你将那个 size 绑定到约束上。

在这个场景中，能够按如下方式来表示规则：

```
contentView.width = scrollView.width * views.count
contentView.height = scrollView.height
```

这些规则请求一个父滚动视图宽度整数倍的内容尺寸大小。它们也将内容匹配到父视图的高度。这个设置完美地为 N 个视图(例如在一个滚动的照片簿)创建了一个分页的布局。

如果这可以被实现，滚动视图的几何变化会自动地更新内容视图和它的尺寸大小。遗憾的是，这个场景并不存在。苹果公司并没有提供公开的 UIScrollView 内容视图。不能在约束中设置一个滚动视图的 contentSize 属性。也不能直接将子视图的尺寸绑定到父视图的边界。

苹果公司的 May 2013 Technical Note TN2154 讨论了这些限制，并提供了两个解决方案。首先，可以使用一个纯 Auto Layout 方法，但是存在一组需要遵守的特殊规则。其次，可以混合以及匹配 Auto Layout 和 Autosizing，来绕开那些限制。

7.4.1　滚动视图和纯 Auto Layout

尽管滚动视图直接与 Auto Layout 协作，但方式却有点事与愿违。你的子视图必须伸展到滚动视图父视图的四条边，且尺寸变化不依赖于滚动视图内容。

如下示例展示了纯 Auto Layout 方法的难点：

- 假如你想要添加一个类似第 5 章引入的栅格挡板(参见图 5-4)。尽管这些子视图伸展至所有父视图的四条边，但它们需要通过乘以父视图的宽度和高度来改变自身的尺寸。你做不到。所以最终仅能得到大小为 0 的子视图。
- 创建一个小的图像视图，将它在父视图中居中放置。图像视图提供一个内在内容尺寸，因此它的尺寸改变不依赖于滚动视图。然而，你的布局无法从一侧移至另一侧。最终得到的是一个“冻住”的滚动视图，它无法响应用户的触屏。

因此从技术上讲，尽管在滚动视图上完全可以使用纯 Auto Layout，但使用一个混合的方法更实用。

7.4.2　混合解决方案

幸运的是，通过创建一个自定义内容视图可以相对容易地绕过纯 Auto Layout 问题。表 7-1 通过检查布局树来寻找内容视图解决方案，它向我们展示的是要使用这个方案弥补的 Auto Layout 的不足。

表 7-1　查找滚动视图布局的不足

父　视　图	子　视　图	注　意　点
基本视图	滚动视图或其子类	UIScrollView 在 Auto Layout 中表现良好。放置该视图，然后添加它的尺寸和位置设置规则。 手动地管理滚动视图的 contentSize
某些类的滚动视图	内容视图	内容视图不是一个标准特性。添加你自己的、使用 Autosizing 的子视图，并匹配该滚动视图的 contentSize
内容视图	自定义视图	使用 Auto Layout 管理已添加至自定义内容视图上的子视图的位置和尺寸设置

尽管你可以将自己的内容视图添加到UIScrollView实例——例如，在loadView或

viewDidLoad方法中，但是创建一个兼容的子类相对更容易，如代码清单7-5所示。这个AutoLayoutScrollView类已约束就绪，自动地将子视图传递给它的自定义内容视图。这样，当该内容尺寸变化时，内容视图会更新它的框架，使子视图相应地做出响应。

代码清单 7-5　一个 Auto Layout 就绪的滚动视图子类

```
@interface AutoLayoutScrollView : UIScrollView
@property (nonatomic, readonly) UIView *customContentView;
@end

@implementation AutoLayoutScrollView
- (instancetype) initWithFrame:(CGRect)frame
{
    if (!(self = [super initWithFrame:frame])) return self;

    // Create custom content view using Autosizing
    _customContentView = [[UIView alloc]
        initWithFrame: (CGRect){.size=frame.size}];
    [self addSubview:_customContentView];

    return self;
}

// Override addSubview: so new views are added
// to the content view

- (void) addSubview:(UIView *)view
{
    if (view != _customContentView)
        [_customContentView addSubview:view];
    else
        [super addSubview:_customContentView];
}

// When the content size changes, adjust the
// custom content view as well

- (void) setContentSize:(CGSize)contentSize
{
    _customContentView.frame =
        (CGRect){.size = contentSize};
    [super setContentSize:contentSize];
}
@end
```

7.4.3　创建一个分页式图片滚动视图

代码清单 7-5 显示的是一个将 Auto Layout 并入滚动视图的方法，当内容尺寸变化时，允许布局更新。对于开发人员而言，一个更有意思的挑战是滚动视图的内容尺寸将根据滚动视图的框架更新。尽管将内容尺寸和父视图的框架尺寸关联起来可能听起来有些古怪，但是对于这个方法，存在一个具有说服力的用例。

图 7-5 显示的是一个滚动视图，它的分页的内容使用 Auto Layout 布局。这个示例由 5 个图片页组成。一个由滚动视图的代理支撑的分页视图指示器，负责追踪当前图像。滚动视图的尺寸，以及每个图像的尺寸，都取决于设备特性和方向。

图 7-5　Auto Layout 控制分页的滚动视图布局。(国家公园服务管理处公共领域图像许可)

当框架改变时(可以通过键入数值观察该滚动视图的边界)，滚动视图亦会调整它的内容尺寸。这个类继承自代码清单 7-5，该约束引导子视图布局调整，将每个视图与滚动视图新的 width 相匹配。

当添加新的内容时，滚动视图将更新它的约束，使旧的布局作废。代码清单 7-6 引入 updateConstraints 方法来实现这个功能。它布局新的视图行，并调整分页内容的偏移量。

分页滚动视图可能会受 Auto Layout 最佳近似的困扰，尽管这个问题似乎已在 iOS 7 中大大地改观。在 Auto Layout 中，一个跨度为 200.5 点的视图和跨度为 200 点视图非常接近。你不用担心这有什么不同。遗憾的是，滚动视图要求布局精确。当分页时候，每个数据集必须正好有相同的 width，否则你将在靠近页边缘的地方看到加工的痕迹。Auto Layout 无法确保这样的精确。

代码清单 7-6　使用 Auto Layout 创建一个滚动视图的内容

```
// Update view layout and adjust content view
```

```
- (void) updateConstraints
{
    [super updateConstraints];

    if (!views.count)
        return;

    // Clean up previous constraints
    for (UIView *view in views)
    {
        NSArray *constraints =
            [view referencingConstraintsInSuperviews];
        for (NSLayoutConstraint *constraint in constraints)
            [constraint remove];
    }

    for (UIView *view in views)
    {
        // Center each view vertically
        CENTER_V(view);

        // Match each to the scroll view width
        INSTALL_CONSTRAINTS(500, nil,
            CONSTRAINT_MATCHING_WIDTH(view, self));
    }

    // Lay out the views in a horizontal row with flush alignment
    // These use routines from Chapter 4
    BuildLineWithSpacing(views,
        NSLayoutFormatAlignAllCenterY, @"", 750);
    Pin(views[0], @"H:|[view]");
    Pin([views lastObject], @"H:[view]|");

    // Update content size and page offset
    [self updateContentSize];
    [self setContentOffset:CGPointMake(
        (CGFloat) _pageNumber * self.frame.size.width, 0)];
}

// Update layout after adding a new child view
- (void) addView:(UIView *)view
{
    if (!views)
        views = [NSMutableArray array];
    [views addObject:view];

    // Add new child to the content view
    [self.pagedContentView addSubview:view];
    PREPCONSTRAINTS(view);
```

```
    // Request fresh layout
    [self setNeedsUpdateConstraints];
}
```

7.5　居中视图组

你可能认为在 Auto Layout 中，布局视图时，必须将内容固定到某一边。那是因为 Auto Layout 不直接提供缓冲，以让内容悬浮在中间。你可以解决这个限制来实现你想要的效果，如图 7-6 所演示的。这个秘密就在于，在内容周围添加受管理的间隔。

图 7-6　缓冲使复杂的内容浮动到视图的中间

可通过向内容添加一般的视图来创建间隔。间隔能帮助你建立那些创建缓冲和管理浮动布局的 Auto Layout 规则。这个方法把视图组作为目标；它对于单个视图是没有意义的。你总是可以通过等量关系的 centerX 属性将单个视图定位中心到它的父视图。

视图默认是不可见的。对于 clear 背景，无须显式隐藏一个视图或者应用一个 0 alpha 级别。新创建的视图是没有功能的，也不会追踪用户的交互。它们提供了一种高效的、轻量的布局解决方案，对用户不可见，也不会妨碍应用的功能。

这些缓冲通过添加类似声明“在这些项的上方和下方(或者左侧和右侧)保留一个相等大小的间隔”，将内容推到中间。为使这个方法奏效，可向你希望浮动的每个视图组的每个坐标轴添加两个间隔视图。代码清单 7 向我们展示了一个这样的实例。

在图 7-6 中，共有 4 个要管理的间隔。对于更复杂的布局，其间隔数也会相应地增长。针对可能的布局更新，确保你考虑了各种引用间隔的方法。可以给它们贴上标签，可以将它们收集到 Outlet 集合中(是的，这个方法在 Interface Builder[IB]中很奏效)，也可以将它们添加到数组中，等等。

你会在第 4 章中找到一个使用间隔的更普遍的讨论。

代码清单 7-7 添加间隔视图

```
// Create equal-sized spacers to float the view vertically
void FloatViewsV(VIEW_CLASS *firstView,
    VIEW_CLASS *lastView, NSUInteger priority)
{
    if (!firstView.superview) return;
    if (!lastView.superview) return;

    VIEW_CLASS *nca =
        [firstView nearestCommonAncestor:lastView];
    if (!nca) return;

    // If the common ancestor is the first view,
    // move one level up to accommodate the spacer
    if (nca == firstView)
        nca = firstView.superview;

    // Create and install spacers
    VIEW_CLASS *spacer1 = [[VIEW_CLASS alloc] init];
    VIEW_CLASS *spacer2 = [[VIEW_CLASS alloc] init];
    [nca addSubview:spacer1];
    [nca addSubview:spacer2];
    PREPCONSTRAINTS(spacer1);
    PREPCONSTRAINTS(spacer2);

    for (VIEW_CLASS *view in @[spacer1, spacer2])
        view.nametag = @"SpacerView";

    // Add spacers to leading and trailing
    // See the layout functions from Chapter 4
    BuildLineWithSpacing(@[spacer1, firstView],
        NSLayoutFormatAlignAllCenterX, @"", priority);
    BuildLineWithSpacing(@[lastView, spacer2],
        NSLayoutFormatAlignAllCenterX, @"", priority);

    // Hug edges, match sizes
    AlignView(spacer1, NSLayoutAttributeTop, 0, priority);
    AlignView(spacer2, NSLayoutAttributeBottom, 0, priority);
    MatchSizeV(spacer1, spacer2, priority);
}
```

7.6 自定义乘数和随机位置

constant 是唯一可以在创建和安装布局约束后更新的约束属性。如下是苹果公司关于这一点不得不说的内容：

不像其他属性，constant(常数)可能在约束创建后被修改。设置一个已存在约束的常数，比先移除约束，然后添加一个和旧的约束类似，但是有一个新的常数的新约束效率更高。

然而，一些约束依赖自定义的乘数。不像具体指明准确点偏移量的常数，乘数支持你创建与 Auto Layout 原理更一致的相关属性。例如，可以在不知道父视图尺寸的情况下，将一个视图放置在它的父视图宽度的某个百分比的地方。或者可以将一个视图调整为它父视图尺寸的某个因子，例如 1/2 大小或者 1/3 大小。这些关系使你可以避免特定点和像素。

代码清单 7-8 演示的是一个基于乘数的布局。它建立一个随机(从一定程度上说)视图位置，如图 7-7 所示。这个方法将视图中心放在每个坐标轴上的一个随机位置，沿着父视图，范围从 0%~100%。为实现这个放置，需要完全移除所有先前放置的约束，而不是采用你处理常数的方式，在适当的位置更新它。

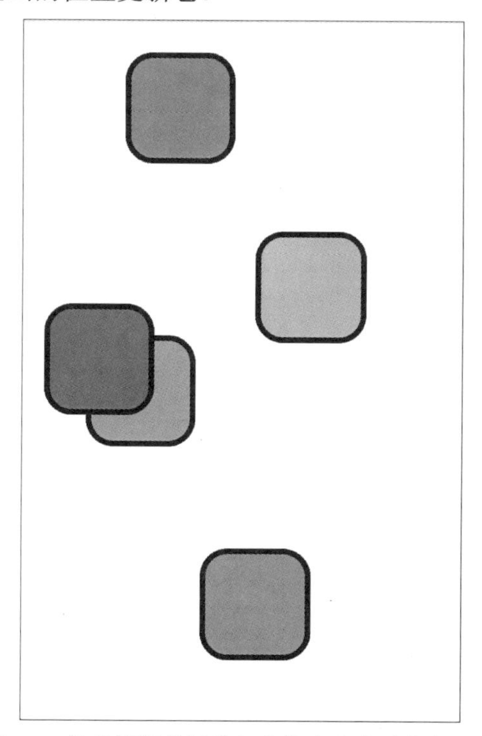

图 7-7　这些视图使用随机值作为约束乘数来定位

这个方法不强迫视图保留在屏上。位置为 0%的视图的左半边或者上半边会超出父视图的边界。同样的事也会发生在位置为 100%的视图的右半边或者下半边。为对抗这种情况，你可以使用某种布局限制，例如 limitToSuperview:方法，迫使视图在父视图内。这对靠近边界的随机分配有某种消极作用。

作为一个不受父视图边界情况影响的替代方法，你可以在每个视图的上边和下边或者左边和右边使用缓冲，合理地将它们的尺寸调整为随机值。但我不建议这种方法。对于每个放置，它都要求 4 个额外的视图，从数学的角度而言这非常不美观。

代码清单 7-8 使用约束建立随机位置

```
- (void) setRandomPosition: (UIView *) view
{
    CGFloat randomX = (double) random() / (double) LONG_MAX;
    CGFloat randomY = (double) random() / (double) LONG_MAX;

    // Remove previous position entirely
    NSArray *constraints =
        [view constraintsNamed:@"View Position"
            matchingView:view];
    [self.view removeConstraints:constraints];

    // Establish new constraints
    NSLayoutConstraint *constraint;

    // Horizontal
    constraint = [NSLayoutConstraint
        constraintWithItem:view
        attribute:NSLayoutAttributeCenterX
        relatedBy:NSLayoutRelationEqual
        toItem:view.superview
        attribute:NSLayoutAttributeTrailing
        multiplier:randomX
        constant:0];
    constraint.nametag = @"View Position";
    [constraint install:500];

    // Vertical
    constraint = [NSLayoutConstraint
        constraintWithItem:view
        attribute:NSLayoutAttributeCenterY
        relatedBy:NSLayoutRelationEqual
        toItem:view.superview
        attribute:NSLayoutAttributeBottom
        multiplier:randomY
        constant:0];
    constraint.nametag = @"View Position";
    [constraint install:500];
}

- (void) limitToSuperview: (UIView *) view withInset: (CGFloat) inset
{
    if (!view || !view.superview)
        return;

    NSDictionary *bindings =
        NSDictionaryOfVariableBindings(view);
    NSDictionary *metrics = @{@"inset":@(inset)};
```

```
    for (NSString *format in @[
        @"H:|->=inset-[view]",
        @"H:[view]->=inset-|",
        @"V:|->=inset-[view]",
        @"V:[view]->=inset-|"])
    {
        NSArray *constraints = [NSLayoutConstraint
            constraintsWithVisualFormat:format options:0
            metrics:metrics views:bindings];
        [self.view addConstraints:constraints];
    }
}
```

7.7　创建栅格

图 7-8 显示的是在 Auto Layout 项目中常见的一种简单栅格样式。它创建由多个标签、开关和按钮组成的行。可以很容易地在项目中创建类似的布局。生成多组视图(在本例中是标签、开关和按钮)，并应用创建适当栅格的规则。代码清单 7-9 演示了这个布局是如何创建的。

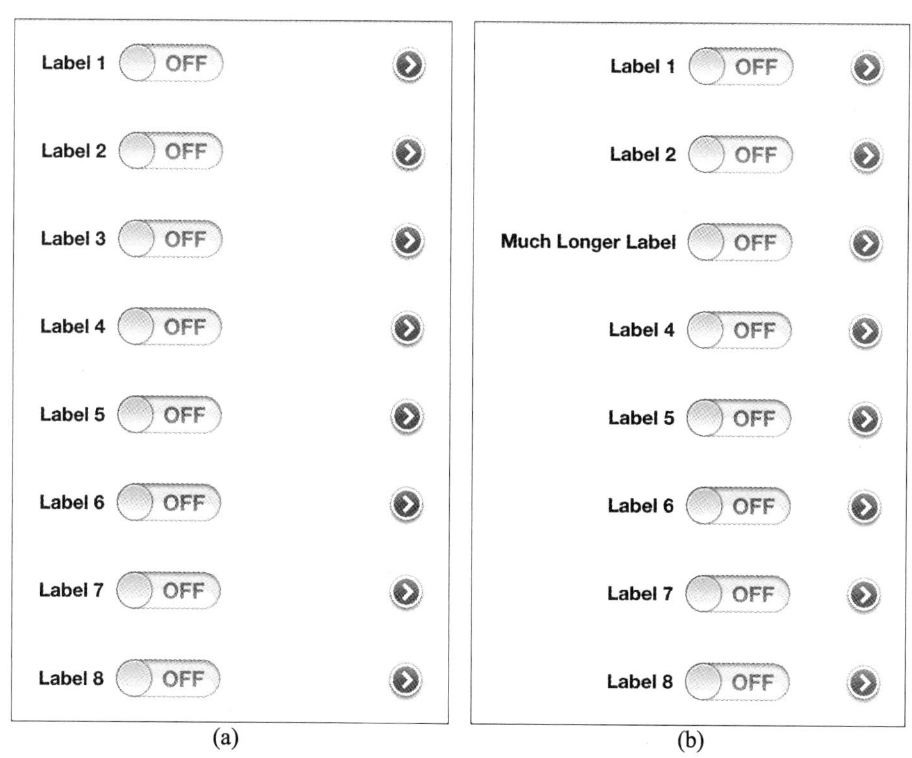

图 7-8　Auto Layout 简化视图栅格的创建。所有这些布局使用代码清单 7-9 中的代码创建。在(b)图中，字符串“Much Longer Label”被手动地指定给第 3 个标签

垂直设计可从考虑应当如何创建行开始。在本例中，每个标签均位于相对于开关控件

一个固定距离的地方，disclosure(显示)按钮也位于距离其后缘一个固定距离的地方。标签 3 的行为演示了这个布局中固有的灵活性。

选择一种行对齐方式。总的来说，图 7-8 中使用的 centerY 间隔的效果不错，但是你未拘泥于此。如果喜欢对齐顶部、底部或者基线，你也可以那么做。

正如代码清单 7-9 所说明的，在创建视图的循环中创建每一行是最容易的。在建立和存储视图后，继续创建布局那些项的行。每次循环均添加一个新行。

图 7-8 中的每行均使用两个格式创建。第一个以一个高的优先级安装。它创建两个固定的关系：标签和开关间，按钮和父视图边缘间。第二个格式以一个低优先级安装。它试图将标签移到尽可能靠近前缘的地方：

```
@"H:|-(>=20)-[label]-[switch]-(>=0)-[button]-|"
@"H:|-[label]"
```

第二个格式解释该标签希望位于哪里，即使第一个规则集阻止它靠得太近(它必须保持 20 点距离)。如果没有第二个规则，标签和开关的位置是有歧义的。它们倾向于远离左侧边缘。

那么为什么标签和开关仍然排成一直线(从垂直方向上看)，即使当第 3 个标签彻底改变了它的尺寸？强约束使开关对齐，使它们的前缘相互对齐。

通常都会明确每行中的最高项。在图 7-8 的情况中，最高项是开关。最高的对象总是指挥着垂直布局，奠定行排列方式的基础。代码清单 7-9 创建一个对齐的开关控件列，将第一项和最后一项钉固到父视图的顶部和底部。

这个方法为你将遇到的栅格布局奠定一个可靠的基础。你应当将行创建从列放置中分离出来，并使用一种考虑每个视图物理高度的方式，将它们联合到一起。

代码清单 7-9　使用 Auto Layout 建立栅格

```
- (void) loadView
{
    self.view = [[UIView alloc] init];
    self.view.backgroundColor = [UIColor whiteColor];

    buttons = [NSMutableArray array];
    switches = [NSMutableArray array];
    labels = [NSMutableArray array];

    for (int i = 0; i < 8; i++)
    {
        UILabel *l = [self createLabel];
        l.text = [NSString stringWithFormat:@"Label %d", i+1];
        l.translatesAutoresizingMaskIntoConstraints = NO;
        l.tag = i;
        [self.view addSubview:l];
        [labels addObject:l];
```

```
        UISwitch *s = [[UISwitch alloc] init];
        s.tag = i;
        s.translatesAutoresizingMaskIntoConstraints = NO;
        [self.view addSubview:s];
        [switches addObject:s];

        UIButton *b = [UIButton buttonWithType:
           UIButtonTypeDetailDisclosure];
        b.tag = i;
        b.translatesAutoresizingMaskIntoConstraints = NO;
        [self.view addSubview:b];
        [buttons addObject:b];

        // Layout each row
        NSArray *constraints = [NSLayoutConstraint
           constraintsWithVisualFormat:
              @"H:|-(>=20)-[l]-[s]-(>=0)-[b]-|"
           options:NSLayoutFormatAlignAllCenterY
           metrics:nil
           views:NSDictionaryOfVariableBindings(l, s, b)];
        [self.view addConstraints:constraints];

        // Pin each label to the left using a low priority
        pinWithPriority(l, @"H:|-[view]", nil, 300);
    }

    // [labels[2] setText:@"Much Longer Label"];

    // Build vertical column of switches
    pseudoDistributeWithSpacers(self.view, switches,
       NSLayoutFormatAlignAllLeading, 500);
    pin(buttons[0], @"V:|-[view]");
    pin([buttons lastObject], @"V:[view]-|");
}
```

7.8　为键盘留出空间

约束为键盘提供完美的匹配，使你可以在文本视图出现和消失时使用约束和动画来调整它们。开发人员 Steven Hepting 第一个向我介绍添加专门的键盘间隔视图而不是使用其他方法(例如内容 inset)的想法。这是一个聪明的想法，在代码清单 7-10 中可以看到这一点。它支持你将一个视图添加到布局底部，该视图的唯一目的是监听和管理键盘事件。这个实现完全是硬件感知的，对可选的输入附件视图(input accessory view)进行了适当的调整。

installToView:类方法提供了首选的切入点。如下的片段演示了你可能在自己的应用中创建和使用间隔的方式。

```
// Create a spacer
```

```
KeyboardSpacingView *spacer =
    [KeyboardSpacingView installToView:self.view];

// Place the spacer under the text view.
CONSTRAIN(@"V:|[textView][spacer]|", textView, spacer);
```

代码清单 7-10 创建一个专门的键盘间隔

```
@implementation KeyboardSpacingView
{
    NSLayoutConstraint *heightConstraint;
}

// Listen for keyboard
- (void) establishNotificationHandlers
{
    // Listen for keyboard appearance
    [[NSNotificationCenter defaultCenter]
        addObserverForName:UIKeyboardWillShowNotification
        object:nil queue:[NSOperationQueue mainQueue]
        usingBlock:^(NSNotification *note)
    {
        // Fetch keyboard frame
        NSDictionary *userInfo = note.userInfo;
        CGFloat duration =
            [userInfo[UIKeyboardAnimationDurationUserInfoKey]
                floatValue];
        CGRect keyboardEndFrame = [self.superview
            convertRect:[userInfo[UIKeyboardFrameEndUserInfoKey]
                CGRectValue] fromView:self.window];

        // Adjust to window
        CGRect windowFrame = [self.superview
            convertRect:self.window.frame fromView:self.window];
        CGFloat heightOffset =
            (windowFrame.size.height - keyboardEndFrame.origin.y) ¨C
                self.superview.frame.origin.y;

        // Update and animate height constraint
        heightConstraint.constant = heightOffset;
        [UIView animateWithDuration:duration animations:^{
            [self.superview layoutIfNeeded];}];
    }];

    // Listen for keyboard exit
    [[NSNotificationCenter defaultCenter]
        addObserverForName:UIKeyboardWillHideNotification
        object:nil queue:[NSOperationQueue mainQueue]
        usingBlock:^(NSNotification *note)
    {
        // Reset to zero
```

```
        NSDictionary *userInfo = note.userInfo;
        CGFloat duration =
            [userInfo[UIKeyboardAnimationDurationUserInfoKey]
                floatValue];
        heightConstraint.constant = 0;
        [UIView animateWithDuration:duration animations:^{
            [self.superview layoutIfNeeded];}];
    }];
}

// Stretch sides and bottom to superview
- (void) layoutView
{
    self.translatesAutoresizingMaskIntoConstraints = NO;
    if (!self.superview) return;

    for (NSString *constraintString in
        @[@"H:|[view]|", @"V:[view]|"])
    {
        NSArray *constraints = [NSLayoutConstraint
            constraintsWithVisualFormat:constraintString
            options:0 metrics:nil views:@{@"view":self}];
        [self.superview addConstraints:constraints];
    }

    heightConstraint = [NSLayoutConstraint
        constraintWithItem:self attribute:NSLayoutAttributeHeight
        relatedBy:NSLayoutRelationEqual toItem:nil
        attribute:NSLayoutAttributeNotAnAttribute
        multiplier:1.0f constant:0.0f];
    [self addConstraint:heightConstraint];
}

+ (instancetype) installToView: (UIView *) parent
{
    if (!parent) return nil;
    KeyboardSpacingView *view = [[self alloc] init];
    [parent addSubview:view];
    [view layoutView];
    [view establishNotificationHandlers];
    return view;
}
@end
```

7.9　在运行时插入视图

更新一个布局，向其插入视图可能会提高挑战性。以图 7-9 为例，它显示的是一行视图，分别为在中间插入一个新视图的之前和之后。为添加那个新视图，必须替换左边和右边视图间已存在的约束。图中的线代表当前的约束集。

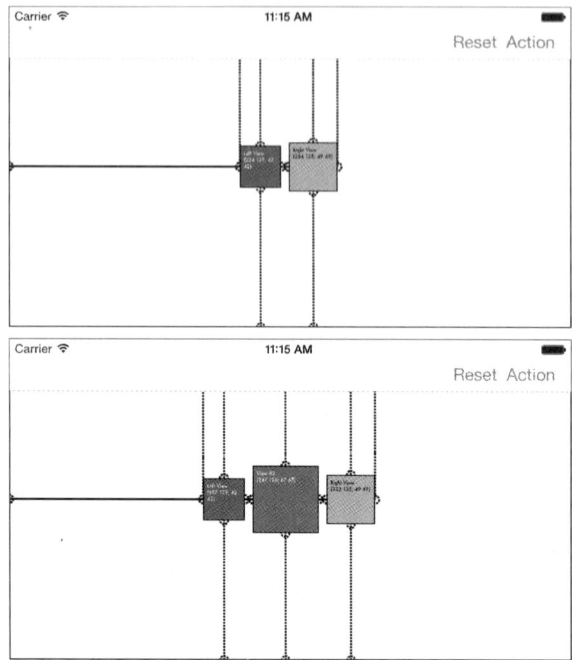

图 7-9　添加新的视图要求定位并替换已存在的约束

代码清单 7-11 扩展了首次在第 2 章中引入的约束匹配方法，以返回一组视图到视图约束。该数组中的每项均引用传递给该方法的两个视图。

代码清单 7-11　视图到视图约束的匹配

```
- (NSArray *) constraintsReferencingView: (VIEW_CLASS *) firstView
    andView: (VIEW_CLASS *) secondView
{
    NSArray *firstArray = [self constraintsReferencingView:firstView];

    NSMutableArray *array = [NSMutableArray array];
    for (NSLayoutConstraint *constraint in firstArray)
    {
        if ([constraint refersToView:secondView])
            [array addObject:constraint];
    }

    return array;
}
```

获取这个数组使你可以移除视图到视图约束项，指定一个新的布局。如下代码说明了图 7-9 中的布局是如何从第一张截屏过渡到第二张的：

```
/ Remove view-to-view constraints
NSArray *constraints =
```

```
    [self.view constraintsReferencingView:v1 andView:v2];
RemoveConstraints(constraints);

// Establish new layout rules
BuildLine(@[v1, newView, v2],
    NSLayoutFormatAlignAllCenterY, 500);

// Animate the results into place
[UIView animateWithDuration:0.3f animations:^{
    [self.view layoutIfNeeded];}];
```

为提供最平滑的动画，我设置 newView 的初始化框架，以匹配左边(v1)或者右边(v2)视图的框架。

添加 iOS 框架和约束重叠

尽管 OS X 提供了一种可视化框架和重叠(正如你在第 5 章的图 5-9 中看到的)，但是 iOS 没有提供相当的功能。由于我发现这是一个相当有价值的调试工具，于是创建了我自己的解决方案，你可以在图 7-9 中看到关于这个示例的说明。这个实现位于本书 github 代码仓库中的 ConstraintUtilities-Description 文件中，作为 UIView 的一个 VisualLayoutHint 类别。它没涉及什么东西，除了在视图层上进行绘制，它由很多单调的，与实际约束开发只有一点关系(就算真的有)的绘制任务组成。

当这个实现启用时，一个显示连接的定时器将更新约束和视图绘制，因此你可以在直接操纵界面和静态布局中使用这个实现。为启用该功能，可在主视图控制器视图上，viewDidAppear:方法中调用 toggleVisualLayoutHints 方法，确保当视图消失时切换回来。

7.10　运动效果、动态文本和容器

在为本章的小结前，我希望提供一些关于 iOS 技术和 Auto Layout 的最终说明。

Auto Layout 视图完美支持 iOS 7 新的运动效果和动态文本。对于运动效果，你可以向你的视图添加行为，而无须担心任何框架微调。iOS 使用图层变换实现动画效果。它们乐于与基于约束的布局友好共存。

处理动态文本时，可为 UIContentSizeCategoryDidChangeNotification 消息添加一个观察者。在你的处理程序中为顶层视图更新布局时，通常要调用 layoutIfNeeded 方法。对文本更新的支持，已为你内置在 UITextView 和 UILabel 类中。如果所有你正在做的事是更新这些元素，那么让 iOS 为你做这些工作即可。

当在容器视图中使用 Auto Layout 时，请务必在 didMoveToParentViewController:中重建视图到父视图约束。当将一个视图从它的父视图移除时，iOS 7自动处理布局约束。当将该视图添加回到一个父视图时，如果正在使用 Auto Layout，而不是 Autoresizing，则需要将那些约束添加回去。

将测试颜色将添加到视图控制器背景，以帮助你认出重设父视图的错误，在这个错误

中，子控制器没有相对于它们的容器完全地、适当地布局。最典型地，你会看到背景仍然根据前一个方向布局。

7.11 练习

阅读完本章后，通过下面的练习可以测试知识的掌握程度：

(1) 如何在 IB 中重复代码清单 7-7 中的间隔方案？

(2) 如何在 IB 中设置视图的纵横比？

(3) 可以在 IB 中使用来自代码清单 7-10 的键盘间隔吗？

(4) 如何在 IB 中使用来自代码清单 7-5 的混合滚动策略？

7.12 小结

本章为许多在论坛、聊天室、邮件列表里提出的 Auto Layout 疑难问题，提供了解决方案。它为那些疑难问题的切实可行的答案，提供了具体的实现示例。如下是一些本章的最后想法：

- 尽可能利用 Auto Layout 的威力。但是记住一点，不是所有的技术都以及已为它做好了准备。当处理滚动视图时，请使用混合布局。处理表单元格时，可针对表单元格高度考虑传统的内容计算。
- 任何通过 IB 提供的设计特征，例如表视图单元格的布局，都有一个等效的基于代码的实现。总的来看，基于代码的解决方案总是提供至少和 IB 一样多的表示。
- 创建约束时，请让几何引导你。正如本章中若干方案所表明的，在视图里找到可关联的属性，可以极大地简化最终布局。无论你是正在为等宽布局匹配视图的尺寸，还是在为视图缓冲指定负空间，Auto Layout 都可以提供超出你想象的更多的解决方案。
- 尽管这些特征没有在文档中强调，但是 Auto Layout 一直在完美地使用直接操纵和动画。任何你对约束常量的调整都可以与 layoutIfNeeded 一起在某个动画块中执行。注意，Auto Layout 不响应 UIView 变换。如果使用变换，而不是约束规则缩放视图，其他视图不会为该视图让路的。

附录 A

练习参考答案

第 1 章

1. 设有一个标签，其约束是距离其父视图的前、后边各 8 点，高度为 22 点。该标签的布局是否有歧义？如果有歧义，如何消除这种歧义性？

该布局是有歧义的。这个标签正在丢失一个垂直位置。可以通过设置一个 y 位置来消除歧义，例如，通过在它的父视图中让该标签垂直居中，或者让它相对父视图顶部边界偏移固定量。

2. 创建一个与系统风格一致的按钮，为其赋予名称 Continue。该按钮的中心被约束为距离其父视图的顶部和前边处的一点(150,150)。这个视图的布局是否有歧义？如果有歧义，如何消除这种歧义性？

该布局没有歧义。这个视图的高度和宽度通过按钮的标题创建。这个按钮表示一个内在内容尺寸，基于它的标题中的单词和系统字体设定。

3.在 viewWillAppear:中，新建一个测试视图，并将该视图添加到视图控制器中：

```
UIView *testView = [[UIVie walloc]
   initWithFrame:CGRectMake(50, 50, 100, 30)];
view.backgroundColor = [UIColor blueColor];
[self.view addSubview:testView];
view.translatesAutoresizingMaskIntoConstraints = NO;
```

在这几行代码之后，添加约束，使这个测试视图相对于其父视图居中。当应用运行时，该视图的尺寸将是多少？为什么？

这个视图的尺寸很可能在运行时为 0。尽管你建立了一个初始化的框架，但是 Auto Layout 并未在布局中使用这个 frame 属性。除了执行居中以布局这个视图外，它并没有其他的规则了。因为 UIView 实例并不表示一个内在内容尺寸，这个视图的默认尺寸很可能为 0。

4. 一个 54×54 点的图像由一个 50×50 点的正方形加上一个下拉阴影组成，阴影偏移量为向右 4 点和向下 4 点。①写出将对齐 inset 赋予该图像的代码。②当将该图像添加到一个图像视图中，并且在两个坐标轴上均相对于其父视图居中时，这个图像中的哪个几何点位于父视图的中心？

```
UIImage *image = [[UIImage imageNamed:@"sample.png"]
            imageWithAlignmentRectInsets:UIEdgeInsetsMake(0, 0, 4, 4)];
```

中心点应当对应于这个已调整图像上的点(25，25)。

5. 向视图中添加一个按钮，并将该按钮约束为从一边伸展到另一边，优先级为 500。这个按钮会伸展吗？为什么？

这个按钮会伸展。这个按钮的默认内容吸附优先级是 250。伸展它的约束，拥有一个 500 的优先级。更高的约束胜出，因此按钮在运行时伸展。

第 2 章

1. 你能手动构建 NSContentSizeLayoutConstraint 吗？这些约束将如何以及为什么呈现在 Auto Layout 中？

不能手动构建。这不是一个公有类，不能直接从代码中与它交互。这个约束源自一个视图的内在内容尺寸。大多数系统提供的控制和图像视图可表达内在内容尺寸。你可以创建你自己的方法，为你的自定义视图定义一个内容尺寸。

2. 当两个相互冲突的规则恰好有相同的优先级时，运行时会发生什么情况？

Auto Layout 在运行时会自动打破一个规则或者另一个。这几乎不会以一个视觉上赏心悦目的界面布局作为结束。

3. 为什么使用 251 和 249 之类的优先级要优先于使用像 257 和 243 之类的优先级？

你几乎从不需要表示大量的优先级。一个相对标准值(250 是 Auto Layout 预定义的“低”优先级)的个位数偏移量，表示一个相对于该标准值设置的优先级。使用明确数值可使代码一眼便能看懂。在某些(极少的)需要二级引用优先级的情况下，使用 252 或者 248。这用于维护该相对距离规则，并将那个值与它关联设置的标准优先级绑定。

4. 为什么可能会使用无内在内容大小的视图？

许多没有内在内容尺寸的视图在界面中扮演着重要的角色。从背景到内容间隔，未经修饰的和不可见的视图帮助在布局内建立重要的区域，即使它们没有自己直接的内容。

5. 如果将一个视图与其父视图之间的约束安装在该子视图上，会发生什么情况？

应用随着一个未捕获的异常而退出：“无法在视图上安装约束。约束是否引用了该视图子树外的东西？那是非法的。”这不是你想要的用户体验。请确保你将约束安装到这两个视图的最近共同祖先。

6. 指出这两个约束之间的区别：视图 A 的宽度是视图 B 的宽度的两倍，视图 B 的宽度是视图 A 的宽度的一半。如果这两个约束都安装了，会发生什么情况？

这两个约束规则产生相同的结果。因为它们不互相抵触，你可以同时安全地安装它们。

Auto Layout 对多余的规则不敏感。

7. 在图 2-6 中，你会在下列视图之间的哪个视图上安装约束：①View 1 和 View 3 之间？②View 1 和 View 2 之间？③View 2 和 View 3 之间？④View 2 和 View 4 之间？⑤如果添加一个按钮作为 View 2 的子视图，你会将约束安装在该按钮和 View 1 之间的哪一个上？⑥你又会将约束安装在该按钮与 View 2 之间的哪一个上？

①View 3。②View 3。③View 3。④无法安装约束，因为 View 4 和 View 2 在不同的窗口上，它们不共享同一个视图层次结构。⑤View 3。⑥View 2。

8. 创建视图 A 并添加一个子视图，即视图 B。添加两个约束，将视图 B 相对于其父视图居中对齐，并且将视图 B 的大小设置为 100×100 点。①视图 B 的布局是否明确？②视图 A 的 constraints 数组中存储了多少约束？③视图 B 的 constraints 数组中存储了多少约束？

将视图 B 从其父视图中删除。④删除以后，视图 A 的 constraints 数组中存储了多少约束？⑤视图 B 的数组中存储了多少约束？

①该布局无歧义。View B 有一个固定的位置和尺寸。②View A 存储两个约束，两个居中位置约束。③View B 存储两个约束，分别是高度和宽度约束。这遵循将约束安装到最近共同祖先的原则。只影响一个视图的约束安装到视图本身。④移除 View B 之后，View A 的两个约束将自动地被移除。View A 在它的数组中存储 0 个约束。⑤View B 继续存储所有尺寸约束，因此，答案是两个。

第 3 章

1. 将 3 个按钮添加到你的视图。添加约束使这 3 个按钮使用固定的偏移量保持在该视图内居中对齐(如图 3-39 所示)，不考虑朝向和平台。加分：将 3 个按钮扩展到 5 个按钮。

按如下步骤添加 3 个按钮，并使它们在视图中居中对齐：

(1) 选中 Button2。在 Align 弹出菜单中，选中 Horizontal Center in Container 和 Vertical Center in Container。单击 Add and Update Frames。

(2) 先选中 Button1，然后选中 Button2。在 Pin 弹出菜单中，选中 Vertical Spacing，将 constant 设置为 8。单击 Add and Update Frames。

(3) 先选中 Button2，然后选中 Button 3。在 Pin 弹出菜单中，选中 Vertical Spacing，将 constant 设置为 8。单击 Add and Update Frames。或者使用 Editor | Pin | Vertical Spacing 选项。

(4) 选中所有按钮。在 Align 弹出菜单中，选中 Horizontal Centers。单击 Add and Update Frames。

2. 将一个带有彩色背景颜色的视图添加到一个视图控制器中。给它添加约束，使它每条边上的 inset 都为 40 点，不考虑朝向(如图 3-40 所示)。

选中该视图。在 Pin 弹出菜单中，启用所有 4 个顶部的条，设置每个 spacing 值为 40(如图 A-1 所示)。单击 Add and Update Frames。顶部栏设置一个视图和顶部布局向导(它正是

40 点 inset 开始的地方)之间的约束。

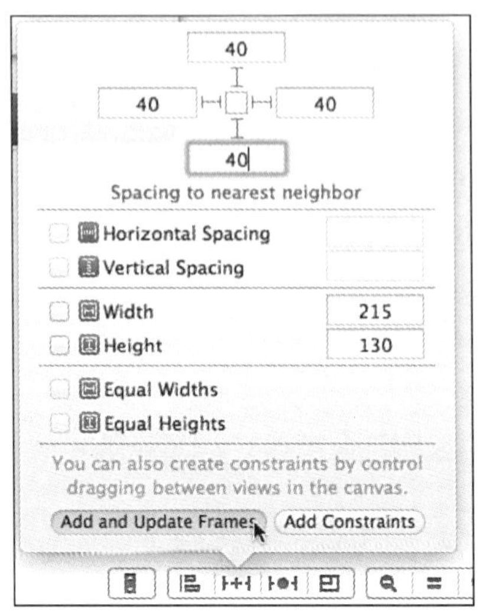

图 A-1　使用一个 inset 伸展一个视图

3. 将 3 个视图添加到一个新的视图控制器中，如图 3-41(a)所示。只使用 IB，创建一个约束系统，如图 3-41(b)所示，当通过更新框架应用该系统时，将会产生如图 3-41(c)底部图片所示的相等尺寸的结果。

按如下步骤添加 3 个视图，并应用指定的约束：

(1) 选中所有 3 个视图。选择 Editor | Pin | Widths Equally。

(2) 选中所有 3 个视图。选择 Editor | Pin | Heights Equally。

(3) 选中所有 3 个视图。选择 Editor | Align | Horizontal Center in Container。

(4) 选中 View 1 和 View 2。选择 Editor | Pin | Vertical Spacing。

(5) 选中新的约束，将它的常数改为 0。

(6) 为 View 2 和 View 3 重复步骤(4)和(5)。

(7) 选中 View 1。钉固到父视图的 Leading Space、Trailing Space 和 Top Space。将每个常数改为 0。

(8) 选中 View 3。钉固到父视图的 Bottom Space。将常数修改为 0。

(9) 更新视图控制器中的所有框架并保存，然后使用一个预览面板测试该视图。

4. 创建一个表，该表的每行都由左对齐标签和两个靠右边的按钮组成(如图 3-42 所示)。添加约束，使标签和按钮在每个朝向下都保持适当的对齐，3 个按钮垂直居中排列。

按如下步骤创建该表视图，它上面的 3 个按钮垂直居中：

(1) 选中标签。将它以一个标准偏移量钉固到左侧，并在容器中将它垂直对齐。

(2) 选中信息按钮。将它以一个标准偏移量钉固到右侧，并在容器中将它垂直对齐。

(3) 选中添加按钮。在容器中将它垂直对齐。

(4) 按住 Ctrl，并从添加按钮拖曳到信息按钮。设置水平偏移量。将偏移量改为使用标准间隔。

(5) 更新表单元格中的框架并保存，然后测试该视图。

第 4 章

1. 格式 @"H:[view1]-[view2]" 产生了多少约束？如果可选参数是 NSLayoutFormatAlignAllBaseline，它产生多少约束？

该格式至少产生一个约束，它将view 1的后缘关联到View 2的前缘。它可能会产生更多的约束，如果你将一个非0的选项传递给option参数。如果你传递的是 NSLayoutFormatAlignAllBaseline，该格式将产生两个约束。第二个约束对齐这两项的基准线。

2. 格式@"H:[view1]"产生了多少约束？如果可选参数是 NSLayoutFormatAlignAllTop，它产生多少约束？

该格式不产生约束，无论你传递 0 还是其他任何选项参数。尽管该格式提到了 view1，但是它并不请求创建任何约束。

3. 已知格式字符串是@"H:[view1]-[view2]"。①将 NSDictionaryOfVariable Bindings (view1, view2, view3, view4, view5) 传给视图参数时会发生什么？②你将 NSDictionaryOfVariable Bindings(view1, view3)传给视图参数时会发生什么？

① 产生和问题 2 中一样的约束。绑定字典中的额外项不会影响结果。

② 引起一个异常："view2 is not a key in the views dictionary(view2 并非视图字典中的关键视图)"。

4. 如何请求一组视图对齐顶部和底部？

将一个按位或的掩码，NSLayoutFormatAlignAllTop | NSLayoutFormatAlignAllBottom，传给水平格式中的选项参数。

5. 如何为垂直格式字符串(例如@"V:[view1][view2]")请求底部对齐？

不需要。对齐请求必须与布局的坐标轴正交。

6. 视觉格式@"H:|-(50@100)-[view1(==320@200)]-(50@300)-|"在 320 点宽度的屏幕上的结果是什么？在 480 点宽度的屏幕上呢？

在一个 320 点宽度的屏幕上，该视图从左侧齐平向右侧伸展 270 点。它在距离右侧 50 点处停下来。到右边的间隔拥有较高的优先级(300)，比视图尺寸请求(200)或者左边的间隔请求(100)都要高。如图 A-2(a)所示。

在一个 480 点宽度的屏幕上，视图从距离左侧 110 的 inset 处开始。320 点间隔的请求的优先级为 200，否决了左侧优先级为 100 的 inset 请求。如图 A-2(b)所示。

7. 这个视图会有多宽：@"H:[view(>=20, <=10)]"？

Auto Layout 无法同时满足这两个约束请求。它会随机打破其中一个规则。对于某个冲突，你只能说该视图宽度不会在 10 点和 20 点之间。

8. 描述一下约束@"H:|-(-20)-[view1(==50)]"产生的结果。

该视图的高度被约束为 50 点。它被放置在父视图顶部 20 点上方的地方。只有视图底部 30 点区域扩展到父视图内。

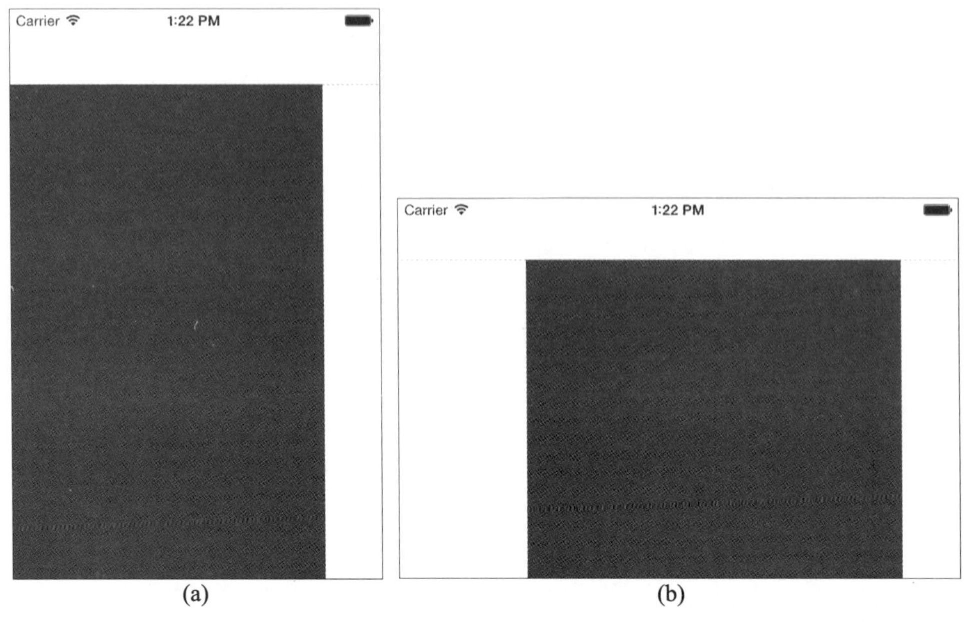

(a) (b)

图 A-2 平衡优先级

第 5 章

1. IB 在设计和编译时发现 Auto Layout 问题。为什么还要操心运行时和控制台？

对于使用代码创建的约束、实现边界条件的约束，以及规则优先级区分而言，控制台扮演着最重要的角色。对于简单的界面，可以在运行时之前完整地调试 GUI。

2. 乘数在约束中发挥什么作用？

乘数没有包含在 IB 中。在代码中，乘数用于描述一个视图区域中的某一部分。可以使用它们描述一个只覆盖父视图一部分的视图，或者把一个视图放到父视图前缘或者底部的某个区域。例如，你可能使用乘数，将一个视图放到沿着它的父视图的 1/3 处，然后伸展为它的一半宽度。

3. 一个图片视图看似已被裁减，只显示出垂直方向上大概一半的内容。这可能是出了什么问题？

很可能是，该视图的压缩阻力比较低，允许裁剪的发生。检查该视图的内容模式，内在尺寸大小和任何应用于开发者的尺寸约束，看看如何解决这个限制。

4. 一个视觉约束在 item1 和 item2 之间留下了 20 点垂直间隔(V:[item1]-20- [item2])。这个格式产生的约束中的常数符号是什么？为什么？如果你将这个常数乘以-1，这个布局会发生什么变化？

符号取决于 Auto Layout 如何基于这个格式创建约束。如果第一项是 item1，第二项是 item2，那么这个符号是负的。如果这两者以相反的顺序指定，那么符号是正的。事实上这没有什么关系，因为这个约束描述了相同的条件：item1 的底部和 item2 的顶部之间距离 20 点。

5. IB 报告某个布局完全满意、无歧义。但是在运行时，一个或多个视图表示存在歧义。为什么会这样？

如果你把任意 IB 约束标记为占位符，它会在运行时自动移除。这留下了一个有歧义的约束集。该特征要求你提供自定义的约束。如果你忘记那么做了，你的视图会变成欠约束的。

6. 在使用阿拉伯作为所在地来测试应用之前，视图一直处于正确的位置。在阿拉伯文下，视图的位置却发生了水平反转。为什么会这样？

从右到左(RTL)的本地化只影响前缘和后缘属性。如果你使用左和右属性，它们的位置不会发生翻转。

第6章

1. 一个视图有两个约束。一个的优先级为300，规定这个视图应当吸附父视图的顶部边界；另一个的优先级为 301，规定这个视图应当在父视图内垂直居中。这两个规则的结果是什么？

该视图会从顶部伸展到底部，以满足这两个规则。

2. 一个视图有两个约束。一个的优先级为300，规定将这个视图的垂直中心位于父视图的顶部边界；另一个的优先级为301，规定这个视图必须至少距离父视图顶部50点。这两个规则的可能结果是什么？

该视图会尽可能地靠近顶部，但是距离不会少于50点。

3. 图 6-1 演示了模块化布局，其中视图被分解为两个子视图。如果使用 Autoresizing 将内容放到子视图中，需要禁用 translatesAutoresizingMaskIntoConstraints 吗？如果需要，什么时候禁用？如果不需要，为什么？

任何直接参与(也就是说，作为约束的 firstItem 或者 secondItem 被引用)Auto Layout 的视图必须禁用它的转换属性。因为这两个子视图使用自动布局定位。因此它们的转换属性必须禁用。

4. 何时你可能在兄弟间而不是使用父-子关系添加Auto Layout规则？为什么本章抽屉示例使用了一个兄弟手柄？

兄弟关系使你可以为所有项目提供触屏响应，而无须担心视图裁剪或者父视图响应器区域的边界。在抽屉示例中，手柄通过约束绑定到抽屉上，但是独立地管理它的外观和触摸响应。

5. 图 6-5 中的窗口尺寸变化示例如何与 iOS 相关联？

在很大程度上，它们不能。NSLayoutPriorityDragThatCanResizeWindow 和其他窗口特定的布局优先级未在 iOS 中定义。那也就是说，你可以在平板中使用这种方法在两个竞争部分分割屏幕区域。平板空间分隔大致与 iOS 当前的开窗功能相近。

6. 何时可以跳过实现 updateViewConstraints 和 updateConstraints？

如果布局不改变，也不会使当前约束集失效，你不需要实现这些更新方法。你一般会在一个易于采用横向和纵向显示的简单布局中看到这种情况。例如，一个带有3个居中对齐的按钮(例如，Load Game、New Game 和 Credit)的视图，不需要对特定方向的设计作调整。

第 7 章

1. 如何在 IB 中重复代码清单 7-7 中的间隔方案?

添加两个间隔视图，方便起见，为它们设定一个背景色。将它们约束到左边和右边(或者上边和下边)并相互匹配它们的宽度(或者高度)。钉固第一个间隔和第一个视图间以及最后一个视图和最后一个间隔间的水平(垂直)的间隔。将常数改为 0。最后，将这两个视图的背景改为 clear。

2. 如何在 IB 中设置视图的纵横比?

不能在 IB 中执行任何依赖乘数的任务，包括设置纵横比。而应使用代码。

3. 可以在 IB 中使用来自代码清单 7-10 的键盘间隔吗?

可以，但是需要对代码稍作修改。按如下步骤:

(1) 在代码清单 7-10 中，高度约束是一个实例变量。将它调整为一个类属性，那么就可以从 IB 中指定一个约束，然后将引用 heightConstraint 的代码更新为_heightConstraint。

(2) 向IB编辑器添加一个简单的视图。使用Identity Inspector，将它的类设置为 KeyboardSpacingView。

(3) 将它钉固到父视图的底部，水平展开。将一个文本视图添加到它上方，钉固这两者间的垂直间隔，将常数调整为 0。为该视图添加一个新的高度约束，并将其常数设置为 0。这个约束指定给类属性。

(4) 确保你在 viewDidLoad 中调用了 establishNotificationHandlers，那么视图就能响应键盘事件了。

4. 如何在 IB 中使用来自代码清单 7-5 的混合滚动策略?

最简单的方法是单独创建一个 xib 文件，并在其中布局滚动视图的内容。在常规故事板中创建一个滚动视图，将它的类设为 AutoLayoutScrollView。在运行时，从 xib 文件中加载内容视图，并将它添加到滚动视图的 customContentView 上。